MÜNCHENER STUDIEN ZUR POLITIK

Herausgegeben vom
Institut für Politische Wissenschaft der Universität München
durch Eric Voegelin und Hans Maier

7. Band

THEO STAMMEN

Goethe und die Französische Revolution

Eine Interpretation der ‚Natürlichen Tochter‘

VERLAG C. H. BECK · MÜNCHEN

PT
1958
N2
S7

© C. H. Beck'sche Verlagsbuchhandlung (Oscar Beck) München 1966
Druck der Buchdruckerei Georg Appl, Wemding
Printed in Germany

INHALTSVERZEICHNIS

MEINEN ELTERN

„Das Andenken merkwürdiger Menschen, sowie die Gegenwart bedeutender Kunstwerke, regt von Zeit zu Zeit den Geist der Betrachtung auf. Beide stehen da als Vermächtnis für jede Generation, in Taten und Nachruhm jene, diese wirklich erhalten als unaussprechliche Wesen. Jeder Einsichtige weiß recht gut, daß nur das Anschauen ihres besonderen Ganzen einen wahren Wert hätte, und doch versucht man immer aufs neue durch Reflexion und Wort ihnen etwas abzugewinnen."

Goethe

EINLEITUNG

I

Hat die Französische Revolution auch nicht unmittelbar, die politischen und sozialen Verhältnisse gewaltsam verändernd, nach Deutschland hineinwirken können, so löste sie doch auf dem zersplitterten und längst brüchigen Boden des alten Deutschen Reiches eine allgemeine geistige Bewegung aus, die die ganze Nation erfaßte und sie an den revolutionären Geschehnissen in Frankreich vielstimmigen Anteil nehmen ließ. Nicht zu Unrecht hat man die philosophische Spitze dieser Bewegung die „*Theorie der Französischen Revolution*" genannt.[1]

Theorie der Französischen Revolution – das will hier heißen: daß die geistigen Vertreter des auch in der zerklüfteten politischen Landschaft Deutschlands aufstrebenden Bürgertums die philosophischen Konsequenzen aus der von Frankreich her sie treffenden Herausforderung zu ziehen und Staat und Gesellschaft nach ewigen Vernunftprinzipien auf neue Weise zu begründen unternahmen. Insofern die Französische Revolution darauf Hoffnung machte, war sie für diesen Teil der deutschen Intelligenz eine *philosophische* Revolution; schien sie doch die „*Verwirklichung*" dieser neuen Philosophie in der Geschichte einzuleiten.

Hegel hat in seiner ‚Philosophie der Geschichte' diese Zusammenhänge verdeutlicht: „Der *Gedanke*, der *Begriff* des Rechts machte sich mit einem Male geltend, und dagegen konnte das alte Gerüst des Unrechts keinen Widerstand leisten. Im *Gedanken* des Rechts ist also jetzt eine Verfassung errichtet worden, und auf diesem Grunde sollte nunmehr alles basiert sein. Solange die Sonne am Firmamente steht und die Planeten um sie herumkreisen, war das nicht gesehen worden, *daß der Mensch sich auf den Kopf*, das ist, *auf den Gedanken stellt und die Wirklichkeit nach diesem erbaut*. Anaxagoras hatte zuerst gesagt, daß der „nous" die Welt regiert, nun aber ist der Mensch dazu gekommen, zu erkennen, daß der Gedanke die geistige Wirklichkeit regieren soll. Es war dieses somit ein herrlicher Sonnenaufgang."[2]

Auch Schiller hat in seinen zeitkritischen Briefen ‚Über die ästhetische Erziehung des Menschen' den Punkt, wo sich das revolutionäre Geschehen mit dem philosophischen Bestreben trifft, prägnant markiert: „Eine Frage,

---

[1] Herbert Marcuse, Vernunft und Revolution, Neuwied 1962, S. 15.
[2] G. W. Fr. Hegel, Vorlesungen über die Philosophie der Geschichte, (Reclam-Ausgabe), Leipzig o. J., S. 552.

welche sonst nur durch das blinde Recht des Stärkeren beantwortet wurde, ist nun, wie es scheint, vor dem Richterstuhl reiner Vernunft anhängig gemacht, und wer nur immer fähig ist, sich in das Zentrum des Ganzen zu versetzen und sein Individuum zur Gattung zu steigern, darf sich als Beisitzer jenes Vernunftgerichtes betrachten, sowie er als Mensch und Weltbürger zugleich Partei ist und näher oder entfernter in den Erfolg sich verwickelt sieht."[3]

Inwieweit damals – nach einem Worte Friedrich Schlegels „nichts mehr das Bedürfnis der Zeit (war) als ein geistiges Gegengewicht gegen die Revolution" und inwiefern „der weltgeschichtliche Akt der Französischen Revolution ... sich in einer Kette von Reflexen im deutschen Bürgertum wiederspiegelt",[4] ist in verschiedenen, das Material mit hinlänglicher Vollständigkeit erfassenden Darstellungen von Gooch, Stern, Droz und Valjavec[5] erforscht und, übersichtsmäßig geordnet, dargestellt worden.

Diese historischen, am Individuellen orientierten Studien, in denen die ganze Vielstimmigkeit der bürgerlichen Stellungnahmen in Deutschland gegenüber der Revolution offenbar wird, in denen somit die unterschiedlichen Positionen und ihre persönlichen Motivationen nebeneinander dargestellt werden, lassen gerade wegen der Breite und Fülle des dargebotenen Materials das intensivere interpretatorische Eingehen auf die epochalen Bedingungen dieser Stellungnahmen wie auch auf die zugrundeliegenden philosophischen Positionen oft vermissen.

Darüberhinausgehend haben nun aber in jüngster Zeit philosophische und sozialwissenschaftliche Untersuchungen[6] entschieden versucht, den gemeinsamen epochalen philosophischen Grund dieser Stellungnahmen und der daraus resultierenden politischen und philosophischen Entwürfe aus den Texten heraus verständlich zu machen.

Zwei Ergebnisse dieser Forschungen verdienen hier hervorgehoben zu werden, weil sie den Punkt am besten markieren helfen, von dem her die

---

[3] Friedrich Schiller, Werke, München 1959, Bd. 5, S. 573.

[4] Heinrich Popitz, Der entfremdete Mensch, Basel 1953, S. 12.

[5] G. P. Gooch, Germany and the French Revolution, London, 1920, Neudruck 1965. – Alfred Stern, Der Einfluß der Französischen Revolution auf das deutsche Geistesleben, Stuttgart/Berlin 1928. – Jacques Droz, L'Allemagne et la Révolution française, Paris 1949. – Fritz Valjavec, Die Entstehung der politischen Strömungen in Deutschland 1770–1815. München 1951.
vgl. auch die zusammenfassende Überschau von Kurt von Raumer: Deutschland um 1800, in: Handbuch der deutschen Geschichte, neuherausgegeben von Leo Just, Konstanz o. J., Bd. III, Abschnitt I. Seite 24 ff.

[6] Karl Löwith, Von Hegel zu Nietzsche, Stuttgart, 1964 (5. Aufl.). – Heinrich Popitz, Der entfremdete Mensch, Basel 1953. – Reinhard Koselleck, Kritik und Krise, Freiburg 1959 – speziell zu Hegels Verhältnis zur französischen Revolution: Joachim Ritter: Hegel und die französische Revolution, Frankfurt 1965 (2. Aufl.). – Jürgen Habermas, Hegels Kritik der französischen Revolution. in: Habermas: Theorie und Praxis, Neuwied, 1963.

Eigentümlichkeit der *Goetheschen* Position gegenüber der Französischen Revolution, um die es in dieser Untersuchung geht, auszumachen ist.

Allen im Zusammenhang mit der Französischen Revolution und der durch sie heraufbeschworenen Krise der alten Welt entstandenen philosophischen Schriften ist zunächst einmal ein *zeitkritisches Moment* gemeinsam, das vorher unbekannt war, jetzt aber zum Charakteristikum der Epoche wird. „Erst die Französische Revolution hat durch die Zerstörung der Tradition auf das Bewußtsein der Zeitgenossen die historisierende Wirkung gehabt, daß sich von da ab die gegenwärtige Zeit, im Gegensatz zur ganzen ‚bisherigen‘, nun ausdrücklich *zeit-geschichtlich* und im Blick auf die Zukunft begreift."[7] Erst die durch die revolutionären Ereignisse in Frankreich offenbar gewordene Krise des alten Systems hat es vermocht, ein spezifisches Bewußtsein entstehen zu lassen, das sich kritisch mit dem „Geist der Zeit" beschäftigt, also Zeitkritik ist. Man kann so einen Zusammenhang zwischen der epochalen Krise und der daran geübten Kritik feststellen.[8]

Diese Zeitkritik, die sich in Herders ‚Briefen zur Beförderung der Humanität‘ (1793)[9] ebenso andeutet wie in Schillers Briefen ‚Über die ästhetische Erziehung des Menschen‘ (1793/94), in Novalis ‚Die Christenheit oder Europa‘ (1799), in Fichtes ‚Geist des gegenwärtigen Zeitalters‘ (1804/5) und in Hegels Jugendschriften, wird – und das ist das zweite entscheidende und diesen Schriften gemeinsame Moment – aber über die bloße ephemere Kritik an der jeweiligen Gegenwart und ihren Tageszuständen hinausgetrieben in eine *„geschichtsphilosophische Konzeption"*: „Diese Geschichtsphilosophie ist die Überwindung des in seiner Individualität Unbegreiflichen, in seiner zufälligen Faktizität Sinnfremden, in seiner Bedrohung des gläubigen Ethos oft Übermächtigen durch die Relativierung, Einordnung und Sinngebung in der umfassenden Totalität der Geschichte. Die Erkenntnis der gegenwärtigen Situation, das Scheitern der Bestätigung des eigenen Zeitalters sucht die versöhnende Einheit in der Konzeption einer Theodizee der Geschichte."[10]

Erst mittels dieser geschichtsphilosophischen Konstruktion gelingt es hier, die zeitkritisch analysierte Gegenwart auf ihren philosophischen Grund zurückzuführen und sie so zu begreifen.

II

Auffallend ist nun, daß gerade in den zuletzt erwähnten philosophischen Untersuchungen, die auf die eigentümlich epochale Grundstruktur der

---

[7] Löwith, a. a. O., S. 220 ff.
[8] vgl. dazu Koselleck, a. a. O., bes. Einleitung.
[9] vgl. dazu Löwith, a. a. O., S. 220.
[10] Heinrich Popitz, a. a. O., S. 14.

deutschen Auseinandersetzung mit der Französischen Revolution eingehen, Goethe – sieht man einmal von dem einer weiterreichenden Problematik gewidmeten Werk von Karl Löwith ab – keine nennenswerte Rolle spielt. Zwar sind seine Äußerungen über die revolutionären Geschehnisse in Frankreich und seine als Reaktion darauf zu verstehenden Dichtungen der 9oer Jahre in den allgemeinen Darstellungen des Einflusses der Revolution auf das deutsche Geistesleben[11] ausführlich behandelt. Doch wird er nicht der deutschen Bewegung zugehörig gerechnet, die sich um eine philosophische Erfassung der Revolution als des maßgebenden Geschehnisses der Epoche bemühte.

Es scheint sinnvoll und berechtigt, zu Beginn einer Studie, die dem eigentümlichen Verhältnis Goethes zur Französischen Revolution gewidmet ist, zunächst nach den Gründen zu fragen, weshalb Goethe hier unberücksichtigt bleibt; ein solches Vorgehen erleichtert die Feststellung der besonderen Perspektive, unter der Goethe die Französische Revolution als eine entscheidende „Tendenz der Zeit" (Fr. Schlegel) zu begreifen und zu bewerten suchte.

Was das erste angeht, so könnte man versucht sein zu vermuten, Goethe, der als einer der wenigen „unter den führenden deutschen Intellektuellen"[12] von vorneherein und konsequent der Französischen Revolution ablehnend gegenüberstand und aus seiner Einstellung nie einen Hehl gemacht hat, sei wegen dieser seiner offensichtlich „reaktionären" Einstellung in den erwähnten Arbeiten besser nachsichtig mit Stillschweigen übergangen worden. Ausgesprochen erscheint diese Begründung jedoch sogleich allzu äußerlich, einen derart grundsätzlich bedeutsamen Verzicht zu motivieren, so daß die wahre Ursache deswegen wohl eher wo anders zu suchen ist.

Oben war referierend angedeutet worden, daß Popitz in seiner Untersuchung zwei gleichbleibende Motive in den deutschen Reflexen auf die Französische Revolution hatte feststellen können: ein *zeitkritisches* und ein *geschichtsphilosophisches*. Beziehen wir Goethe in diese Betrachtung ein, so läßt sich bei ihm leicht jenes von Popitz als erstes konstatierte *zeitkritische Moment* nachweisen und vielfach belegen: in seinen Dichtungen und Schriften wie in seinen Briefen und Gesprächen ist diese kritische, auf die eigentümliche Verfassung seiner Zeit eingestellte Bewußtseinsrichtung in allen Epochen seines Lebens anzutreffen.

Aber – und hier wird eine bedenkenswerte Differenz offenbar, die auch jenes oben als merkwürdig und auffallend bezeichnete Außerachtlassen

---

[11] vgl. die oben genannte allgemeine Literatur, speziell zu Goethe außerdem: Wilhelm Mommsen, Goethes politische Anschauungen, Stuttgart 1948.

[12] Ernst Beutler, Goethe und die französische Revolution, in: Preußische Jahrbücher, Bd. 235, S. 20.

Goethes verständlich, ja sogar folgerichtig erscheinen läßt – bei Goethe wird diese zeitkritische Tendenz nicht wie bei manchen seiner Zeitgenossen konsequent zu einer säkularen geschichtsphilosophischen Theorie weitergetrieben, zu einer Theorie der Geschichte, von der her erst das kritisch betrachtete Hier und Jetzt, auf seinen philosophischen Grund zurückgeführt, in seiner Notwendigkeit und Wahrheit begriffen werden kann. Ein geschichtsphilosophisches Moment in diesem speziellen Sinn, wie es bei seinen Zeitgenossen vorhanden ist, fehlt bei Goethe. Zwar hat auch er in seinen Schriften immer wieder geschichtsphilosophische Thesen entwickelt und vertreten, oft aperçuhaft verkürzt; doch erscheinen sie nicht zu einem geschlossenen System verbunden und werden zudem erst von einer bestimmten Denkweise her verständlich, die wir noch zu beschreiben haben. Es fehlt auch nicht jener mephistophelische Ton, der – wie etwa in dem berühmten Gespräch mit dem Historiker Luden – die Sinnhaftigkeit geschichtlichen Geschehens wie seiner Betrachtung rundheraus und mit Nachdruck in Abrede stellt.

So wichtig für den Zusammenhang dieser Überlegungen die Tatsache ist, daß Goethe zur theoretischen Bewältigung der Französischen Revolution seinerseits keiner geschichtsphilosophischen Hilfskonstruktion, keiner Theorie der menschlichen Geschichte als eines Gesamtverlaufs bedurfte, so wichtig ist andererseits die Feststellung, daß er – Goethe – keineswegs im Vordergründigen des Tagesgeschehen und einer emotionalen Beurteilung desselben verhaftet blieb, sondern mittels andersartiger, in ihrem Wesen und ihrer Herkunft noch näher zu bestimmender Kategorien zu einem ihn beruhigenden theoretischen Erfassen des revolutionären Geschehens in Frankreich gelangen konnte. Das soll heißen: Goethe hat nicht nur aus einer konservativen Geisteshaltung heraus von vornherein und mit Konsequenz eine andere: ablehnende Position gegenüber den revolutionären Ereignissen in Frankreich bezogen und vertreten als die meisten seiner Zeitgenossen, sondern er hat diese seine Haltung auch von einer ganz anderen Erkenntnis, die er mittels einer von der seiner Zeitgenossen abweichenden Betrachtungsweise gewann, rechtfertigen können.

Diese seine eigentümliche Methode an entscheidenden Texten durch Interpretation sichtbar zu machen, ist die Aufgabe, die sich die vorliegende Arbeit stellt. In ihrem Mittelpunkt wird die Analyse der Dichtung stehen, die nach Goethes eigenen Worten ihm zum „Gefäß" diente, worin er alles, was er so manches Jahr über die Französische Revolution und deren Folgen geschrieben und gedacht hatte, „mit geziemendem Ernste niederzulegen hoffte" (Bd. 8, S. 1025): *Die Natürliche Tochter*.

Es wird jedoch zuvor, um die eigentümliche Goethesche Methode der Betrachtung aus ihrer Genese in ihrer subjektiven Notwendigkeit verständlich zu machen, nötig sein, eine zusammenfassende Charakterisierung der Ergebnisse und Erfahrungen, die die unmittelbar vor Ausbruch der

Französischen Revolution abgeschlossene Italienische Reise (1786–88) für Goethe erbracht hatte, zu geben und die Probleme, die sich ihm nach seiner Heimkehr nach Weimar stellten und deren Bewältigung die Herausbildung der infragestehenden Methode erforderlich machte, anzudeuten, einer Methode, die ihm dann in jenen Jahren speziell auch dazu diente, die Französische Revolution zu begreifen.

III

„Kaum war ich in das weimarische Leben und die dortigen Verhältnisse, bezüglich auf Geschäfte, Studien und literarische Arbeiten, wieder eingerichtet, als sich die französische Revolution entwickelte und die Aufmerksamkeit aller Welt auf sich zog" (Bd. 8, S. 971).

Für das nächste Jahrzehnt war Goethes Aufmerksamkeit in der Tat auf dieses Ereignis gerichtet, ja derart gebannt, daß – wie er selbst einmal gesteht – „die Anhänglichkeit an diesen unübersehbaren Gegenstand so lange Zeit her sein poetisches Vermögen fast unnützerweise aufgezehrt" (AGA, 17, S. 881). Goethes Gebaren schon der Halsbandgeschichte (1785) gegenüber war von seinen Freunden als „seltsam", befremdlich, ja „wahnsinnig" empfunden worden (Bd. 8, S. 971).

Während sich die anderen über den Skandal schnell beruhigt hatten, hatte Goethe in der Geschichte das Gefüge einer alten Welt erzittern und zerbrechen gespürt: „In dem unsittlichen Stadt-, Hof- und Staatsabgrunde, der sich hier eröffnete, erschienen mir die greulichsten Folgen gespensterhaft, deren Erscheinung ich geraume Zeit nicht los werden konnte" (Bd. 8, S. 971). Da das, was Goethe innerlich beschäftigte, ihm „immerfort in dramatischer Gestalt erschien" (Bd. 10, S. 462), so verwandelte er wenig später „nach gewohnter Weise, um alle Betrachtungen los zu werden, das ganze Ereignis unter dem Titel ‚Der Großkophta' in eine Oper" (Bd. 8, S. 791).

Der 1789 ausbrechenden großen Revolution gegenüber verhielt Goethe sich von vornherein entschieden ablehnend. Er begründet seine Einstellung später so: „Einem tätigen, produktiven Geiste, einem wahrhaft vaterländisch gesinnten und einheimische Literatur befördernden Manne wird man es zugute halten, wenn ihn der Umsturz des Vorhandenen erschreckt, ohne daß die mindeste Ahnung zu ihm spräche, was denn Besseres, ja nur anderes erfolgen solle" (Bd. 8, S. 981).

Goethes Haltung konnte, da sie der der meisten seiner Zeitgenossen widersprach, nicht ohne Mißverständnis bleiben. Resignierend gesteht er später Eckermann gegenüber – und er hat dabei sein Verhältnis zur Französischen Revolution im Auge: „Man beliebt einmal, mich nicht so sehen zu wollen, wie ich bin, und wendet die Blicke von allem hinweg, was mich in meinem wahren Lichte zeigen könnte" (4. 1. 1824).

Goethe sah sich vor allem einem doppelten Mißverständnis ausgesetzt: War er Gegner der Revolution? – Gut, so war er also Konservativer! – Als Dichter und Denker wollte Goethe aber weder das eine noch das andere sein. Denn für ihn stand der Dichter viel zu hoch „als daß er Partei machen sollte" (Bd. 2, S. 247)[13].

„Es ist wahr, ich konnte kein Freund der französischen Revolution sein", heißt es in jenem Gespräch mit Eckermann weiter: „Weil ich nun aber die Revolutionen haßte, so nannte man mich einen Freund des Bestehenden. Das ist aber ein sehr *zweideutiger* Titel, den ich mir verbitten möchte. Wenn das Bestehende alles vortrefflich und gerecht wäre, so hätte ich gar nichts dawider. Da aber neben vielem Guten zugleich viel Schlechtes, Ungerechtes besteht, so heißt ein Freund des Bestehenden oft nicht viel weniger als ein Freund des Veralteten und Schlechten" (Zu Eckermann, 4. 1. 1824). Goethe konnte aus innerster Anlage weder Revolutionsanhänger noch extremer Konservativer sein. Dafür wissen wir, daß er „ein fortwährend Werdendes statuiert".[14]

Die Natur hatte ihn gelehrt, daß „nirgends ein Bestehendes, nirgends ein Ruhendes, ein Abgeschlossenes vorkommt, sondern daß vielmehr alles in einer *steten Bewegung* schwanke" (AGA, 17, S. 14). Die gleiche Stetigkeit der Bewegung erwartet Goethe auch von geschichtlichen und politischen Phänomenen. Für ihn war die Zeit „in ewigem Fortschreiten begriffen, und die menschlichen Dinge haben alle fünfzig Jahre eine andre Gestalt, so daß eine Einrichtung, die im Jahre 1800 eine Vollkommenheit war, schon im Jahre 1850 vielleicht ein Gebrechen ist" (Zu Eckermann, 4. 1. 24).

IV

Die Halsbandgeschichte hatte Goethe im ‚Großkophta' in dichterische Form gebracht und so für sein Denken abgeschlossen (vgl. Bd. 8, S. 971). Mit den Vorgängen der großen Revolution befaßt sich der ‚Bürgergeneral' (1793). Weitere Dramen, in dieser Zeit konzipiert und mit gleicher Tendenz begonnen, wie die ‚Aufgeregten' (Politisches Drama in fünf Akten) (1793–94) und ‚Das Mädchen von Oberkirch' (Trauerspiel in fünf

---

[13] vgl. dazu Bd. 10, S. 466: „Der Dichter aber, der seiner *Natur* nach *unparteiisch sein und bleiben muß* . . ." Das Parteiergreifen eines Dichters in politicis tadelte Goethe, wie etwa an Uhland: „Geben Sie acht – sagt er zu Eckermann – der Politiker wird den Poeten aufzehren. – So wie ein Dichter politisch wirken will, muß er sich einer Partei hingeben, und so wie er dieses tut, ist er als Poet verloren; er muß seinem freien Geist, seinem unbefangnen Überblick Lebewohl sagen und dagegen die Kappe der Borniertheit und des blinden Hasses über die Ohren ziehen. – Der Dichter wird als Mensch und Bürger sein Vaterland lieben, aber das Vaterland seines poetischen Wirkens ist das Gute, Edle und Schöne, das an keine besondere Provinz gebunden ist . . ." (Eckermann, März 1832).

[14] Zu Kanzler v. Müller, 6. 6. 1824.

Akten) (1795–96) blieben Fragmente. Man darf wohl sagen, der in den Komödien gemachte Versuch Goethes, mit leichter Hand das Bedrohliche und Gespensterhafte der Revolution wegzuwischen und zu erledigen, war gescheitert – wenigstens auf dramatischem Gebiete.

Goethe gab selber in der ‚Kampagne in Frankreich‘ zu, er habe sich im Stoff vergriffen: „... oder vielmehr ein Stoff überwältigte meine innere sittliche Natur, der allerwiderspenstigste um dramatisch behandelt zu werden“ (Bd. 10, S. 461).[15] Die gewünschte Wirkung dieser Stücke sowohl des ‚Großkophta‘ als auch des ‚Bürgergeneral‘ blieb aus. „Die Urbilder dieser lustigen Gespenster – schreibt Goethe in den ‚Annalen‘ (1793) – waren so furchtbar, als daß nicht selbst die Scheinbilder hätten beängstigen sollen“ (Bd. 8, S. 981). Auf dem Hintergrund der politischen Umwälzungen und der Greuel der Französischen Revolution wird lustspielhaftes Gebaren zur Grimasse, die erstarrt. Eine echte dichterische Bewältigung konnte mit diesen Mitteln nicht gelingen, entgegen Goethes eigenen Worten an Herder: „Ich hoffe, es soll mich weder ästhetisch noch politisch reuen, meiner Laune (= ‚Bürgergeneral‘) nachgegeben zu haben“ (7. 6. 1793).

Den Grund für das Fehlschlagen der erstrebten dichterischen Bewältigung darf man in der falschen Wahl der Form suchen: Die Form der Komödie konnte das Erstrebte nicht leisten. Zu sehr steht in ihr das Karikaturhafte, das bloß subjektiv Willkürliche im Vordergrund. Es erfolgt kein wesentliches Erfassen des Gegenstandes nach den immanenten Gesetzen seiner Gestalt.

Anders und erfolgreicher verfährt Goethe auf epischem Gebiet. Schon die zwischen Oktober 1796 und September 1797 für Schillers ‚Horen‘ geschriebenen ‚Unterhaltungen deutscher Ausgewanderten‘ besitzen größeres Gewicht. In einer der Form und der Situation nach an Boccaccios ‚Dekameron‘ gemahnenden Komposition, die eine Reihe von Novellen, durch einen Rahmen zusammengehalten, darbietet, wird offenbar, worin Goethe eigentlich die Gefahr der Französischen Revolution sieht; zeigt sich, wie wenig hier für eine der streitenden Parteien Stellung bezogen wird. Ist doch dem Dichter „weder am Tode der aristokratischen noch demokratischen Sünder im mindesten gelegen“ (an Jakobi, 18. 8. 92). Goethes Interesse ist rein menschlich, seine Sorge gilt allein dem Individuum, das in dieser brodelnden Welt zu leben hat und Gefahr läuft, den ihm notwendigen, eigenen Lebensraum zu verlieren.[16] Das Problem der Geselligkeit in unruhiger, aufgeregter Zeit steht im Mittelpunkt, Möglichkeiten

---

[15] vgl. „Das Stück (= ‚Bürgergeneral‘) brachte die widerwärtigste Wirkung hervor“ (Bd. 10, S. 463).

[16] So lehnt Goethe z. B. ein Werk ab, „da die Idee des Ganzen sich allein um Aristokratie und Demokratie dreht und dies kein allg. menschliches Interesse sei“ (zu Eckermann, 25. 10. 1823).

menschlichen Daseinsverhaltens zu Welt und Mitmensch werden exemplarisch gestaltet. Die Dichtung selbst in Gestalt schmaler Novellen erhält ihre gesellschaftliche Funktion in einem hohen Sinn zurück: durch sie wird der einzelne zum anderen, zu seinem Du geführt, und beide gesellig, indem sie von den hastig wechselnden Tagesdingen sich abwenden, zu innerer Folge und Stärke, Beständigkeit, Stetigkeit, Beherrschung und gegenseitiger Duldung gebracht, die Gesellschaft so neu integriert. „Was ist erquicklicher als Licht? – Das Gespräch!" heißt es in dem die ‚Unterhaltungen' nicht zufällig abschließenden ‚Märchen'. Denn: – so schreibt Goethe an Schiller – „Selig sind die da Märchen schreiben; denn Märchen sind à l'ordre du jour" (20. 9. 95), und hier wie immer sind „die Möglichkeiten des Märchens erreicht durch *Synthese des Lebens*".[17]

Neben dem Fragment gebliebenen Entwurf zu einem Roman in Rabelaisscher Manier, ‚Die Reise der Söhne des Megaprazons' (1792), in dem für das Geschehen der Revolution das geologische Gleichnis des Vulkanismus gewählt wird, bildet auf epischem Gebiet ‚Hermann und Dorothea' den Höhepunkt, wozu die Französische Revolution als Folie der Idylle den bewegten und bewegenden Hintergrund bildet. Es kann hier nicht einmal angedeutet werden, wie auch in ‚Hermann und Dorothea' durch den Zusammenschluß und die Festigkeit der Menschen die Gefahr der Erschütterung der sozialen Verhältnisse abgewendet werden kann. „Wer fest auf seinem Sinn beharrt, der bildet die Welt sich!" (IX. Gesang, V. 304). Alle diese mit der Revolution sich auseinandersetzenden Dichtungen, alle „diese Nachbildungen des Zeitsinnes" (Bd. 10, S. 464), wie Goethe sie nennt, zeigen nicht die Revolution selbst, sondern deren Ausstrahlung und Auswirkung auf Deutschland.

„Die *grenzenlose Bemühung*" Goethes, „*dieses schrecklichste aller Ereignisse in seinen Ursachen und Folgen dichterisch zu gewältigen*" (AGA, 16, S. 881), hörte nicht auf und sollte endlich im Plane der ‚Natürlichen Tochter' ihre Erfüllung finden.

„In dem Plane – so bekennt Goethe später in den ‚Annalen' – bereitete ich mir ein Gefäß, worin ich alles, was ich so manches Jahr über die französische Revolution und deren Folgen geschrieben und gedacht, mit geziemendem Ernste niederzulegen hoffte" (Bd. 8, S. 1025).

„Dichterische Gewältigung", „mit geziemendem Ernste" unternommen, das ist der Gesichtspunkt, durch den sich die Tragödie ‚Die Natürliche Tochter' von den anderen dramatischen Versuchen unterscheidet, die Goethe in den neunziger Jahren im Zusammenhang mit der Französischen Revolution unternahm. Die ihm von Schiller empfohlene Lektüre der Memoiren der Stephanie de Bourbon-Conti regte die Konzeption der ‚Natürlichen Tochter' 1799 an. Dieses Memoiren-Werk, dessen genauer

---

[17] H. v. Hofmannsthal, Aufzeichnungen, Frankfurt 1959, S. 193.

Titel ‚Mémoires historiques de Stephanie-Louise de Bourbon-Conti‘ lautet und das 1798 in Paris erschienen war, bot Goethe eine bunte Fabel, die der Handlung der ‚Natürlichen Tochter‘ weitgehend entspricht.

Unmittelbar nach der Lektüre beginnt Goethe mit der Ausarbeitung des Dramas, die jedoch infolge von Goethes Krankheit, seiner Reise nach Pyrmont und Göttingen bald zum Erliegen kommt und erst 1801 wieder aufgenommen wird. Ende 1801 ist der erste Akt fertig, 1802 wird die Arbeit fortgesetzt, ohne daß selbst die engsten Freunde Goethes etwas davon erfahren. „Unter allen Tumulten dieses Jahres ließ ich doch nicht ab, meinen Liebling Eugenien im stillen zu hegen“ (Bd. 8, S. 1071). So ist die Überraschung allgemein, als im April 1803 das neue Drama vollendet ist und aufgeführt wird. Im selben Jahr wird es – als Taschenbuch auf das Jahr 1804 – bei Cotta gedruckt.

Wenn Goethe in den ‚Annalen‘ von 1803 feststellt: „Ich hatte mich der freundlichsten Aufnahme von vielen Seiten her zu erfreuen, wovon ich die wohltätigsten Zeugnisse gesammelt habe, die ich dem Öffentlichen mitzuteilen vielleicht Gelegenheit finde. Man empfand, man dachte, man folgerte, was ich mir wünschen konnte“, so scheint das angesichts der allgemein negativen Beurteilung des Werkes allzu optimistisch. Zwar stimmten Schiller und besonders Fichte dem neuen Werke begeistert zu. Herder rühmte die „Silberstiftzeichnung“, änderte jedoch bald sein Urteil radikal. Doch die Meinung der Madame de Stael, die ‚Natürliche Tochter‘ sei „un noble ennui“ und das „marmorglatt, marmorkalt“ einer frühen Rezension haben die Aufnahme des Stückes beim breiteren Publikum bestimmt. Auch in den seither verflossenen hundertsechzig Jahren ist die ‚Natürliche Tochter‘ nicht unter den lebendigen, auf dem Theater gespielten Stücken Goethes.

V

Die Schwierigkeit, eine Dichtung wie die ‚Natürliche Tochter‘ zu verstehen, beruht auf der Schwierigkeit, die Einheit der neunziger Jahre und ihrer Tendenzen in Goethes Leben und Denken zu begreifen. Aus diesem Grunde ist eine kurze Charakteristik der Hauptlinien dieser Epoche notwendig:

Am 18. Juni 1788 trifft Goethe, aus Italien kommend, wieder in Weimar ein. Wenig später schreibt er an Jacobi: „So kann mein Gemüt, das die größten Gegenstände der Kunst und Natur fast zwei Jahre auf sich wirken ließ, nun wieder von innen heraus wirken, sich weiter kennen lernen und ausbilden“ (21. 7. 1788). Produktivität soll Goethe das Gleichgewicht gegen die Außenwelt wieder geben.

Das wesentliche Ergebnis der Italienischen Reise liegt für Goethe darin, daß er sich selbst fand. In einem Brief an Karl-August heißt es: „Ich habe mich in dieser anderthalbjährigen Einsamkeit selbst wiedergefunden, aber als was? – als *Künstler!*" (17. 3. 1788).

Inhaltlich hat Goethe die Resultate der Italien-Reise so zusammengefaßt: „Im Laufe von zwei vergangenen Jahren hatte ich ununterbrochen beobachtet, gedacht, jede meiner Anlagen auszubilden gesucht. Wie die begünstigte griechische Nation verfahren, um die höchste *Kunst* im eigenen Nationalkreise zu entwickeln, hatte ich bis auf einen gewissen Grad einzusehen gelernt, so daß ich hoffen konnte, nach und nach das Ganze zu überschauen und mir einen reinen, vorurteilsfreien Kunstgenuß zu bereiten. Ferner glaubte ich der *Natur* abgemerkt zu haben, wie sie gesetzlich zu Werke gehe, um lebendiges Gebild, als Muster alles künstlichen, hervorzubringen. Das Dritte, was mich beschäftigte, waren die *Sitten der Völker.* An ihnen zu lernen, wie aus dem Zusammentreffen von Notwendigkeit und Willkür, von Antrieb und Wollen, von Bewegung und Widerstand ein drittes hervorgeht, was weder Kunst noch Natur, sondern beides zugleich ist, notwendig und zufällig, absichtlich und blind. Ich verstehe die menschliche Gesellschaft" (AGA, 17, S. 84–5).

Daß es sich um kein zufälliges Nebeneinander von *Kunst – Natur – Sitten der Völker,* sondern um innigste Durchdringung, wesentliche Einheit der drei Bereiche handelt, wird bereits dadurch einsichtig, daß die Natur „lebendiges Gebild als Muster alles künstlichen" hervorbringt, daß die Sitten der Völker weder Natur noch Kunst sind, „sondern beides zugleich." Daß diese Einheit von Goethe bewußt erlebt wurde, geht aus einem Brief an Wieland hervor: „Ich habe vielerlei, so mancherlei, das doch nach meiner Vorstellungs- und Bemerkungsart *immer zusammenhängt* und *verbunden* ist. Naturgeschichte, Kunst, Sitten pp. alles amalgamiert sich bei mir" (Sept. 1788).

Die Vorstellungsart Goethes, seine Weise, die Dinge zu sehen, faßt die verschiedenen Erscheinungen zusammen, verknüpft sie und führt sie auf wenige Gesetze, auf eine Idee zurück. Es entsteht in ihm auf diese Weise „eine Art von subjektivem Ganzen".[18]

Aus der einheitlichen Vorstellungsart entfaltet sich eine einheitliche Produktivität: „Ich schrieb zu gleicher Zeit einen Aufsatz über Kunst, Manier und Stil, einen anderen, die Metamorphose der Pflanzen zu erklären, und das römische Karneval; sie zeigen sämtlich, was damals in meinem Inneren vorging und welche Stellung ich gegen jene drei großen *Weltgegenden* genommen hatte" (AGA, 17, S. 85). Der gleiche *eine* Geist schaut in die gleiche einheitliche Welt und betrachtet die Vielzahl der Erscheinungen als Weltgegenden *einer* Welt.

Jedoch muß Goethe sehr bald erfahren, daß sich sein in Italien erreichter Status durch die Heimkunft nach Deutschland grundsätzlich ge-

---

[18] Goethe an Schiller, 15. 11. 1796.

wandelt hat. Die in Italien erfahrene prinzipielle *Einheit* der drei Weltgegenden Natur – Kunst – Sitte ist in Deutschland nicht durchzuhalten.
Nirgends gibt es hier eine Kunst, die der in Italien antreffbaren nur entfernterweise vergleichbar wäre. Nirgends gibt es hier ein Volk, das wie
in Venedig „die Base, worauf alles steht" (Bd. 9, S. 114), ist, die „Haupt-
idee", die sich Goethe aufdrängt „als ein notwendiges, unwillkürliches
Dasein" (Bd. 9, S. 101).[19]

So ist Goethes Klage zu verstehen: „Aus Italien, dem formenreichen,
war ich in das gestaltlose Deutschland zurückgewiesen, heitren Himmel
mit einem düstern zu vertauschen; die Freunde, statt mich zu trösten
und wieder an sich zu ziehen, brachten mich zur Verzweiflung. Mein
Entzücken über entfernteste, kaum bekannte Gegenstände, mein Leiden, meine Klagen über das Verlorene schien sie zu beleidigen, ich
vermißte jede Teilnahme, niemand verstand meine Sprache" (AGA, 17,
S. 84).

Was Goethe heimkehrend auf literarischem Felde wirken sah, war erst
recht nicht angetan, ihn zu erfreuen, erschreckte vielmehr aufs tiefste:
„Nach meiner Rückkunft aus Italien, wo ich mich zu größerer Bestimmtheit und Reinheit in allen Kunstfächern auszubilden gesucht hatte, un-
bekümmert, was während der Zeit in Deutschland vorgegangen, fand ich
neuere und ältere Dichterwerke in großem Ansehen, von ausgebreiteter
Wirkung, leider solche, die mich äußerst anwiderten; ich nenne Heinses
‚Ardinghello' und Schillers ‚Räuber'" (Bd. 8, S. 1400). Ernüchterung und
stille Verzweiflung angesichts dieser herrschenden Tendenzen befiel den
Dichter und spiegelt sich in folgenden Sätzen: „Die Betrachtung der bil-
denden Kunst, die Ausübung der Dichtkunst hätte ich gerne völlig aufgegeben, wenn es möglich gewesen wäre ... Man denke sich meinen Zustand! Die reinsten Anschauungen suchte ich zu nähren und mitzuteilen,
und nun fand ich mich zwischen Ardinghello und Franz Moor einge-
klemmt" (Bd. 8, S. 1401).

In diesem peinlichen Zustand befand sich Goethe, als 1789 die Französische Revolution ausbrach, die weiterhin jede ruhige Entwicklung des
Bestehenden und von Goethe in Italien Errungenen unterband. Eine der
ersten Bemerkungen Goethes über die Wirkung der Revolution auf seine
Person lautet: „Daß die französische Revolution auch für mich eine Revolution war, kannst du denken" (An Jacobi, 3. 3. 90). Durch die revolutionären Geschehnisse in Frankreich wurde sein Vertrauen in die Sitten
der Völker, in ihre stetige Entwicklung erschüttert. Die soziale Ordnung,
die er in Italien als eine gesetzliche erkannt – und was mehr ist – anerkannt hatte und in der er sich, aus Italien heimkehrend, einzurichten
gedachte, geriet ins Wanken.

---

[19] E. Staiger, Goethe, Bd. II, S. 104.

Weniges, im Grunde nur eins blieb „als sinnerfüllte Wirklichkeit"[20] von diesem Geschehen unberührt: *Die Natur*. Auf ihre Betrachtung sich zurückzuziehen, ist Goethe gezwungen: „Und so hielt ich für meine Person wenigstens mich immer fest an diese Studien wie an einen Balken im Schiffbruch" (Bd. 8, S. 980). Die *Lebensnotwendigkeit* der Naturbetrachtung macht die Intensität verständlich, mit der Goethe sich in diesen Jahren auf sie wirft. Als erste Frucht dieser Studien, noch ganz auf dem in Italien Erfahrenen aufbauend, erscheint 1790 die kleine Schrift ‚Die Metamorphose der Pflanzen'. Sie erregt aber zu Goethes großer Enttäuschung im Grunde nur allgemeines Befremden des Publikums wie der Gelehrten. „Das Publikum stutzte: denn nach seinem Wunsche sich gut bedient zu sehen, verlangt es von jedem, daß er in seinem Fache bleibt ..." (AGA, 17, S. 86–7). Die allgemeine Verständnislosigkeit führte Goethe bald darauf zu dem Plan, die Geschichte seiner botanischen Studien dem Publikum mitzuteilen, um so aufzuzeigen, daß die Naturstudien kein Zufall, erst recht kein Abfall von der dichterischen Berufung sind. Goethe wollte auf diese Weise die Frage des Publikums beantworten, „wie ein Mann von mittlerem Alter, der als Dichter etwas galt und außerdem von mannigfaltigen Neigungen und Pflichten bedingt erschien, sich habe können in das grenzenloseste Naturreich begeben und dasselbe in dem Maße studieren, daß er fähig geworden eine Maxime zu fassen, welche, zur Anwendung auf die mannigfaltigsten Gestalten bequem, die Gesetzlichkeit aussprach, der zu gehorchen tausende von Einzelheiten genötigt sind" (AGA, 17, S. 63).

Denn was das Entscheidende an dem Mißverstehen oder Nichtverstehen des Dichters durch das Publikum war: „Nirgends wollte man zugeben, daß Wissenschaft und Poesie vereinbar seien. Man vergaß, daß Wissenschaft sich aus Poesie entwickelt habe, man bedachte nicht, daß, nach einem Umschwung von Zeiten, beide sich wieder freundlich zu beiderseitigem Vorteil, auf höherer Stelle, gar wohl wieder begegnen könnten" (AGA, 17, S. 90). Gerade hier aber liegt das zentrale Problem der neunziger Jahre in Goethes Schaffen: in der Vereinbarkeit, ja der *wesentlichen Einheit* der *dichterischen* und der *wissenschaftlichen* Anschauungs- und Arbeitsweise.

In der Naturwissenschaft findet Goethe den festen Boden, auf dem er wieder aufrichten kann, was durch die Französische Revolution bedroht oder gar schon verloren war. An Knebel schreibt er zu dieser Zeit: „Mein Gemüt treibt mich mehr als jemals zur Naturwissenschaft, und mich wundert, daß in dem prosaischen Deutschland noch ein Wölkchen Poesie über meinem Scheitel schweben bleibt" (9. 7. 1790). Auf die ‚Metamorphose der Pflanzen' folgt so konsequent der Ausbau einer Morphologie, die sich

---

[20] E. Staiger, Goethe, Bd. II, S. 104.

auf alle organischen Gestalten bezieht.[21] Auf diesem Wege wird die Einheit der Natur, deren Teil auch der Mensch ist, in der Betrachtung erreicht. Denn die morphologische Methode setzt den Forscher in den Stand, alle Erscheinungen der Natur als Manifestationen *einer* Idee zu begreifen.

So entfernt die lebendigen Erscheinungen als Gestalten von einander auch sein mögen, der Morphologe findet doch, „daß sie gewisse Eigenschaften miteinander gemein haben, gewisse Teile miteinander verglichen werden können. Recht gebraucht ist dies der Faden, woran wir uns durch das Labyrinth der lebendigen Gestalten durchhelfen" (AGA, 17, S. 58).

Dieser Forschungsintention folgend, arbeitet Goethe sich in kleinen und größeren Abhandlungen durch die verschiedenen Bereiche der Natur. Durch die Tätigkeit „attachiert" er sich mehr und mehr an diese Wissenschaft und glaubt, daß sie ihn vielleicht „ausschließlich beschäftigen" wird.[22]

Es vollzieht sich für Goethe jedoch nicht nur eine Ausweitung der morphologischen Betrachtung auf alle natürlichen, organischen und unorganischen Wesen und Gestalten, sondern die Morphologie als methodisches Verfahren weist ihn hinaus auf die anderen „Weltgegenden", *Kunst* und *Sitten der Völker.* „Daß bei einem Denker, dem alles Weltgeschehen, aus dem gleichen geheimnisvollen Quell entsprungen, in das gleiche Geheimnis zurückzumünden deuchte, diese morphologische Betrachtungsweise nicht auf die eine oder andere physikalische Untersuchung beschränkt blieb, sondern sich über das ganze Gebiet auch der geistigen Wahrnehmung und Erfahrung verbreiten mußte, ist leicht zu erfahren."[23]

Was sich in Goethes Tun und Arbeiten dieser Jahre vollzieht, ist ein langsames, schrittweises, doch unaufhaltsames Zurückgewinnen der verlorenen Einheit von Natur, Sitte und Kunst, d. h. der Einheit der Welt, die für ihn in Italien so fraglos gegolten hatte, in einer von Revolutionen erschütterten Zeit und deren Sicherung mit Hilfe der Durchdringung aller Weltgegenden mit der morphologischen Methode der Betrachtung.

Die Grundfrage der morphologischen Betrachtung lautet: Wie und unter welchen Bedingungen erscheint etwas? – An den organischen Erscheinungen der Natur, an den Pflanzen und Tieren, hatte Goethe seit Italien diese Betrachtungsweise mit Erfolg erprobt.

Jetzt, in der Epoche der Revolution, wendet er die gleiche Methode auf historische und politische Gegenstände an. So wird seine politische **und historische** Betrachtungsart im erläuterten Sinne „morphologisch".[24]

Der Übergang vom Gebiet der Pflanzen und Tiere zu dem des Men-

---

[21] Vgl. dazu: „Die Morphologie soll die Lehre von der Gestalt, der Bildung und Umbildung der organischen Körper enthalten" (AGA, 17, S. 58).
[22] Goethe an Jacobi, 1. 6. 90.
[23] R. A. Schröder, Gesammelte Werke, Frankfurt 1952 ff., Bd. II, S. 487.
[24] R. A. Schröder, a. a. O., Bd. II, S. 488.

schen und seiner Welt vollzieht sich auf Grund der noch näher zu be-
stimmenden Analogie „physice – moraliter".

Das als Voraussetzung für
die nachfolgende Untersuchung Entscheidende ist, daß „in jenen Leistungen Goethes auf dem Gebiete der Morphologie das Wiederauftreten des
Historischen, in gereinigten Begriffen",[25] sich ereignet.

Da, wo seine Zeitgenossen ihre zeitkritischen Analysen in eine Geschichtsphilosophie erweiterten, ja erweitern *mußten*, um eine hinrei-
chende Begründung des Geschehens und der Wirklichkeit zu gewinnen,
ergreift Goethe die morphologische Methode. Sie leistet ihm dasselbe:
mittels gereinigter historischer und politischer Begriffe vermag er das
revolutionäre Geschehen zu begreifen.

---

[25] H. v. Hofmannsthal, Briefe 1900–1909, Wien 1937, S. 65.

ERSTER TEIL

EXPOSITION

I

„Das flücht'ge Ziel, das Hunde, Roß und Mann,
Auf seine Fährte bannend, nach sich reißt,
Der edle Hirsch, hat über Berg und Tal
So weit uns irrgeführt, daß ich mich selbst,
Obgleich so landeskundig, hier nicht finde.
Wo sind wir, Oheim? Herzog, sage mir,
Zu welchen Hügeln schweiften wir heran?" (V. 1–7)

Mit diesen Versen läßt Goethe sein Drama ‚Die Natürliche Tochter' beginnen, das er ‚Ein Trauerspiel' unterschreibt.

Die Szene gibt eine Jagd-Situation wieder, genauer: die Ruhepause während einer Jagd, – der Schauplatz ist „dichter Wald" und schließt so an den Entwurf des geplanten, aber nie ausgeführten Jagd-Epos an, von dem wir durch einen Brief Wilhelm von Humboldts an seine Frau Genaueres wissen.[1]

Auf kein Tun, keine Handlung, kein dramatisches Geschehen zielen diese Verse ab: die Worte fragen nach dem Ort, dem Raum, wo man sich gerade befindet, aber nicht findet, der einem nahe und doch zugleich fremd ist. Ein uneigentliches, entfremdetes und somit in vielerlei Hinsicht befremdliches Verhältnis der Figuren bildet den Ausgangspunkt dieses Dramas.

Auch zu Beginn der ‚Iphigenie' und des ‚Tasso' wird auf den szenischen Raum eingegangen. Anders als bei Schiller entfaltet sich das dramatische Geschehen bei Goethe aus einer dramatischen Situation, die in ihrer Totalität vorzustellen Zweck der Eingangsszene ist. In der ‚Iphigenie' heißt es:

„Heraus in eure Schatten, rege Wipfel
Des alten, heilgen, dichtbelaubten Haines,
Wie in der Göttin stilles Heiligtum
Tret ich noch jetzt mit schauderndem Gefühl,
Als wenn ich sie zum erstenmal beträte,
Und es gewöhnt sich nicht mein Geist hierher." (V. 1–6)

---

[1] AGA, Bd. 22, S. 252.

Auch Iphigenie ist fremd an diesem Ort, gewaltsam an ihn versetzt, doch
sie kennt ihn seit langem, den Hain der Göttin, der zu dienen sie bestellt
ist, in dem sie „so manches Jahr bewahrt" (V. 7) lebt. Anders als der
König in der Eingangsszene der ‚Natürlichen Tochter' weiß sie den Ort
zu nennen, und so ist sie über ihre Lage orientiert, wenn selbst sie nicht
leidet, dort zu sein.

Zu Beginn des ‚Tasso' sieht sich Leonore und die Prinzessin „mit Ver-
gnügen hier so ländlich ausgeschmückt" (V. 5–6). Und die Prinzessin
antwortet:

> „Mein Bruder ist gefällig, daß er uns
> In diesen Tagen schon aufs Land gebracht . . .
> Ich liebe Belriguardo, denn ich habe
> Hier manchen Tag der Jugend froh durchlebt,
> Und dieses Grün und diese Sonne
> Bringt das Gefühl mir jener Zeit zurück." (V. 20–27)

Auch hier ist man sich genau bewußt, wo man ist. Der Ort ist seit langem vertraut, Jugenderinnerungen der Prinzessin machen ihn ihr lieb und
angenehm. Es bedarf keiner Orientierung. Beide Schauplätze der Ein-
gangsszenen zu ‚Iphigenie' und ‚Tasso' gehören der menschlichen Sphäre
an: dem Bereich der kultischen Handlung und dem des menschlichen
Wohnens.

Anders der Schauplatz zu Eingang der ‚Natürlichen Tochter': König
und Herzog befinden sich im „dichten Wald" und damit jenseits des
eigentlich menschlichen Lebensraums. Deswegen die Frage: „Wo sind
wir?" Der Eingangsdialog kreist um das Problem der Orientierung in der
Welt. Immanuel Kant definiert „orientieren" in seiner Schrift ‚Was heißt
sich am Denken orientieren?' so: „Sich orientieren heißt in der eigentlichen
Bedeutung des Wortes: aus einer gegebenen Weltgegend die übrigen, na-
mentlich den Aufgang (Orient) zu finden".[2]

Goethe war es gemäß, sich an den Dingen der Natur zu orientieren.
Zu Beginn der ‚Italienischen Reise' heißt es: „Mir gibt es sehr schnell
einen Begriff von jeder Gegend, wenn ich bei dem kleinsten Wasser for-
sche, zu welcher Flußregion es gehört. Man findet alsdann selbst in Gegenden, die man nicht übersehen kann, einen Zusammenhang der Berge und
Täler gedankenweise."[3]

König und Herzog in der ‚Natürlichen Tochter' vermögen diese Orientierung nicht oder nur unvollkommen zu leisten. Sie finden sich nicht,
„obgleich so landeskundig" (V. 4–5). Bereits an diesen wenigen Versen
wird deutlich, wie wenig dieser dramatische Dialog aus der direkten Mit-

---

[2] Werke, Inselausgabe, Bd. III, S. 269.
[3] Bd. 9, S. 191.

teilung der Figuren lebt und zu verstehen ist. Goethe „mißtraut" – wie Hugo von Hofmannsthal[4] – „dem zweckvollen Gespräch als einem Vehikel des Dramatischen". Der Dialog ist wesentlich Darstellung, die die Enthüllung dessen bringt, der spricht, so gut wie dessen, zu dem gesprochen wird. Der Dialog enthüllt die Figuren in ihrem Sein, das hier – in den ersten Versen der ‚Natürlichen Tochter' – als ein „Nicht-mehr-bei-sich-sein", als Verirrtsein, erscheint.

Das wird noch deutlicher, wenn man die weitgespannte Eingangsperiode genauer betrachtet: Die Verben des 1. Teiles verdienen besondere Aufmerksamkeit: „bannen" – „nach sich reißen" – „irreführen": in ihnen meldet sich Macht und verführende Gewalt, die Herrschaft ausübt, zu Wort. Sie lassen im Reflex die Schwäche und Abhängigkeit des Beherrschten, Gebannten, Mitgerissenen und schließlich Verirrten erkennen. Der Nachsatz „... daß ich mich selbst ... hier nicht finde" zieht das Resultat: Verlust der Orientierung in der Welt und Selbstverlust in bestimmter zwanghaft aufgelegter Konstellation. Der Verirrte fragt mit „Wo sind wir?" in die Welt, ohne erlösende Antwort zu finden.

Das Erlebnis, das diese Verse gestalten, ist: daß die Welt etwas vom Menschen Unabhängiges ist, das seinen eigenen Gesetzen folgt und sich fremd gegen die Menschen stellen kann; daß die Menschen sich in dieser fremden Welt verirren, ja verlieren können. Was in den Verba der ersten Verse, im „bannen, nach sich reißen, irreführen" schon anklingt, wird als Struktur gefaßt durch das im folgenden Redeteil erscheinende Bild des Gewebes, das umstrickt:

„Laß dieser Lüfte liebliches Geweb
Uns leis umstricken..." (V. 18–19)

Zwar ist es noch ein *„liebliches* Geweb", und das Umstricken vollzieht sich noch „leis". Doch wird sich im weiteren Verlauf des Stückes die Netz-Symbolik in ihrem bedrohlichen Charakter immer mehr enthüllen. Von daher fallen Schatten auf die Eingangsszene. Aber auch hier ist dem Gewebe bereits die Grundfunktion des „Umstrickens" eigen; und so kann bereits hier das Gewebemotiv das Sich-Verlieren und Verlorensein der Figur an die Umstände anzeigen. Man muß sich dabei daran erinnern, daß die Welt als Raum des Irrens eine für Goethe geläufige Anschauungsform ist, ein immer wiederkehrendes Motiv der Dichtung, wohl am weitesten entfaltet in den Meister-Romanen und im ‚Faust'.

Was aber die Verwirklichung des Motivs in den ‚Lehrjahren' etwa von der in der ‚Natürlichen Tochter' – auch bereits in den Eingangsversen dazu – grundsätzlich unterscheidet, ist die gesteigerte Gefährdetheit der Figuren, der eine gesteigerte Gefährlichkeit und Mächtigkeit der Welt

---

[4] Ausgew. Werke, Bd. II, S. 768.

entspricht. Hier – in der ‚Natürlichen Tochter‘ – verlieren sich die Figuren an das Labyrinthhafte der Welt, ohne sich selbst zu finden. Vielmehr geht im Verirren auch das Selbst verloren.

Man halte dagegen das Zuversichtliche, das etwa aus der letzten Strophe von ‚Seefahrt‘ (1776) spricht:

> „Doch er stehet männlich an dem Steuer:
> Mit dem Schiffe spielen Wind und Wellen.
> Wind und Wellen nicht mit seinem Herzen.
> Herrschend blickt er auf die grimme Tiefe
> Und vertrauet, scheiternd oder landend,
> Seinen Göttern." (Bd. 1, S. 317)

Diese aus der Selbstgewißheit erwachsende Kraft, auch über das Element Herr zu werden, kann auf der Stufe der ‚Natürlichen Tochter‘ nicht wiederholt werden. Das bestätigt das im I. Akt der ‚Natürlichen Tochter‘ wieder aufgenommene Seefahrt-Motiv: Von „innen" – so heißt es hier – wird

> „Das Schiff durchbohrt, das, gegen äußre Wellen
> Geschlossen kämpfend, nur sich halten kann." (V. 373–5)

Es wird hier deutlich, wie die Gefahr, die von dem Elementaren her droht, durch die innere Schwäche der in die Elemente geworfenen Menschen vergrößert und so erst eigentlich zerstörerisch wird. In der ‚Natürlichen Tochter‘ fehlt die Entschlossenheit, der „Geist", der die Elemente beherrschen kann:

> „Das Element zu bändigen vermag
> Ein tiefgebeugt, vermindert Volk nicht mehr …" (V. 2805–6)

Das wiederholt an der Spitze der Eingangsverse erscheinende „Laß!" ist beredter Ausdruck für diese Schwäche, die von den Figuren der ‚Natürlichen Tochter‘ Besitz ergriffen hat.

> „Laß dieser Bäume hochgewölbtes Dach
> Zum Augenblick des Rastens freundlich schatten.
> Laß dieser Lüfte liebliches Geweb’
> Uns leis umstricken, daß an Sturm und Streben
> Der Jagdlust auch der Ruhe Lust sich füge." (V. 16–20)

An die Stelle der Entschlossenheit spricht sich ein Schweifen, Sich-Hingeben, aus. Die Gegebenheiten des Ortes mögen König und Herzog wie Geweb umstricken. Wenn die Jagd und ihr Stürmen von der Ruhe Lust abgelöst werden soll, so nicht, damit die Figuren sich in der Ruhe finden und zu sich kommen. Es ist nicht die Ruhe der Schau, die „Stille", von der Goethe oft als der Voraussetzung der wahren menschlichen Existenz spricht, des Freiwerdens von allen Prätentionen und subjektiven Trübungen, sondern – wie es in den folgenden Worten des Herzogs heißt: ein „sich empfinden". Ging oben das Fragen zunächst auf den Ort, mit dem Ziel, sich zu orientieren, so folgt jetzt auf diese (allzuflüchtige) Orientierung ein Sich-Empfinden, das wieder an diesen Ort gebunden ist, und erst über die Empfindung des Ortes, an dem sie sind, gelangen der König und der Herzog zur eigenen, zwischenmenschlichen Beziehung: indem sie durch den Raum gleichgestimmt werden, der gleichen Stimmung unterliegen.

All dies vollzieht sich ohne Hinweis oder Andeutung einer sich entwickelnden dramatischen Handlung, ohne eine solche Handlung auszulösen.

Die Art des Sich-Empfindens, in die König und Herzog sich verlieren, ist näher zu bestimmen. Man muß dabei die kritischen Nebentöne, die Goethe in diesen Versen anbringt, mit berücksichtigen. Goethe hat selbst für das Verständnis dieser Szene in der Aufzeichnung ‚Empfindungsformen' den besten Schlüssel gegeben. Es heißt dort: „Zentripete, passive (Empfindungsform), ganz ohne Inhalt denkbar. Unbedingte Einsamkeit, Entfernung von Geräusch, unberührtes Altertum. Grabeshügel. Tiefe Langeweile, Gefühl mangelnden Inhalts. Einmischung physischer Bedürfnisse. Furcht, verlorene Unschuld, sich selbst zurechnend. Formlose Symbolik. Bild zum Gefühl. Trauer ohne Gegenstand. Erwartung des Geliebten ohne Gegenstand. Wöhnlichkeit der Natur. Alles in der freien Natur auf das Individuum bezogen. Schwäche des Träumenden. Unangenehme Ereignisse im Traum" (Bd. 18, S. 406/7).

Dieses Schema charakterisiert aufs Genaueste das Verhalten von König und Herzog und rückt diese Szene in die Nähe der Diskussion über den Dilettantismus, wie sie zwischen Goethe und Schiller gegen Ende des 18. Jh. gepflogen wurde und von der uns ein umfangreiches Schema hinterlassen ist. Von der Passivität des Königs, wie sie sich in dem wiederholten „Laß!" ausdrückt, war bereits die Rede: sie bildet die Grundlage dieser zentripeten, passiven Empfindungsform, der eine Bemerkung des Dilettantismus-Schemas genau entspricht: „Überhaupt will der Dilettant in seiner Selbstverkennung das Passive an die Stelle des Aktiven setzen." Das Verlangen nach „unbedingter Einsamkeit" und „Entfernung von Geräusch", das im Text ‚Empfindungsformen' enthalten ist, erscheint in den Versen des Königs wieder:

> „Soll ich vergessen, was mich sonst bedrängt,
> So muß kein Wort erinnernd mich berühren.
> Entfernten Weltgetöses Widerhall
> Verklinge, nach und nach, aus meinem Ohr." (V. 30–33)

Die Empfindungen, denen er sich überläßt, lösen das Gegenständliche auf. Sie sind ohne Gegenstand, „Gefühl mangelnden Inhalts" kennzeich-

nend für diesen Zustand: „Trauer ohne Gegenstand, Erwartung des Geliebten ohne Gegenstand". Dies ist die Sphäre des Dilettanten. Die eigentliche menschliche Tendenz sollte nach Goethe sein: Fassung des Gefühl-
ten, Geschauten, Erlebten in ein Bild, wie es Goethe von sich selber sagt:
„... dasjenige, was mich erfreute oder quälte oder sonst beschäftigte, in
ein Bild, ein Gedicht zu verwandeln" (Bd. 8, S. 336). Durch die Verwandlung in ein Bild wird das Erfahrene überwunden, gegenständlich
gemacht und so in das Leben als vollzogene Stufe eingeholt und zugleich
distanziert.

Der König faßt die Dinge, den Raum nicht gegenständlich. Der Raum
ist ihm vielmehr *Stimmungsraum:* Empfindung und Gefühl treten an die
Stelle von Begriff und Anschauung. Die Stimmung leitet das Gespräch
dann auf „Gegenstände diesem Ort gemäßer" (V. 35).

Die Distanz dieser Verse zu einer echt-gegenständlichen Schau im Sinne
Goethes wird evident durch den Vergleich mit folgenden „Tasso"-Versen:

> „Ja, es umgibt uns eine neue Welt!
> Der Schatten dieser immergrünen Bäume
> Wird schon erfreulich. Schon erquickt uns wieder
> Das Rauschen dieser Brunnen. Schwankend wiegen
> Im Morgenwinde sich die jungen Zweige.
> Die Blumen von den Beeten schauen uns
> Mit ihren Kinderaugen freundlich an.
> Der Gärtner deckt getrost das Winterhaus
> Schon der Zitronen und Orangen ab.
> Der blaue Himmel ruhet über uns,
> Und an dem Horizonte löst der Schnee
> Der fernen Berge sich in leisen Duft." (V. 28 ff.)

Nur noch ganz leicht klingt in den Dativformen „uns" der Bezug zu den
Menschen an. Klar in ihren Verhältnissen sind die Gegenstände gegeben
und distanziert; dieselbe Klarheit zeichnet die Sätze aus: kurze Aussagen, parataktisch gefügt. Kein Wunsch unterbricht die Schau, die vom
Nahen und Nächsten zum Fernsten am Horizont blickt und auch noch
das im Dunst Verschwebende zu fassen weiß. Das gleiche objektive Verfahren kann man an Landschaftsschilderungen in den ‚Wahlverwandtschaften' studieren, etwa in jenem kleinen Abschnitt, der so anhebt: „Und
so gelangte man denn über Felsen, durch Busch und Gesträuch zur letzten
Höhe, die zwar keine Fläche, doch fortlaufende, fruchtbare Rücken bildete ..." (Bd. 6, S. 325). Wie sehr hier alles Willkürliche und Subjektive
getilgt ist, erkennt man am besten am Wörtchen „man", mit dem hier die
wandernden Freunde Eduard und der Hauptmann gemeint sind. Aus
reinen Gegenständlichkeiten baut sich das Bild der Landschaft in seiner
naturhaften Ordnung und Begründung auf.

Gerade diese Stelle und die Beschreibung Heidelbergs aus der Schwei-
zerreise von 1797 machen den Unterschied zur Haltung von König und
Herzog in der ersten Szene der ‚Natürlichen Tochter‘ vollends offenbar.
Hier gibt es Architektonik des Geistes; hier herrscht die Stufe des Stils,
von der Goethe sagt, daß sie „auf den tiefsten Grundfesten der Erkenntnis", auf dem Wesen der Dinge „ruhe", „insofern es uns erlaubt ist, es in
sichtbaren und greiflichen Gestalten zu erkennen" (AGA, 13, S. 68).
Am prägnantesten tritt dieses Verfahren Goethes wohl bei der Beschreibung der Heidelberger Brücke in Erscheinung. Es heißt dort: „Allein bei näherer Betrachtung der Konstruktion möchte sich finden, daß
die starken Pfeiler, auf welchen die Statuen stehen, hier zur Festigkeit
der Brücke nötig sind; da denn die Schönheit wie billig der Notwendigkeit weichen muß" (Bd. 10, S. 115). Das klingt wie Resignation, ist jedoch anders zu deuten: wirksam ist hier vielmehr der oben bereits beschriebene Zug zur Objektivierung des Schauens, dem ein subjektiv und
willkürlich aufgefaßtes Schöne weichen muß. Dies ist eine seltene Stelle
dafür, wie das dilettantische Sehen zurückgenommen und zugleich durch
die objektive Anschauungsweise, die Goethe „Stil" nennt, ersetzt wird.

Auf dieses objektivierende Verfahren aber verzichtet der König in der
‚Natürlichen Tochter‘ völlig. Sein Empfinden weicht keinem Naturnot-
wendigen, Wahren. Es ist zu fragen, ob es überhaupt „sichtbare und
greifliche Gestalten" und Gegenstände sind, die in des Königs Versen
erscheinen. Da „alles in der freien Natur auf das Individuum bezogen"
ist, emanieren aus diesem traumhaften, subjektiven, passiv-empfindsamen
Zustand Bilder wie:

> „Hier sollen Gatten aneinander wandeln,
> Ihr Stufenglück in wohlgeratnen Kindern
> Entzückt betrachten, hier ein Freund dem Freunde
> Verschlossnen Busen traulich öffnend nahn." (V. 36–9)

Nicht was ist, sondern was sein soll, ist hier im Wort. Die Gegenstände
der Anschauung sind in der Empfindung überstiegen, „transzendiert",
wie es die Eigentümlichkeit des Dilettanten ist, der „Phantasiebilder unmittelbar vorstellen" will. Die so aufgefaßte Natur „befördert die senti-
mentale und phantastische Nullität" (Bd. 16, S. 412). Indem der König
nicht „den Gegenstand, (sondern) immer nur sein Gefühl über den Gegenstand schildern" will (Bd. 16, S. 416), verwechselt er als Dilettant die
Wirkungen der Natur „mit den objektiven Ursachen und Motiven und
meint nun den Empfindungszustand, in den er versetzt ist, auch produktiv und praktisch zu machen, wie wenn man mit dem Geruch einer
Blume die Blume selbst hervorzubringen gedächte" (Bd. 16, S. 420–1).

Noch deutlicher wird der Zusammenhang dieser Szene mit der passiven Empfindungsform und dem Dilettantismusproblem durch die polare

Entsprechung, die Goethe als „zentrifuge, aktive Empfindungsform" kennzeichnet. Von ihr heißt es: „Sehnsucht. Sehnsuchtsvolle unbekannte Eifersucht. Gewissen ... Lust zum Reisen. Heftiges Vorgreifen ... Ahnung von Glück – Unglück – Ereignissen. Wunsch die Mannigfaltigkeit des Organisierten zu begreifen. Gefühl, daß man auch sein Leben überschauen müsse. Empfindung den Gegenständen zugeschrieben. Schießen, Fischen, Vogelstellen, Reiten ... Nachahmung in ein Bild verwandeln" (Bd. 18, S. 406/7).

Dem König in der ‚Natürlichen Tochter' fehlt jedoch diese Architektonik des Geistes, und er „gibt sich durchaus dem Stoff hin statt ihn zu beherrschen" (Bd. 16, S. 430). So ist er außerstande, jenen in den ‚Lehrjahren' (Bd. 7, S. 469) ausgesprochenen Grundsatz – „des Menschen größtes Verdienst bleibe wohl, wenn er die Umstände so viel als möglich bestimmt und sich so wenig als möglich von ihnen bestimmen läßt" – zu entsprechen.

Doch darf man nicht übersehen, wie gerade der Einsatz der ersten Szene dieses Dramas, der am intensivsten das Sich-Verlieren und Verlorensein ausdrückt, durch das Gefüge der Satzperiode die Gefahr des Verfließens bannt. Ein Spannungsverhältnis besteht von vorneherein zwischen Aussage und Form. Bei aller Passivität des Königs offenbart die Form noch das Vermögen zu umgreifen, zu ordnen und unterzuordnen, so daß auf diese Weise die Verben der Aussage – „bannen", „nach sich reißen" und „irreführen" – genau so wie die Frage „Wo sind wir?" durch die Form im Gleichgewicht gehalten werden: ein vollkommenes und überlegenes Ausbalancieren der gefährlichen Substanz durch das formale (hier: syntaktische) Element findet statt, so daß die Gefährlichkeit des Inhalts kaum noch zu spüren ist.

II

Wir betrachten die Szene I. 3, zu deren Beginn der Graf einen Botenbericht über den Sturz Eugeniens gibt.

Der König hört ihn an und spricht dann – beiläufig – die Worte:

> „O möge sie ihm bleiben! Fürchterlich
> Ist einer, der nichts zu verlieren hat." (V. 181–2)

Diese Worte sind seltsam, insofern sie nicht von Mitgefühl zeugen, das man nach dem bisherigen Verhältnis König – Herzog erwarten könnte, sondern auf ein ganz anderes, bisher verborgenes Denken des Königs verweisen. Die Tochter möge dem Vater bleiben, aber nicht, weil es menschlicher Wunsch ist, sondern weil der Vater ohne Tochter „fürchterlich" sei als einer, der nichts zu verlieren hat. Wem fürchterlich, wollen wir noch fragen. Und obgleich die Frage aus dem Text nicht direkt zu beantworten ist, geht man wohl nicht fehl anzunehmen: für den König.

Zum ersten Mal erleben wir, daß der König, von einem bisher nicht in Erscheinung getretenen Zentrum seines Denkens aus, einen bisher ebenfalls unbekannten Weltentwurf vollzieht, in den Herzog und Tochter als zwei Figuren einbezogen sind wie Figuren eines Schachspiels, dergestalt daß Eugenie den Herzog „hält", d. h. ihn nicht gefährlich werden läßt.

Unter das zuerst allein sichtbare und bestimmende Gewebe freundschaftlich-verwandtschaftlicher Beziehungen zwischen König und Herzog, wie es sich in den ersten Szenen des ersten Aktes herstellte, schiebt sich – bedeutender, stärker – ein Netz, das aus politischen Kalkulationen besteht und die Menschen als Funktionen einplant.[5]

Auf dem Grunde dieses neuen Beziehungsnetzes nehmen sich die alten Verhältnisse der Figuren zu einander ganz neu aus: König und Herzog erscheinen nicht länger als ein harmonisches Freundespaar, das sich traulich bespricht und Intimitäten einander bekennt. Sie sind vielmehr Potenzen, potentielle Energien in einem nun aus der Verborgenheit heraustretenden politischen Kräfteverhältnis, das sich nach anderen als freundschaftlich-verwandtschaftlichen Gewichten herstellt und bemißt.

In einem Moment hat der König durch diese kurze und beinahe beiseite gesprochene Rede die ganze Szene in ein neues Licht getaucht und die Wirklichkeit des ersten Bildes bis zu einem gewissen Grade in Frage gestellt. Durch die Doppelbeleuchtung kommt etwas Gespenstisches in die Szene und alles gerät in die Schwebe, und es ist zu fragen: Was ist die echte Wirklichkeit, die echte Basis, auf der die Verhältnisse ruhen? Aber es ist nicht nur ein doppelter Aspekt der Wirklichkeit, der hier geboten wird, es sind nicht nur zwei Bilder, die sich nebeneinanderstellen und deren Echtheit sich wechselweise aufzuheben scheint und rätselhaft wird, es ist im gleichen Maße wahr, daß die Figur des Königs, von der diese beiden Entwürfe der Welt ausgehen, in ein Zwielicht gerät. Was ist der wahre König? – Freund des Herzogs oder Politiker, der die anderen Personen – seinen Bedürfnissen entsprechend – ins politische Kalkül verwebt und nach Nutz und Vorteil oder deren Gegenteil braucht?

Diese Verrätselung der Figur – wie wir die Erscheinung zunächst einmal nennen wollen, ohne ihre Gründe aufzusuchen – bleibt nicht auf den König beschränkt. In eben derselben Szene, aus der die zitierten Verse des Königs genommen sind, stehen folgende, die der Graf spricht:

> „Die Lippen öffnet ihm der Fürstin Tod,
> Nun zu bekennen, was für Hof und Stadt

---

[5] Vgl. für die Richtigkeit des Vergleichs Weltentwurf – Netz: „Es weiß kein Mensch weder in sich selbst noch in andre zu finden und muß sich eben sein Spinngewebe selbst machen, aus dessen Mitte er wirkt" (Goethe an Schiller, AGA, 20, S. 682).

Ein offenbar Geheimnis lange war.
Es ist ein eigner grillenhafter Zug,
Daß wir durch Schweigen das Geschehene
Für uns und andre zu vernichten glauben." (V. 187 ff.)

Der vorher lediglich als Berichterstatter über den Sturz Eugeniens auftretende Graf erweist sich als ein genauer Kenner der Verhältnisse, dem das Sonderbare des herzöglichen Verhaltens offenbar ist. Wenn man noch – wie manche Interpreten tun zu dürfen glauben – in dem Grafen den Bruder Eugeniens sieht, der die spätere Intrige gegen Eugenie betreibt, so gerät auch diese Figur wie vorher die des Königs in ein Zwielicht, das vielleicht allein deshalb, weil die Figur des Grafen nicht annähernd die Schärfe des Profils erreicht wie etwa der König oder der Herzog, weniger eklatant ein Rätsel scheint.

Daß es sich hier bei dem, was bisher aufgewiesen wurde, nicht um vereinzelte Züge in der ,Natürlichen Tochter' handelt, mag noch ein weiteres Beispiel belegen.

Ein merkwürdiger Tatbestand bietet sich den Augen: Der Herzog hat in der ersten Szene dem König gestanden, er habe eine Tochter, die der König während der Jagd bereits gesehen habe.

In Szene I. 4 bemühen sich König und Herzog um die gestürzte Eugenie, die abwechselnd von den beiden „meine Tochter" oder „deine Tochter" genannt wird. Damit ist die Identität der Gestürzten mit der Tochter des Herzogs auch für das Wissen des Königs zugegeben.

Als nun Eugenie sich von ihrem Sturz erholt hat und dem König vorgeführt werden soll, fragt dieser:

„Und wem gehört es an, das liebe Kind?" (V. 251)

Der Herzog antwortet – und es ist wichtig, daß die Regieanweisung sagt: „nach einer Pause" –:

„Da du mich fragst, so darf ich dir bekennen,
Da du gebietest, darf ich sie vor dich
Als meine Tochter stellen." (V. 252 ff.)

Der König fragt nochmals erstaunt: „Deine Tochter?" – Obwohl der König wußte, daß der Herzog eine Tochter hat, und obwohl er wußte, daß diese Tochter die Gestürzte ist, fragt er und stellt sich erstaunt, als er erfährt: „Meine Tochter". Es bleibt also der Tatbestand, daß der König etwas erfragt, was er längst weiß. Die Pause vor der ersten Antwort des Herzogs, wie sie eine der sparsamen und darum um so gewichtigeren Regieanweisungen verlangt, zeigt die Verwirrung, das Erstaunen des Herzogs über des Königs Worte an.

Wie kann man dieses Rätsel lösen? – Sicherlich keineswegs so, wie H. M. Wolff es versucht (in: ,Goethe in der Periode der Wahlverwandtschaften'): „König und Herzog – so heißt es dort – wissen also in I. 5 nichts von der Unterhaltung des ersten Auftritts, und das läßt sich nur in der Weise erklären, daß die das Stück einleitende Unterredung erst nachträglich vorangestellt wurde" (a. a. O., S. 75). Wir brauchen dieses Verfahren hier keiner Kritik zu unterziehen.[6]

An dieser Stelle soll das Rätsel nur ins Licht gehoben, noch nicht aber eine Deutung versucht werden. Als Hinweis zu einer solchen mag vorerst genügen, den Unterschied herauszuheben, der zwischen dem ersten Gespräch Herzog – König und dem zweiten Gespräch, an dem Eugenie noch teilnimmt, besteht. Offensichtlich macht es etwas aus, ob an einer Unterhaltung zwei oder drei Partner teilnehmen. Es ist zwar kein Unterschied der Sache, wohl aber ein solcher der Situation. Das Wort aus den ‚Wahlverwandtschaften': „Nichts ist bedeutender in jedem Zustand als die Dazwischenkunft eines Dritten" gilt auch hier (Bd. 6, S. 312). Verschiedene Stufen und Grade der Geheimhaltung sind eingeschoben, wie das häufige Vorkommen des Wortes „geheim" oder „heimlich" gerade für die ‚Natürliche Tochter' zeigt. So sagt der König zum Grafen, bevor er mit Eugenie spricht:

> „Entferne jedermann! Ich will sie sprechen." (V. 245)

Wie sehr der Geheimcharakter der folgenden Unterhaltung betont ist, geht aus des Königs Schlußworten hervor:

> „Und werde bald, was hier geheim geschah,
> Vor meines Hofes Augen wiederholen." (V. 281–2)

Aber: „... bis dahin verlang ich von euch beiden
> Verschwiegenheit. Was unter uns geschehen,
> Erfahre niemand." (V. 405–7)

Ebenso erhält Eugenie von ihrem Vater und Herzog Schmuck, den sie aber nicht öffnen, nicht offenbaren darf.

Wir befinden uns in einer Welt, die von politischen Grundsätzen des Sagens bzw. Verschweigens und Geheimhaltens geformt ist und die von

---

[6] Vgl. dazu E. Staiger, Goethe II, S. 374, Anm. 17, wo es heißt: Wolffs „höchst scharfsinnigen, aber dennoch nicht überzeugenden Schlüsse beruhen auf einer Interpretation, die von Goethes Dramen eine Wahrscheinlichkeit fordert, die man allenfalls bei Hauptmann oder Ibsen voraussetzen darf."
Was Goethe selbst zu einer solchen Art des Vorgehens gesagt haben würde, kann man aus jenem berühmten Gespräch mit Luden schließen, in dem es heißt: „In der Poesie gibt es keine Widersprüche. Diese sind nur in der wirklichen Welt, nicht in der Welt der Poesie. Was der Dichter schafft, das muß genommen werden, wie er es geschaffen hat. So wie er seine Welt gemacht hat, so ist sie. Was der poetische Geist erzeugt, muß von einem poetischen Gemüt empfangen werden. Ein kaltes Analysieren zerstört die Poesie und bringt keine Wirklichkeit hervor. Es bleiben nur Scherben übrig ..." (AGA, 22, S. 400).

den Figuren, die sich in ihr bewegen wollen, eine ständige Anpassung an die Konstellation, „Flachheit und Verstellung" verlangt.[7] Dadurch erhalten die Figuren etwas Maskenhaftes, Schwerdurchschaubares, Rätselhaftes.

Davon ist auch der Herzog nicht ausgenommen, wie die Szene I. 6 zeigt: Kaum hat der König den Herzog und Eugenie verlassen, so wandeln sich des Herzogs Äußerungen über den König von freundschaftlicher Unterwürfigkeit zu oppositioneller Kritik.

Schon in der Szene König – Herzog – Eugenie erfuhren wir Zweifel an der Loyalität und Zuverlässigkeit des Herzogs aus dem Munde des Königs:

> „Gar viele Widersacher hat ein Fürst;
> O laß ihn jene Seite nicht verstärken!" (V. 317–8)

Diese Worte sind an Eugenie gerichtet und machen zugleich die Funktion deutlich, die der König Eugenie zugedacht hat: Sie soll ihm den Herzog als politischen Parteigänger erhalten.

Durch die Frage:

> „Mit welchem Vorwurf kränkest du mein Herz?" (V. 319)

versucht der Herzog jeden Verdacht zu zerstreuen. Eugenie versteht von alledem nichts:

> „Wie unverständlich sind mir diese Worte!" (V. 320)

Es sind nicht allein die Worte, die sie nicht versteht, sondern zugleich auch das komplizierte Verhältnis zwischen König und Herzog und damit ihre eigene Lage.

Erst die erneuerte Huldigung des Herzogs, vereint mit der Eugeniens, scheint das Verhältnis König – Herzog neu und rein herzustellen, doch nur scheinbar, denn in I. 6 wird in stichomythischem Zwiegespräch Eugenie – Herzog erst recht die kritische Einstellung des Herzogs zum König in ihrer ganzen Schärfe sichtbar.

Was vorher vom König galt, gilt jetzt entsprechend vom Herzog. Die Vielzahl der Abschattierungen seiner Erscheinungen, der schnelle Wechsel der Positionen, der Wandel des Tons: all dies läßt den Herzog ebenso im Zwielicht erscheinen wie den König: Die Figuren verrätseln sich. Kein Gedanke an eine Konsequenz und Kontinuität der Charaktere kann als Leitfaden durch diese dramatischen Situationen dienen.

---

[7] Bd. 15, S. 972.

III

»Es steht manches Schöne isoliert in der Welt, doch
der Geist ist es, der Verknüpfungen zu entdecken
und dadurch Kunstwerke hervorzubringen hat.«
(Goethe, AGA, 8, S. 308)

„... Der Kritiker liest, zuerst befremdet von dem sonderbaren Stil, stößt
dann auf einen gleichsam transparenten Satz, der die Eigenart des Künst-
lers ahnen läßt, findet beim Fortschreiten der Lektüre einen zweiten und
dritten Satz verwandter Art, bis er eine Gesetzlichkeit ahnt, die zu den
seelischen Formelementen eines Autors vorzudringen gestattet."[8]

Diesem Verfahren folgend, haben wir zwei Szenen der ‚Natürlichen
Tochter' unter bestimmten Hinsichten gelesen, und es waren an eben
diesen Stellen Besonderheiten aufgefallen.

Es ergaben sich Rätsel, Denk- und Merkwürdigkeiten eines dramatischen Stils, den man in der Goethe-Forschung nicht selten geneigt ist, den
hochklassischen, ja sogar den klassizistischen zu nennen, Anstößigkeiten,
die vorerst nur registriert, nicht aber schon gedeutet werden konnten.

Diese Rätsel gilt es im Folgenden zu lösen, zu entfalten, um auf diese
Weise „zu den seelischen Formelementen eines Autors (in unserem Falle:
Goethe) vorzudringen".[9]

Dabei kommt – um mit Goethe zu reden – alles „aufs Anschauen an,
es kommt darauf an, daß bei dem Worte, wodurch man ein Kunstwerk
zu erläutern hofft, das Bestimmteste gedacht werde, weil sonst gar nichts
gedacht wird".[10]

Die Kompliziertheit des Gegenstandes erlaubt, ja erzwingt eine Behandlung durch Trennen und Entfalten.

Als Legitimation für ein solches trennendes Eingreifen in Dichtung
mag ein Hinweis Goethes auf sein eigenes Verfahren dienen: „Um mich
zu retten, betrachte ich alle Erscheinungen als unabhängig voneinander
und suche sie gewaltsam zu isolieren; dann betrachte ich sie als Korrelate,
und sie verbinden sich zu einem entschiedenen Leben" (M+R, 561). „Leider – so schreibt Schiller an Goethe – wissen wir nur das, was wir scheiden" (23. 8. 94).

Daß „alles vereinzelte ... verwerflich sei" – wie Hamann sagt – erkannte Goethe als eine „herrliche Maxime" an, die aber „schwer zu be-
folgen" sei; „von Leben und Kunst mag sie freilich gelten, bei jeder Über-
lieferung durchs Wort hingegen, die nicht gerade poetisch ist, findet sich
eine große Schwierigkeit; denn das Wort muß sich ablösen, es muß sich

---

[8] Leo Spitzer, Stilstudien II, 1929, S. 366.
[9] E. R. Curtius, Marcel Proust, Berlin/Frankfurt 1952, S. 14.
[10] Goethe, Einleitung in die Prophyläen, AGA, 13, S. 152.

vereinzeln, um etwas zu sagen, zu bedeuten. Der Mensch, indem er spricht, muß für den Augenblick einseitig werden; es gibt keine Mitteilung, keine Lehre ohne Sonderung" (Bd. 8, S. 602).

Gerade für den Kritiker ist das Trennen als erste Stufe seines Vorgehens unerläßlich. „Wenn Kunstliebhaber und -freunde irgendein Werk freudig genießen wollen, so ergötzen sie sich am Ganzen und durchdringen sich von der Einheit, die ihm die Künstler geben können. Wer hingegen theoretisch über solche Arbeiten sprechen, also lehren und belehren will, dem wird Sondern zur Pflicht" (Bd. 15, S. 1003). Nicht aber ist das Sondern der Elemente Ziel der Betrachtung, die der Interpret anstellt. „Im Grunde treibt er doch eigentlich sein Geschäft, um zuletzt wieder zur Synthese zu gelangen" (AGA, 16, S. 890). Das Aufweisen derselben in ihrer Einzelheit und in ihrem Isoliertsein ohne den Hin- und Durchblick auf das Ganze, das diese Einzelheiten integriert, ist unvollständig und ohne Sinn.

Daher schreitet die Kritik über die Wahrnehmung und Festlegung der Einzelzüge „in synthetischem Verfahren zur Rekonstruktion der geistigen Gesamthaltung des Autors fort".[11]

Auch Goethe war sich bewußt, „daß Sondern und Verknüpfen zwei unzertrennliche Lebensakte sind. Vielleicht ist es besser gesagt: daß es unerläßlich ist, man möge wollen oder nicht, aus dem Ganzen ins Einzelne, aus dem Einzelnen ins Ganze zu gehen" (AGA, 17, S. 395). Diese Folge von Schritten sei in der kommenden Betrachtung ständig getan.

Erst trennen, soweit erforderlich, dann die getrennt betrachteten Elemente zu einem „entschiedenen Leben" wieder vereinigen, indem man sie als „Korrelate" betrachtet.

Welche Einzelzüge sind zu betrachten? – Oben ist gesagt worden, die Betrachtung der Textstellen sei unter verschiedenen Hinsichten erfolgt. Diese Hinsichten gaben den Blick frei auf bestimmte Eigentümlichkeiten des Stils.

1. Da es sich im Drama vorzugsweise um Probleme des Dialogs handelt, d. h. um solche des Miteinanderseins in der Rede, so liegt es nahe, zunächst die zu betrachten, die miteinander redend sind: die Figuren. Es war deutlich geworden, wie gerade die Figuren durch den Dialog, durch plötzliche Wendungen desselben, nicht so sehr durch das „Was?" des Beredeten als vielmehr durch das „Wie?" des Beredens, sich verrätseln und fremd erscheinen. Fragen wir also nach den Figuren.

2. Gleich zu Beginn des Stückes hatte sich gezeigt, wie die Örtlichkeit, der Raum in einem hohen Maße aktiv wird, d. h. zwingende Gewalt von ihm ausgeht auf das, was in ihm vorgeht und ist, speziell auf die Figuren,

---

[11] E. R. Curtius, Marcel Proust. a. a. O., S. 14.

indem er ihr Miteinandersein in der Sprache formt. Sie sprechen – um an ein Beispiel zu erinnern – von Gegenständen „diesem Ort gemäßer".

Der Ort, an dem die Szene spielt, ist für diesen Zusammenhang von symptomatischer und symbolischer Bedeutung.

In I. 1 offenbart sich die Mächtigkeit des Atmosphärischen mit einer korrespondierenden Bestimmbarkeit der Figuren. Diesen Verhältnissen gilt es weiter nachzuspüren.

3. Dabei wird sich sehr bald erweisen, daß mit den beiden formalen Gesichtspunkten „Figur" und „Raum" die Besonderheiten des dramatischen Stils der ‚Natürlichen Tochter' zwar aufgewiesen, aber nicht gedeutet werden können. Es wird dann ein neuer, noch zu formulierender, ganz aus dem Drama ‚Die Natürliche Tochter' gewonnener Gesichtspunkt hinzutreten müssen.

Diese drei Problemkomplexe, die – wie es scheint – in ihren spezifischen Erscheinungsweisen in diesem Drama eine Umformung des dramatischen Stils bedingen, oder – anders gewendet: – für deren Mächtigkeit der Stil in seiner bestimmten Ausformung Ausdruck ist, sollen in der angegebenen Reihenfolge behandelt werden.

Vorweg aber sei das, was sich in der ‚Natürlichen Tochter' ereignet, beschrieben und bestimmt: Denn erst auf diesem Hintergrund darf man hoffen, die Elemente in ihrer bestimmten Funktion und ihre stilistische Manifestation sichtbar zu machen.

Eine derartige Auswahl und Beschränkung kann nicht frei von einer gewissen Willkürlichkeit sein. Ob die Beschränkung dennoch eine auf Wesentliches war, wird sich erst im Verlaufe der Untersuchung zeigen lassen.

„Für den ernst Betrachtenden" – schreibt Goethe einmal – bleibe nichts übrig, „als daß er sich entschließe, irgendwo den Mittelpunkt zu setzen und alsdann zu sehen und zu suchen, wie er das übrige peripherisch behandle" (AGA, 17, S. 640).

ZWEITER TEIL

„ERSCHEINEN" UND „VERSCHWINDEN"

a) DAS EREIGNIS

„Der Inhalt eines Dramas ist ein Werden oder ein
Vergehen. Es enthält die Darstellung der Entstehung
aus dem Flüssigen, einer wohlgegliederten Begebenheit aus Zufall. Es enthält die Darstellung der Auflösung, der Vergehung einer organischen Gestalt im
Zufall. Es kann beides zugleich enthalten, und dann
ist es ein vollständiges Drama."

Novalis

I

Wenige Wochen nach der Uraufführung der ‚Natürlichen Tochter' schrieb
Schiller an W. v. Humboldt: „Goethens ‚Natürliche Tochter' wird Sie sehr
erfreuen und, wenn Sie dieses Stück mit seinen anderen, den früheren
und mittleren, vergleichen, zu interessanten Betrachtungen führen. Des
Theatralischen[1] hat er sich zwar darin noch nicht bemächtigt, es ist zuviel
Rede und zu wenig Tat, aber die hohe Symbolik, mit der er den Stoff behandelt hat, so daß alles Stoffartige vertilgt und alles nur Glied eines
ideellen Ganzen ist, diese ist wirklich bewundernswert" (18. 8. 1803).
Schon vorher hatte Schiller in einem Brief an seine Frau (6. 7. 1803) von
den „erstaunlichen Longeurs" gesprochen, die den „Gang des Stückes aufhalten", und hatte hinzugefügt: „Ich werde Goethen sehr anliegen, es
merklich zu verkürzen."

Kein Zweifel: Nach Schillers Urteil war das neue Stück – wie schon
vorher die ‚Iphigenie' – von einer normativen Ästhetik des Dramas her
gesehen „auf epische Art verfehlt" (Schiller an Goethe, 26. 12. 97). Schon
jenem Stück fehlte die Dynamik, die Präzipitation, die alles Geschehen
zu einem einzigen Faden bindet und diesen in Hast von Anfang bis zum
Ende abspult. Auch hier – in der ‚Natürlichen Tochter' – wird „der Gang
des Stückes ... aufgehalten".

In der Tat will der Begriff der Handlung, sonst für angemessen er-
achtet, das zu fassen, was in einem Drama geschieht, auf die Verhältnisse

---

[1] Das Theatralische scheint nach Schillers Verständnis hier soviel zu bedeuten
wie: das Dramatische, wie aus der folgenden Bemerkung „zu viel Rede und zu
wenig Tat" hervorgeht. Das Theatralische und die „hohe Symbolik" sind also
für Schiller keineswegs dasselbe, sondern Verschiedenes.

der ‚Natürlichen Tochter' angewendet, nicht recht passend erscheinen. Es ist besser, ihn fernzuhalten. Allzusehr setzen Handlung und Handeln die Tätigkeit von Personen voraus, die sich auf ein Willensziel spannt. In Schillers Dramen waltet diese Art des Geschehens als Handlung vor: Alles untersteht ihr, sogar die Charaktere, welche ihre Eigenständigkeit, vor allem aber ihre Plastizität und Fülle, zu verlieren Gefahr laufen. „Die stärkste Handlung beschränkt die Figuren auf Interjektionen."² Bereits Nietzsche hatte es „ein wahres Unglück für die Ästhetik" genannt, „daß man das Wort „Drama" immer mit „Handlung" übersetzt hat". Das Wort „Drama" sei dorischer Herkunft und bedeute „Ereignis", „Geschichte", „beide Worte im hieratischen Sinn" verstanden. „Also kein Tun, sondern ein Geschehen.³

Dieser Hinweis Nietzsches kann uns helfen, die der ‚Natürlichen Tochter' eigentümliche Art des Dramatischen genauer zu fassen:

Zur Charakterisierung dessen, was in der ‚Natürlichen Tochter' vorgeht, eignet sich der neutralere Terminus „Geschehen" besser. So fassen das, was vorgeht, die Figuren des Dramas selbst auf: „... und wenns *geschehen* ist?" (V. 558), „Und ins *Geschehene* fügt sich jedermann" (V. 1113). „Geschehen" weist mehr den Charakter des unabdingbar Ablaufenden auf, das einem Naturereignis gleicht. Es hat jene Eigentümlichkeit, von der Goethe einmal meint, man sähe daraus, „wie unzuverlässig die Geschichte sei, weil kein Mensch eigentlich wisse, warum oder woher dieses und jenes geschehe" (Belagerung v. Mainz, Bd. 10, S. 486).

Man könnte von „Begebenheit" sprechen in dem Sinne, wie Fr. Schlegel ihn definiert: „Begebenheit heißt jene gemischte Erscheinung (= aus Menschheit und Schicksal gemischte Erscheinung (S. 136)), wenn das Schicksal überwiegt."⁴ Ein Schicksal, das schon Delbrück in seiner frühen Rezension der ‚Natürlichen Tochter' ausspricht, wenn er dort schreibt: „Das Schicksal, welchem Eugenie erliegt, ist etwas sehr zusammengesetztes",⁵ und das im Zusammenhang des Stückes einen Charakter annimmt, den man am ehesten mit den Worten Napoleons umschreibt, die Goethe in dem kleinen Aufsatz ‚Begegnung mit Napoleon' mitteilt: „Die Politik ist das Schicksal!" (Bd. 8, S. 1419).

Hier sei vorzugsweise von „Ereignis" gesprochen. Als ein solches wird das Geschehen des Stückes vom König aufgefaßt: „Welch ein unerwartet, schreckliches *Ereignis*!" (V. 197).

Sowohl bei „Ereignis" als auch bei „Geschehen" handelt es sich vorerst um eine *formale* Bestimmung dessen, was in der ‚Natürlichen Tochter' vor

---

² H. v. Hofmannsthal, Aufzeichnungen (1959), S. 201.
³ Fr. Nietzsche, Werke (ed. Schlechta), Bd. II, S. 921.
⁴ Fr. Schlegel, Krit. Schriften (ed. Rasch, 1956) S. 137.
⁵ Jen. Allg. Lit. Zeit. 1 ff. Okt. 1804. – Zitiert nach: Fambach, Goethe und seine Kritiker, S. 73.

sich geht; es ist jetzt zu klären, um welche Art von „Ereignis" oder „Geschehen" es sich hier handelt.

II

Wir wollen das Geschehen in der ‚Natürlichen Tochter' zunächst in seinen Hauptlinien beschreiben, ohne bereits an dieser Stelle seine symbolische Bedeutung zu erfassen zu suchen. Das Stück ist beherrscht von einer Doppelbewegung, die sich aus zwei gegenläufigen Einzelbewegungen zusammensetzt. Die erste Bewegung – eine *Aufwärtsbewegung* – dominiert in den Akten I und II. Der treffendste, im Stück immer wieder dafür verwendete Begriff lautet „erscheinen". Die Gegenbewegung dazu, *abwärts* gerichtet, wird im Text mit „verschwinden" benannt und dominiert in den Akten IV und V. Der III. Akt, die Mitte des Stückes, enthält eine umfassende Reflexion auf die beiden Bewegungen.

Diese schematische Kennzeichnung des Geschehens der ‚Natürlichen Tochter' ist noch zu ergänzen: Im I. und II.Teil des Dramas ist neben der vorherrschenden Bewegung jeweils auch die andere Bewegung – gedämpft, doch durchaus spürbar – wirksam: in den Akten I und II das Geschehen des „verschwindens", in den Akten IV und V das des „erscheinens".

Vergegenwärtigen wir uns das Geschehen in Akt I und II: es vollzieht sich über mehrere, rasch aufeinanderfolgende Stufen als ein Erscheinen. Die erste Stufe ist in dem Eingeständnis der Existenz Eugeniens durch den Herzog vor dem König, die zweite in der Gewißheit von Eugeniens Nähe zu sehen.

> „. . . ich darf
> Vor meinem König meine Tochter nennen,
> Ich darf ihn bitten: sie zu mir herauf
> Zu sich heraufzuheben . . ." (V. 95–97)

und:

> „Du selbst, mein König, hast sie unbekannt
> Im wilden Drang der Jagd um dich gesehn." (V. 125–6)

Doch bereits hier war Eugenie – damit deutet sich die Gegenbewegung des „Verschwindens" an – kaum „erschienen" wieder „verschwunden":

> *„König*:
> Gewaltsam und behende riß das Pferd
> Sich und die Reiterin auf jenes Ufer,
> In dicht bewachsner Hügel Dunkelheit.
> Und so *verschwand* sie mir.

Herzog:
    Noch einmal hat
Mein Auge sie gesehen, eh' ich sie
Im Labyrinth der hast'gen Jagd *verlor.*" (V. 135–140)

Auf der folgenden, der dritten Stufe des Geschehens sind „erscheinen" und die Gegenbewegung des „Verschwindens" wie ineinander verwoben: Eugenie erscheint selbst. Die Unmittelbarkeit dieses Ereignisses wird kaum durch das vorausgehende Gespräch König – Herzog gedämpft, in dem schon Existenz und „in der Nähe Sein" Eugeniens gemeldet. Die dritte Weise des Erscheinens ist abrupt, wie sie es nicht stärker sein könnte: Ein Sturz aus der Höhe. Eugenie wird für tot hereingetragen, ähnlich Felix in den ,Wanderjahren': „Noch aber (war) kein Zeichen des Lebens zu bemerken, Die holde Blume hingesenkt in ihren Armen" (Bd. 7, S. 1233). Im Bericht des Grafen erhalten wir Kunde von diesem Ereignis.

Während alle anderen Reiter, die mit Eugenie auf der Höhe erscheinen, sich zerstreuen und „jeder einzeln seinen Pfad, hier oder dort, mehr oder weniger durch einen Umweg" sucht, d. h. auf *gebahnten* Pfaden und Gleisen den Weg zu Tal findet, besinnt sich Eugenie keinen Augenblick und „nötiget ihr Pferd von Klipp' zu Klippe grad herein" (V. 169 ff.). Ihr Wille zu Unbedingtheit offenbart sich hier.

„Am untern steilen Abhang gehn dem Pferde
Die letzten, schmalen Klippenstufen aus,
Es stürzt herunter, sie mit ihm." (174–6)

So wiederholt sich hier, nur noch schneller, was vorher im Gespräch König – Herzog schon geschah: Dem unerwarteten Erscheinen folgt auf dem Fuß ein ebenso unerwartetes, plötzliches Verschwinden. Das heißt: Indem sich das Erscheinen hier als *Sturz* ereignet, wird es zum *Verschwinden.* Das Bild des Meteoren, wie es später der Gerichtsrat für Eugenie gebraucht, vermag vielleicht am ehesten dieses Ineins von Erscheinen und Verschwinden zu fassen: Die Eigentümlichkeit des Erscheinens Eugeniens ist ihr Verschwinden.

Die Bewegungsrichtungen, die in den Versen ausgesprochen werden, machen dies noch deutlicher: Nimmt man das Erscheinen als das Aufsteigen, Aufgehen (eines Sternes), so verbindet es sich hier unmittelbar mit dem Abstieg, bzw. Absturz zu einem einzigen Vorgang, dessen volle symbolische Bedeutung sich jedoch erst vom IV. Akt her erschließt.

Entsprechend dem Ablauf des Geschehens sind die Metaphern gestellt, die so, bringt man sie aus ihrer Isoliertheit heraus und in einen inneren Zusammenhang, auf einer besonderen Bedeutungsebene das Ereignis spiegeln.

Im I. Auftritt spricht der Herzog von Eugenie als von einem Gestirn und von einem Licht:

„Ein anderes Gestirn, ein andres Licht
Erheitert mich. Und wie in dunklen Grüften,
Das Märchen sagt's, Karfunkelsteine leuchten,
Mit herrlich mildem Schein der öden Nacht
Geheimnisvolle Schauer hold beleben . . ." (V. 63–7)[6]

Eugenie ist ihm belebendes Licht in einer dunklen Welt. Sie bereitet ihm durch ihr reines Dasein ein „Paradies", in das er sich „von der Welt gedrängter Posse retten" kann (V. 471 ff.). Der König, bislang in Unkenntnis gelassen über Eugeniens Existenz, darf in ihrem Erscheinen „den Aufgang eines neuen *Sterns* bewundern" (V. 108). Für den Herzog ist sie wiederum „Blüte eines hochbejahrten Stammes" (V. 146). Die Blüte ist nach Goethes Metamorphosenlehre Gipfel und Zusammenfassung der Pflanze und ist als solche Erscheinung der Schönheit. „Zum Schönen wird erfordert ein Gesetz, das in die Erscheinung tritt. Beispiel von der Rose. In den Blüten tritt das vegetabilische Gesetz in seine höchste Erscheinung; und die Rose wäre nun wieder der Gipfel dieser Erscheinung" (M+R, 1345).[7] Die Blüte als Gipfel der Erscheinung steht zwischen Aufwärtsbewegung und Niedergang und deutet symbolisch die Position Eugeniens zwischen Erscheinen und Verschwinden.

Dieses Zwischen ist für Goethe der Ort der Schönheit, nicht des Schönen allein, wie es schon in einem frühen Brief gesagt ist: „Das Licht ist die Wahrheit, . . . Die Nacht die Unwahrheit. Und was ist die Schönheit? Sie ist nicht Licht und nicht Nacht. Dämmerung; eine Geburt aus Wahrheit und Unwahrheit, ein Mittelding" (An Fr. Oeser, 13. 2. 69). Wie die Schönheit so ist auch die sie begleitende Farbe für Goethe ein solches „Mittelding",[8] zwischen Licht und Trübe. Und endlich hat auch das künstlerische Symbol hier seinen Ort, wie aus einem Nachtrag zu ‚Philostrats Gemälden' hervorgeht: „Es ist die Sache, ohne die Sache zu sein, und doch die Sache; ein im geistigen Spiegel zusammengezogenes Bild, und

---

[6] Karfunkelsteine bringen – dem Volksglauben zufolge – das Licht aus sich hervor. Vgl. Goethe, Anhang zu Cellini: „Daß einige Steine im Dunkel leuchten, hatte man bemerkt. Man schrieb es nicht dem Sonnenlicht zu, dem sie dieses Leuchten abgewonnen hatten, sondern einer eigenen, inwohnenden Kraft, und nannte sie Karfunkel" (Bd. 14, S. 497). Der Einschub „das Märchen sagts" bezieht sich auf ‚1001 Nacht'. Vgl. dazu Katharina Mommsen, Goethe und 1001 Nacht, Berlin 1960, S. 84.

[7] Vgl. den Aufsatz ‚Natur- und Kunstschönes', in dem es u. a. heißt: „Das Gesetz, das in die Erscheinung tritt, in der größten Freiheit, nach seinen eigensten Bedingungen, bringt das objektiv Schöne hervor, welches freilich würdige Subjekte finden muß, von denen es aufgefaßt wird" (Bd. 18, S. 186).

[8] Vgl. Einleitung der Farbenlehre: „Gegenwärtig sagen wir nur soviel voraus, daß zur Erzeugung der Farben Licht und Finsternis, Helles und Dunkles, oder, wenn man sich einer allgemeinen Formel bedienen will, Licht und Nichtlicht gefordert werde" (AGA, 16, S. 23).

doch mit dem Gegenstand identisch" (AGA, 13, S. 868). Die Erkenntnis-
fähigkeit des Menschen ist entsprechend auf diesen Zwischenbereich eingerichtet: „Der Mensch ist in einen Mittelzustand gesetzt und es ist ihm
nur erlaubt, das Mittlere zu erkennen und zu ergreifen." Das heißt mit
den Worten aus der ‚Pandora': Der Mensch ist nur „bestimmt, Erleuch-
tetes zu sehen, nicht das Licht' (Bd. 4, S. 895)[9].
Richtungsbestimmungen ergänzen diese Deutung des Geschehens: So ist
das Erscheinen Eugeniens im 1. Auftritt als eine Aufwärtsbewegung gefaßt:

> „. . . ich darf
> Vor meinem König meine Tochter nennen,
> Ich darf ihn bitten, sie zu mir *herauf*,
> Zu sich *herauf* zu *heben.*" (V. 95 ff.)

Entsprechend bewundert der König „den *Aufgang* eines neuen Sterns"
(V. 108), ganz in dem Sinne, den die Elegie „Metamorphose der Pflanzen" bringt:

> „Und *erhebt* sich sogleich aus der umgebenden Nacht." (Bd. I, S. 535)

Gleichwohl ist das Erscheinen Eugeniens für den Herzog ein Grund der
Sorge:

> „Und nicht zum ersten Mal empfand ich heute,
> Wie Stolz und Sorge, Vaterglück und Angst
> Zu übermenschlichem Gefühl sich mischen." (V. 132 ff.)

Die Sorge rührt daher, daß die Bewegung vom Dunklen, das zugleich ein
Bergendes ist, ins Licht des Tages den Weg in die Unverborgenheit, d. h.
auch in die Ungeborgenheit meint.
Es gilt hier auf eine Bemerkung Goethes einzugehen, die unter dem
Titel „Anthropomorphismus der Sprache" in den Schriften steht: „Zugegeben – heißt es dort –, daß der Tag von dem Urquell des Lichtes aus-
gehend, weil er uns erquickt, belebt, erfreut, alle Verehrung verdiene, so
folgt doch nicht, daß die Finsternis, weil sie uns unheimlich macht, ab-
kühlt, einschläfert, sogleich als böses Prinzip angesprochen und verab-
scheut werden müsse" (AGA, 17, S. 777).
Solche Einseitigkeiten der Betrachtung gelten für Goethe nicht. Mag
der Tag das Licht sein, so ist er auch der Ort der Gefährdetheit, das
„Labyrinth", der Raum der Verflechtung und schlimmen Verstrickung.
So spricht Goethe wohl von der „fruchtbaren Dunkelheit":[10] Das Dunkel

---

[9] Vgl. auch M+R, 429: „Unsere Zustände schreiben wir bald Gott, bald dem
Teufel zu und fehlen ein wie das andre Mal: in uns selbst liegt das Rätsel, die
wir Ausgeburt zweier Welten sind. Mit der Farbe gehts ebenso."
[10] AGA, 16, S. 108.

ist das Bergende. In der ‚Theatralischen Sendung' ist von der Dunkelheit als von einer „Hülle, die eine Knospe einschließt und nährt", die
Rede (Bd. 6, S. 1205).

Das organische Wachstum schreitet indes unaufhaltsam fort: Der Knos-
penzustand weicht der Blüte, die bergende Dunkelheit der offenen Helle
des Tages:

> „Gefaltet kann die Knospe sich genügen,
> Solange sie des Winters Frost umgibt.
> Nun schwillt vom Frühlingshauche Lebenskraft,
> In Blüten bricht sie auf, an Licht und Lüfte." (V. 1072 ff.)

Diesem Gesetz folgend tritt Eugenie ins Offene hinaus, in den Bereich der
Sorge. Aus der *verschärften* Form der Fürsorge gehen Sorge und Angst des
Herzogs hervor. Ist für die Fürsorge das Besorgen gewissermaßen noch
in Reichweite und möglich, so entgleitet es im Bereich der Sorge in die
Unmöglichkeit, so wird die Fürsorge zur bloßen angstvollen Sorge.
Angst und Sorge entspringen einer spezifischen Schwäche und Unfähig-
keit dessen, der Fürsorge hegen soll. Fürsorge wandelt sich zur Sorge *um*
das Zubesorgende, ohne entscheidende Möglichkeiten des Helfens, ist
nicht länger Sorge *für* ... Dieses Gefühl angesichts der Weltsituation
spricht eine Briefstelle Goethes aus. Er schreibt an H. Meyer: „Da wir
nun auf dies alles nicht wirken können ..." (15. Sept. 96).
Es schließt sich eine vierte Stufe des Erscheinens Eugeniens an. Eugenie
erholt sich von ihrem Sturz. Die Regieanweisung lautet: „Nimmt dem
Vater das Tuch ab, das er ihr vorgehalten, und verbirgt ihr Gesicht darin,
dann steht sie schnell auf, indem sie das Tuch vom Gesicht nimmt" und
spricht: „Da bin ich wieder!" (V. 234). Sie wird vom König – zunächst
geheim – anerkannt und soll bald in der Öffentlichkeit als sie selbst erscheinen. Damit hätte sie den Gipfel ihrer Erscheinung erreicht.
Wieder spiegeln die Bilder das Geschehen: Aber so, wie sie jetzt gestellt sind, verraten sie eine merkwürdige Spannung und offenbaren die
Ambivalenz des Geschehens: Im Vergleich zu den obengenannten, vom
König und vom Herzog gebrauchten Bildern haben sie sich verwandelt.
Sowohl der Herzog als auch der König sehen das Erscheinen jetzt als
Sturz, als einen Fall aus dem Heimlichen ins Gefährliche. Die Bewegungs-
richtung ist in ihr Gegenteil verkehrt.

> Herzog: „Und nun auf einmal, wie der jähe *Sturz*
> Dir vorgedeutet, bist du in den Kreis
> Der *Sorgen*, der *Gefahr herabgestürzt*." (V. 465 ff.)

Was Eugenie verließ, ist in den Augen des Herzogs ein „Paradies", aus
dem sie jetzt unwiderruflich vertrieben ist. Der Sturz Eugeniens aus der

Höhe in die Wirklichkeit wirkt nach: Ihr Erscheinen erhält dadurch einen ambivalenten Charakter, die *Aufwärts*bewegung, als die Eugenie nach wie vor ihr Erscheinen in der großen Welt erfährt, ist zugleich – in den Augen des Königs und des Herzogs – eine *Abwärts*bewegung, die Eugenie in die Realität der Welt hineinführt:

> „Du wirst fortan, mit mir ins Netz verstrickt,
> Gelähmt, verworren, dich und mich betrauren." (V. 476 f.)

Allein das Selbstbewußtsein Eugeniens erfährt ihren Schicksalsweg (bis zum Ende des II. Aktes) als einen Weg vom Dunklen ins Helle: Diese Helle blendet sie:

> „. . . O, verzeihe mir
> Die Majestät, wenn aus geheimnisvollem,
> Verborgnem Zustand ich, ans Licht auf einmal
> Hervorgerissen und geblendet, mich,
> Unsicher, schwankend, nicht zu fassen weiß." (V. 265 ff.)

Für Eugenie überdeckt noch der blendende Glanz der Welt die gefährliche Netzstruktur der Wirklichkeit, in die sie sich mit dem ersten Schritt in die große Welt verflechten muß.

Faßt der Herzog ihren Zustand als ein „Im-Netz-verstrickt-sein", als „Lähmung" auf, so will der König sie auf „glatten Marmorboden" führen, in einen „offenen Kreis", in eine Zeit,

> „. . . wo dein König
> Dich nicht zum heitren, frohen Feste ruft." (V. 329 f.),

so lehnt Eugenie diese Deutung ihres Erscheinens ab:

> „Nicht so, mein Vater! Konnt ich schon bisher
> Untätig, abgesondert, eingeschlossen,
> Ein kindlich Nichts, die reinste Wonne dir,
> Schon in des Daseins Unbedeutenheit
> Erholung, Trost und Lebenslust gewähren:
> Wie soll die Tochter erst, in dein Geschick
> Verflochten, im Gewebe deines Lebens,
> Als heitrer, bunter Faden künftig glänzen!" (V. 477–84)

Das Symbol des Netzes wird hier von Eugenie umgedeutet. Nach des Herzogs Worten erscheint ihr ohne Wert und Würde, was sie bei dem Schritt in die Welt verliert, schätzt sie zu sehr, was sie erwartet (V. 499–501).

Für Eugenie ist dieser Augenblick, in dem sie die Anerkennung durch den König erlebt, der „bedeutendste Moment (ihres) Lebens", was wiederum auf den Blütenzustand, den Moment der Entfaltung der Schönheit zurückweist.

Noch eine fünfte Stufe der Erscheinung ist zu nennen: In den Szenen 3–5 des II. Aktes erreicht der Vorgang des Erscheinens Eugeniens seinen Höhepunkt, jedoch nicht seine innere Vollendung. Das vollkommene Gelingen der Erscheinung – das öffentlich anerkannte Erscheinen Eugeniens in der großen Welt – bleibt ihr versagt. Sie kann ihre Erhöhung nur in der Einbildungskraft antizipieren. Voller Freude über ihre bevorstehende endgültige Erhöhung, kehrt Eugenie in ihr Zimmer, „im gotischen Stil" erbaut, zurück. Ein Sonett auf den König gibt ihr die Stunde ein. Dann erhält sie den versprochenen Schmuck, der „auf nächste Hoheit deutet" (V. 1011). Sie ist außerstande, dem Gebot des Vaters, den Kasten nicht zu öffnen, Folge zu leisten:

„Komm, laß uns öffnen! Komm,
Daß uns der Gaben hoher Glanz entzücke." (V. 1024–5)

Sie schmückt sich mit allem Schmuck und kostbarem Gewand und nimmt so den ganzen Zauber ihrer Erhebung in der Einbildungskraft vorweg. Der zeremonienhafte, kultische Vorgang der Bekleidung ist von höchster symbolischer Bedeutung. Die Warnungen der um die Gefahr wissenden Hofmeisterin, die aber nur *leise* warnen darf, fruchten nichts:

„Du überredest die Geschmückte nicht!" (V. 1079)

Der Saal, in dem sie ist, erweitert sich „zum Raum des Glanzes".

„Ich unter diesen Ausgezeichneten
Am schönsten Fest die Ausgezeichnete!
O, laß mir dieser Wonne *Vorgefühl*,
Wenn aller Augen mich zum Ziel erlesen." (V. 1087–90)

In dieser Szene erreicht der Vorgang des Erscheinens seinen Höhepunkt, nicht aber seine wirkliche Vollendung. Vollendung ihrer Erscheinung bleibt Eugenien versagt. Sie hat ihre Erhöhung nur in der Phantasie antizipieren können. So endet diese Szene mit einer scharfen Dissonanz:

Eugenie: „Unwiderruflich, Freundin, bleibt mein Glück!"
Hofmeisterin: „Das Schicksal, das dich trifft, unwiderruflich!"
(V. 1147–8)

Erst die Erfahrung des zweiten Sturzes, der den ersten Sturz mit dem Pferde aus der Höhe in seiner symbolischen Bedeutung erkennen läßt, kehrt auch für Eugenie die Bewertung des Geschehens um: Die Stufen, in denen sich ihre Wandlung vollzieht, seien hier dargestellt:

Im IV. Akt, im Gespräch Eugenie–Gerichtsrat, werden die neuen Verhältnisse offenbar:

Eugenie:

> „So *hob* ich mich vor kurzem aus der Nacht
> Des Todes an des Tages Licht *herauf.*" (V. 1876–7)

Noch erfährt Eugenie ihr Erscheinen als Weg hinauf, ins Lichte. Die „Nacht" des „Todes" weicht dem „Licht des Tages".

Diese Bewegung bleibt noch bestehen, wenn Eugenie weiter sagt:

> „Ich wußte nicht, wie mir geschehen, wie hart
> Ein jäher Sturz mich lähmend hingestreckt." (V. 1878)

Sie spricht vom Sturz mit dem Pferde aus der Höhe: Die Fallbewegung ist eingeführt, wird aber sogleich in den folgenden Versen wieder durch eine Aufwärtsbewegung abgelöst:

> „Da rafft ich mich *empor,* erkannte wieder
> Die schöne Welt; ich sah den Arzt bemüht,
> Die *Flamme wieder anzufachen,* fand
> In meines Vaters liebevollem Blick,
> An seinem Ton mein Leben wieder." (V. 1880 ff.)

Nach dem ersten Sturz gab es noch ein Emporraffen. Die ursprüngliche, aufwärtsstrebende Bewegung ist wieder da, das Wiederanfachen der Lebensflamme tritt hinzu und verstärkt die Aufwärtsbewegung. Zugleich stellt sich eine Korrespondenz her zwischen „schöne Welt" und „(Lebens-) Flamme", jenem Lynkeus-Verse vergleichbar: „Und wie mirs gefallen, gefall ich auch mir!" (Faust II, V. 11298/9).

Die Flamme als Symbol der Lebendigkeit begegnet uns später beim Knaben-Lenker im ‚Faust II' und bedeutet dort – einem Paralipomenon zufolge (Nr. 83 – Bd. 5, S. 641) –: „atmendes Wachstum." Parallel zur wiederaufgenommenen Aufwärtsbewegung erscheint im Anfachen der Lebensflamme zugleich erneut die Lichtmetaphorik: aufgehende Helle, „schöne Welt".

> „Nun
> Zum zweiten Mal, von einem jähern Sturz
> Erwach ich! *Fremd* und *schattengleich* erscheint
> Mir die Umgebung, mir der Menschen Wandeln,
> Und deine Milde selbst ein Traumgebild." (V. 1884 ff.)

Der zweite Sturz ist endgültig. Es folgt ihm kein neues Aufstehn, nur ein Erwachen in eine trostlose, gespensterhafte Gegenwart, die das Ich nicht mehr mit Leben erfüllen kann, jenem Vortod gleich, als welchen Eugeniens Leben nach dem Sturz wiederholt gedeutet wird (vgl. V. 800 ff., 2616 ff., 2508 ff., 1987 ff.).

Die Abwärtsbewegung bleibt allein, sie spricht sich in den Worten des Gerichtsrats aus:

„Auf ebnem Boden straucheln ist ein Scherz,
Ein Fehltritt *stürzt* vom Gipfel dich *herab*." (V. 1905 f.)

Die spezifische Art des Erscheinens Eugeniens auf dem Gipfel (des Berges oder der Gesellschaft beim ersten und zweiten Sturz) birgt in sich die spezifische Art ihres Sturzes, des Verschwindens: Dem Wunsch nach absolutem Erscheinen folgt die Drohung und Gefahr des absoluten Verschwindens.

In ähnlichem Zusammenhang wird auch das oben bereits zur prägnanten Kennzeichnung von Eugeniens Situation eingesetzte Bild der Blüte hier umfunktioniert und auf Eugeniens neue Lage angewendet:

„Dort soll *verwelken* diese Himmelsblume,
Die Farbe dieser Wange dort *verbleichen*,
Verschwinden die Gestalt..." (V. 1770–72)

In dreifacher Stufung (Verwelken – verbleichen – verschwinden) bauen sich, ohne Übergang aufeinander folgend, Bild und Abgebildetes auf, wobei in der mittleren Zeile sich die beiden Bezirke (Bild – Abgebildetes) durchdringen: „Farbe" und „verbleichen" gehören zur verwelkenden Blume so gut wie zur verschwindenden Gestalt. Pflanze („Himmelsblume"), Farbe und Gestalt: drei Bereiche Goethescher Naturschau begegnen einander, spiegeln sich ineinander ab und deuten so – ein jeder auf seine Weise – das Ereignis des Stückes.

Mit diesen Stellen wird die Richtungsänderung der dramatischen Bewegung, d.h. des Ereignisses der Erscheinung, deutlich, die so die Akte I und II und die Akte IV und V auseinanderhält. In I und II herrscht – aufs Ganze gesehen, besonders aber in der glanzvollen Schmuckszene des II. Aktes (5. Stufe der Erscheinung) – die *Aufwärts*bewegung als Weg ins Helle, Lichte vor, wenngleich schon hier hinein durch den Sturz der Heldin ein dunkler Schatten fällt. Die *Möglichkeit* des Verschwindens ist auch hier bereits ständig gegenwärtig.

In den Akten IV und V dominiert die fallende Bewegung, das Verschwinden.

Dazwischen steht der III. Akt, der das zentrale Ereignis, das Verschwinden Eugeniens, nur im Reflex seiner Wirkung zeigt.

Vielleicht vorschnell sprachen wir von einer *Richtungsänderung* der dramatischen Bewegung. Besser wäre es, den Vorgang so zu fassen: Das Ereignis der ‚Natürlichen Tochter' ist der Vorgang des „Erscheinens", der sich aber – und darin liegt der Vollzug des Geschehens – als „Verschwinden" enthüllt. Das „Geheimnis der schönen Entfaltung", wie Novalis es in einem Brief an A. W. Schlegel (12. 1. 1798) als „wesentlichen Bestandteil des poetischen Geistes" aufgefaßt wissen will, vollzieht sich hier als „Verschwinden". Dies ist aber nicht so zu verstehen, daß sich das Wesen des zentralen Geschehens verändere. Es ändert sich nichts in dem Sinne, daß ein „anderes" an die Stelle eines ersten träte; was am Anfang da war – das Ereignis des „Erscheinens" –, das enthüllt sich allmählich im Verlauf des Stückes als ein „Verschwinden" dadurch, daß das Erscheinen nicht in sein Eigenes, seine Vollendung gelangen kann, d. h. nicht den ihm gemäßen Raum findet, in dem es sich erfüllen kann. Denn die vollendete Gestalt ist stets das Wesen, „das in Harmonie mit der Umwelt steht".[11] Diese Harmonie ist auf der Stufe der ,Natürlichen Tochter' nicht mehr gegeben.

Eindeutig herrscht das Verschwinden im IV. Akt vor: Als das Erscheinen sich als ein Verschwinden auch im Bewußtsein und Erfahren Eugeniens durchgesetzt hat, forscht sie nach Gründen und persönlicher Schuld für dieses Geschehen. Der Gerichtsrat weist sie auf diesen Weg. Sagt Eugenie noch gerade:

> „Ich dulde nur dem Wahnsinn mich entgegen."

so folgt auf des Gerichtsrats Rede:

> „Was auch der Obermacht gewaltgen Schluß
> Auf dich herabgerufen, leichte Schuld,
> Ein Irrtum, den der Zufall schädlich leitet,
> Die Achtung bleibt, die Neigung spricht für dich."

Eugeniens Antwort:

> „Des reinen Herzens traulich mir bewußt,
> Sinn ich der Wirkung kleiner Fehler nach." (V. 1897 ff.)

Sie ist sich keines Vergehens, nicht eines Versehens bewußt, aus dem ihr Schicksal als Schuld oder Strafe herzuleiten wäre.

Gerade die Fruchtlosigkeit dieses Ansinnens weist wieder auf das als Grundzug erkannte Ereignis „erscheinen – verschwinden" hin und gibt uns nachträglich recht, das dramatische Geschehen nicht mit dem Namen „Handlung", die ins moralische Gebiet fiele, belegt zu haben. Schuld gibt es nur dort, wo es relativ freies Handeln gibt. Hier gibt es keine Schuld, wie aus den Worten der Hofmeisterin hervorgeht:

> „Unschuldig ist – bedarf es wohl Beteurung –,
> Doch vieler Übel Ursach dieses Kind." (V. 1774 ff.)

Es gibt keine Schuld, weder bei Eugenie noch bei den anderen Figuren. Auf jeden Fall kommt es Goethe nicht darauf an, irgendeine persönliche Schuld und Handlung als Quelle des dramatischen Geschehens dieses Stückes zu zeigen. Auch die Gründe, die die Gegenpartei für ihre Machenschaften anführt, bleiben vage und unbestimmt wie diese Partei selbst.

---

[11] Kurt Hildebrandt, Goethes Naturerkenntnis (1947), S. 118.

Auch sie ist nicht frei in ihren Entscheidungen und Plänen, weshalb man von „Intrige" nur in einem sehr vagen Sinn sprechen kann. Das, was der Kanzler von Müller in seinen „Unterhaltungen" aufzeichnet, gilt auch hier: „Die Maxime der persönlichen Einwirkung hält Goethe nicht mehr anwendbar, ebenso die Möglichkeit einer Wirksamkeit durch Intrige schon vernichtet" (7. 8. 19).

Was das Forschen nach den Gründen eines Geschehens angeht, so heißt es darüber in den „Betrachtungen im Sinne der Wanderer": „Der Mensch findet sich mitten unter Wirkungen und kann sich nicht enthalten, nach den Ursachen zu fragen; als ein bequemes Wesen greift er nach der nächsten als der besten und beruhigt sich dabei; besonders ist dies die Art des allgemeinen Menschenverstandes" (M+R, 597).

Der gemeine Verstand wird die Symbolik des Geschehens nicht erkennen, Eugenie eher eine persönliche Schuld bei sich oder der Hofmeisterin annehmen, als die Weltsituation durchschauen.

Kommen wir noch einmal auf Eugeniens Stellung zurück: Sie erwies sich als eine schwebende Ambivalente zwischen Hell und Dunkel, zwischen Aufstieg und Niedergang. Die Stelle zwischen Licht und Dunkel ist nach Goethes Anschauung der Ort der schönen Erscheinungen: Der Farbe, der Blüte. Im Aufsatz über Laokoon heißt es: „Der höhere pathetische Ausdruck, den sie (die bildende Kunst) darstellen kann, schwebt auf dem Übergang eines Zustandes in den anderen" (AGA, 13, S. 169). Eben einen solchen Übergang von einem Zustand in den anderen bildet das Geschehen der ,Natürlichen Tochter'.

Das Transitorische und gleichzeitig Zeitlose eines solchen momentanen Schönseins offenbart Eugenie an sich, denn „genau genommen ... sei es nur ein Augenblick, in welchem der schöne Mensch schön sei" (AGA, 13, S. 421).

Eugenie ist eine der „schönen Erscheinungen", die man „die apparentesten nennen" kann, „... *sie manifestieren sich nur zwischen dem Erscheinen und Verschwinden, ... wo eine die Augen bezaubernde Erscheinung zwischen Leben und Tod sich hervortut*" (WA, II. 5², S. 398 + 420). Als eine solche bezaubernde Erscheinung zwischen Leben und Tod bewegt sich Eugenie zwischen Erscheinen und Verschwinden auf der Grenze.

Eben dies ist das Ereignis des Stückes: Es ist das Ereignis des Erscheinens – in allen nur möglichen Formen –, das sich aber in konkreter politischer Situation als Verschwinden enthüllen muß. Was in jedem Fall erscheinen soll, ist das Wesen.

Das Ereignis des Stückes ist das Erscheinen des Wesens und die notwendige, von außen erzwungene Verhüllung desselben ins Verschwinden.

Das Wesen bleibt letztlich ohne Erscheinen. Eugenie muß verschwinden. Und was geschieht mit den anderen, bereits erschienenen Figuren? D. h. was geschieht mit ihrem Wesen?

So konzentriert sich das Ereignis des Stückes in dem Doppelvers:

> „Der Schein, was ist er, dem das Wesen fehlt?
> Das Wesen, wär es, wenn es nicht erschiene?" (V. 1066–7)

In diese beiden Fragen spaltet sich die ursprüngliche und erste Frage Eugeniens:

> „Was ist aus uns geworden?" (V. 227)

Das „geworden" weist auf „werden", „entstehen", „erscheinen", auf den Grundzug alles organischen Seins, das – sobald es solidesziert – Gestalt annimmt und erscheint (M+R, 571). Indem so das Ereignis des Stückes beide Bewegungen, die des Erscheinens, der „Erstehung", und die des Verschwindens, der „Auflösung einer organischen Gestalt im Zufall" (Novalis) zugleich umgreift, ist das Stück nach dem eingangs als Motto zitierten Novalis-Wort „ein vollständiges Drama".[12]

b) DIE SYMBOLIK DER ERSCHEINUNG

I

Das Ereignis des Stückes war eine Doppelbewegung, beschrieben als ein „Erscheinen", das sich als ein „Verschwinden" enthüllt. Welcher *Sinn* verbirgt sich in diesem „Erscheinen" und „Verschwinden"?

Im Erscheinen den wesentlichen Vorgang der ‚Natürlichen Tochter' zu sehen, ist Verena Bänninger in ihrer Arbeit ‚Goethes Natürliche Tochter, Bühnenstil und Gehalt' (Zürich 1957) vorangegangen. „Eugeniens Erscheinen ist Thema nicht nur des 1. Aktes, sondern des ganzen Stückes", heißt es dort (S. 44). „Erscheinen" bedeutet – so interpretiert V. Bänninger – „das Betreten des offenen, weiten, erhöhten Raumes" und ist „zugleich ein Verlassen der Verborgenheit, ein Sich-der-Welt-darstellen" (a. a. O., S. 44). Die Verfasserin folgert daraus: „Erscheinen im Sinne des ‚Sich-der-Welt-darstellens' als zentrales Ereignis – das läßt erkennen, daß wir es mit einem Werk von echter *theatralischer* Substanz zu tun haben, ‚theatralisch' in der ursprünglichen Bedeutung des ‚spectaculum' des Schaubaren verstanden" (a. a. O., S. 47).

Schiller hatte – wie schon erwähnt – sich anders geäußert: „Des Theatralischen – so schrieb er an Humboldt – hat er (Goethe) sich darin noch nicht bemächtigt, es ist zuviel Rede zuwenig Tat" (18. 8. 1803). Jeder Leser der ‚Natürlichen Tochter' wird sich nur schwer von der Schaubarkeit der Vorgänge in diesem Stück überzeugen lassen.

---

[12] Novalis, Fragmente II. (ed. E. Wasmut), S. 41.

Das Theatralische durch die Interpretation zu erhellen: das ist das Ziel der Arbeit V. Bänningers, wie der Untertitel ‚Bühnenstil und Gehalt‘ es klar verkündet. Ob aber auf diesem Wege der volle, vor allem der symbolische Gehalt des Geschehens zu erfassen ist, muß bezweifelt werden. Es gibt eine Goethische Maxime, die sagt: „Es ist nichts theatralisch, was nicht fürs Auge symbolisch wäre" (M+R, 1053). Das heißt, auf unser Stück angewendet: Das Geschehen „Erscheinen" ist symbolisch, aber nicht weil es theatralisch ist, sondern es ist theatralisch, weil es symbolisch ist.

Gerade diese Symbolik des Erscheinens aber, die eine Symbolik „fürs Auge" ist, gilt es zu erhellen, und es scheint so, wie wenn V. Bänninger den besten Weg dahin bewußt ablehnt, indem sie schreibt: „So erweist sich die Verbindung der Natürlichen Tochter mit Goethes Begriff des Organismus als die einer bloßen Analogie" (a. a. O., S. 61).

Daß gerade diese Analogie zum naturwissenschaftlichen und zum geschichtlich-politischen Denken Goethes, welches analog zum Naturwissenschaftlichen eine Morphologie des Geistes und des Geistigen ist, alles andere als eine *„bloße* Analogie" sei, daß sie vielmehr die Bedeutung der Ereignisse der „Natürlichen Tochter" erst voll ins Licht zu rücken vermag, ist eine Voraussetzung dieser Arbeit.

Hinzukommt noch, daß V. Bänninger von ihrer Perspektive aus das sich enthüllende Wesen des Erscheinens, das Verschwinden, nicht zu begreifen vermag. Zwar heißt es (S. 52): „Geht es im I. und II. Akt um Eugeniens Sichtbarwerden, so stehen umgekehrt die beiden letzten Akte unter dem Gesetz der Gegenbewegung, des Verschwindens." Was ist aber der Sinn dieses Verschwindens, wenn man Erscheinen allein vom Theatralischen begreifen will? – Gerade in der Entfaltung des Erscheinens als Verschwinden – so wird sich zeigen – liegt der geschichtsmorphologische und politische Sinn des Stückes, daraus entsteht die „hohe Symbolik", von der Schiller in dem angeführten Brief an Humboldt spricht.

Damit ist das Gemeinsame dieser Gedankengänge mit denen von V. Bänninger gezeigt, zugleich aber der verschiedene Weg angedeutet, den beide Arbeiten von diesem Punkte (Bestimmung des Geschehens als „Erscheinen") nehmen; Bänningers Weg ist: Vom Ereignis „Erscheinen" aus das Theatralische des Stückes zu interpretieren. Unser Weg dagegen geht auf stufenweises Herausarbeiten des vollen Umfanges und Gehaltes, des Sinnes von Erscheinen und Verschwinden als geschichtsmorphologischen und politischen Anschauungsformen in Goethes Denken um 1800. Sinn meint hier die Stellung, den Bezugspunkt eines Elementes in einem großen Ganzen.

Das hier in Frage stehende Ganze, von dem her sich die Sinnfrage allein beantwortet, ist das von Goethes geistiger Welt, sein Kosmos – oder wie man sonst diese geistige Einheit nennen mag. Die gestellten Fragen zielen auf ein Doppeltes: Einmal soll von außen her ausgemacht werden, wo

„erscheinen" und „verschwinden" im Denken Goethes gehören. Zum zweiten soll versucht werden, die innere Dimension des so Georteten auszumessen. Das scheint von der konkreten Interpretation des vorliegenden Textes abzuführen. Aber dies ist nur scheinbar: denn der Ertrag eines Exkurses über die Symbolik des Erscheinens wird der Interpretation des Stückes zugute kommen, indem das dort sich Ereignende erst so in seiner vollen Bedeutsamkeit und Symbolhaftigkeit erkannt wird. Anders, mit einem Terminus aus Goethes Wissenschaftslehre, ausgedrückt: Das Besondere wird das Allgemeine *zeigen,* indem es dies *ist.*

II

Zur Erkundung der Richtung, in die das Fragen nach dem Sinn von „erscheinen" gehen muß, sollen zunächst die im Stück vorkommenden Verwendungen von „erscheinen" und „verschwinden" betrachtet werden. Auf diesem Wege wird noch einmal die Berechtigung dafür erbracht werden, das Ereignis des Stückes im „erscheinen" zu sehen. Zum anderen wird uns die Betrachtung der Wörter und ihres Assoziationskomplexes weiter und tiefer in die Symbolhaftigkeit des Ereignisses hineinführen. Es wird sich zeigen, daß in der ,Natürlichen Tochter' „erscheinen" und „verschwinden" wesentlich geschichtsmorphologisch und politisch, nicht theatralisch gemeint sind.

III

Bei „Erscheinen" und „Erscheinung" handelt es sich nicht um festumrissene Termini.[13]

Betrachten wir einige Stellen aus der ,Natürlichen Tochter', um den Begriffsumfang des Wortes kennen zu lernen:

> „Der Herzog ... läßt nach und nach sie (Eugenie)
> *Öffentlich erscheinen.*" (V. 740–41)

Versuchen wir, von „öffentlich" her „erscheinen" zu deuten. „Öffentlich" weist zunächst hin auf den Raum, in dem sich Erscheinen immer ereignet. Erscheinen geht wesentlich in ein Offenes, es ist ein Aufgehen ins Offene, innerhalb dessen Erscheinen erst das wird, was es ist. Das Offene ist also die *Bedingung* der Erscheinung, und zwar in dem doppelten Sinne als *Ermöglichung* und *Begrenzung,* und insofern ist „erscheinen" immer „öffentlich".

Daß dieses von „öffentlich" verstandene Wesen von „Erscheinen" richtig gedeutet wurde, zeigt – neben der Stelle, aus der hervorgeht, daß der König Eugenie „in *offene* Kreise" führen will (V. 334) – folgender Vers:

---

[13] vgl. P. Fischer, Goethe-Wortschatz (1929), S. 211.

„Sie (Eugenie) zeigt sich reitend, fahrend." (V. 742)

Erscheinen ist: sich sehen lassen, sich zeigen, was bedeutet: sichtbar werden, auch gerade für andere.

Das Sich-Zeigen meint nicht einfaches „Sich-zur-Schaustellen", Eugenie
deutet dies selbst an:

> „... was ich dem König zu jener Feier,
> Bei der ich neugeboren durch sein Wort
> Ins Leben trete, herzlich widmen soll." (V. 944–46)

Zwei neue Bestimmungen erhält „erscheinen" hier. Es ist gefaßt als „neugeboren" – werden und als „ins Leben treten", wobei „Leben" der Ort ist,
an dem sich das Erscheinen als sich selbst zeigen kann: das Offene. Oder
„erscheinen" meint „zum Vorschein kommen", wie folgende Notiz in den
Schriften zur Kunst sagt: „Ein Kind, das erst zum Vorschein kommt, ist
ein moralisch neugeboren Kind" (AGA, 13, S. 343).

Diesen hohen Sinn behält das Wort „erscheinen" auch in anderen Bezügen der ‚Natürlichen Tochter', so z. B. in:

> „O, möchte doch das Viele, das dir bleibt,
> Nach dem Verlust als Etwas dir erscheinen." (V. 1286–7)

Hier wird „erscheinen" inhaltlich näher bestimmt dadurch, daß auf das.
was erscheint, abgehoben ist: das Etwas, das Wesen. Es genügt nicht, daß
etwas *nur erscheint*, sondern es soll *als etwas*, d. h. als das, was es ist, erscheinen, in seiner inneren Wahrheit, und nicht als Gespenst, wie der Lila
in dem gleichnamigen Stück (aus dem Jahre 1776–77), von der es heißt:

> „Und wie will man sie von dem Wahren überzeugen, da
> Ihr das Wahre als Gespenst verdächtigt ist?" (Bd. 3, S. 365)

Erscheinen ist somit eine bestimmte Weise zu sein, zugleich eine Weise des
Erkanntwerdens, des „Sich-zu-erkennen-gebens" – beides im Grunde zwei
Seiten des nämlichen Verhältnisses.
Wenn der Sekretär zum Weltgeistlichen sagt:

> „Euch wird ein jammervoller Mann erscheinen." (V. 1158)

oder wenn ähnlich der Weltgeistliche zum Herzog spricht:

> „Den Wunsch, vor deinem Antlitz zu erscheinen,
> Erhabner Fürst, wie lebhaft hegt ich ihn." (V. 1427–28),

so bedeutet in beiden Fällen „erscheinen" immer „erscheinen" vor oder
für jemanden, ist wesentlich: gesehen werden.
Dieses Gesehenwerden und Sehen ist bei Goethe immer mehr als bloßes
Sehen oder Ansehen. Es löst immer ein produktives Verhalten des Sehenden aus, ganz gleich ob es sich um direkte oder indirekte (d. h. mit histo-

rischen Figuren wie Shakespeare oder Hafis) Begegnungen handelt. Die lebensmächtige, verwandelnde Formkraft, die Wirkung dieser Art des Erscheinens spricht am deutlichsten aus den Worten des Gerichtsrates:

„Doch du erscheinest, ich empfinde nun,
Was ich bedurfte. Dies ist mein Geschick." (V. 2166)

Erscheinen als Gesehenwerden meint Geschick für den, der es an sich erfährt. Denn dieses Sehen ist zutiefst auch ein „Sich-selber-Sehen", insofern der neue Gegenstand, auch und gerade das Du, ein neues Organ im Sehenden aufschließt. „Am allerfördersamsten . . . sind unsere Nebenmenschen, welche den Vorteil haben, uns mit der Welt aus ihrem Standpunkt zu vergleichen und darüber nähere Kenntnis von uns zu erlangen, als wir selbst gewinnen mögen" (AGA, 16, S. 880). Dies gilt auch vom Portrait als einem fixierten Gesehenwordensein: In den ‚Lehrjahren' heißt es davon: „Und er sah zum ersten Male sein Bild außer sich, und zwar nicht wie im Spiegel ein zweites Selbst, sondern wie im Portrait ein anderes Selbst: Man bekennt sich zwar nicht zu allen Zügen, aber man freut sich, daß ein denkender Geist uns so hat fassen, ein großes Talent uns so hat darstellen wollen, daß ein Bild von dem, was wir waren, noch besteht, und daß es länger als wir selbst dauern kann" (Bd. 7, S. 587).

Dabei ist noch folgendes zu beachten: Das Gegenüber ist für das Erscheinende ein Provozierendes, das es ermuntert, recht zu erscheinen. „Jede Erscheinung – so heißt es in den ‚Betrachtungen im Sinne der Wanderer' –, die wir selbst gewahr werden, ist im Augenblick das Nächste, und wir können von ihr fordern, daß sie sich selbst erkläre, wenn wir kräftig in sie dringen." (M+R, 556). Die Erscheinung ist insofern das „Nächste", als sie für einen Moment den Inbegriff der Welt bildet, sonderlich wenn es sich im Erscheinenden um einen Menschen handelt, der dem Sehenden – wie Eugenie dem Gerichtsrat – zum „Geschick" wird, dem man sich nicht entziehen kann.

In diesen Zusammenhang gehören noch zwei Stellen aus der ‚Natürlichen Tochter':

„. . . Laß
Ihr helles Auge sich noch einmal öffnen,
Daß Hoffnung mir in diesem Blick erscheine." (V. 200 ff.)

und:

„Erheitre durch dein Erscheinen eine trübe Welt." (V. 2757)

Das Erscheinende ist das Lichtbringende, die Welt die zu erhellende Trübe. So konnte der König in Eugenien den „Aufgang eines neuen Sterns bewundern" (V. 107).

Für die Hofmeisterin ist aus demselben Grund der Gerichtsrat ein solcher Leitstern:

„Wie müssen Rat und Anteil eines Mannes,
Der allen edel, zuverlässig gilt,
Mir als ein Leitstern wonniglich erscheinen." (V. 1732)

Ist die Erscheinung auch flüchtig und vergänglich, so wirkt sie – in der Begegnung – für immer nach:

„Wie du zum ersten Male mir erschienen,
Erscheinst du bleibend mir." (V. 2938–9)

Dieses Bleiben der Erscheinung, auch nach ihrem Verschwinden, ist das Thema des dritten Aktes. Der Herzog findet Eugenie, die verlorene, schließlich wieder – *in sich* – in der Erinnerung:

„Er kehrt in sich zurück und findet staunend
In seinem Busen das Verlorne wieder." (V. 1691–2)

Bleibend wird die Erscheinung im Geiste befestigt. Hier liegt u. a. auch die Funktion des Dichters, das wechselhafte Leben der schwankenden Erscheinungen mit „bleibenden Gedanken" (Faust, V. 349) zu befestigen. So hält die Verwandlung der Welt durch die Erscheinung auch dann an, wenn das Erschienene sich schon längst wieder dem Schauen entzogen hat. Es „erscheint" eigentlich auch noch im Entzug, indem es verwandelt und so an sich erinnert. Goethe hat dieses Erlebnis in einem berühmten Gespräch mit dem Kanzler von Müller so ausgesprochen: „Ich statuiere keine Erinnerung ... Was uns irgend Großes, Schönes, Bedeutendes begegnet, muß nicht erst von außen her wieder erinnert, gleichsam erjagt werden, es muß sich vielmehr gleich vom Anfang her in unser Inneres verweben, mit ihm einswerden, ein neues bessres Ich in uns erzeugen und so ewig bildend in uns fortleben und schaffen ... Fühlen wir uns nicht alle insgesamt durch diese liebenswürdige edle Erscheinung (der Pianistin Szymanowska), die uns jetzt wieder verlassen will, im Innersten erfrischt, verbessert, erweitert? Nein, sie *kann uns nicht entschwinden*, sie ist *in unser innerstes Selbst übergegangen*, sie *lebt in uns fort* ..." (4. Nov. 1823).

Indem Eugenie erscheinend ins Offene tritt, verläßt sie das Verbergende, das Dunkel, das „wie eine Hülle ist, die eine Knospe umschließt und nährt" (Bd. 6, S. 1205). Jedes organische Wesen braucht diese schützende Hülle. In der Abhandlung ‚Bildung und Umbildung organischer Naturen' heißt es: „Daß kein Leben auf einer Oberfläche wirken und daselbst hervorbringende Kräfte äußern könne; sondern die ganze Lebenstätigkeit verlangt eine Hülle, die gegen das äußere rohe Element, es sei Wasser oder Luft oder *Licht,* sie schütze, ihr zartes Wesen bewahre, damit sie das, was ihrem Inneren spezifisch obliege, vollbringe ... Alles was zum Leben hervortreten, alles was lebendig wirken soll, muß eingehüllt sein" (AGA, 17, S. 17). Diese Aussagen werden in der Maxime 435 zusammengefaßt, in der es heißt: daß alles Lebendige eine Atmosphäre um sich bilde. Goethe spricht zu einer bestimmten, frühen Zeit seines Lebens von diesem verhüllten Zustand als von einem „dumpfen".

E. A. Boucke schreibt, „daß ‚dumpf' in den Jahren 1776–80 von Goethe im positiven Sinne eines träumerischen Zustandes, einer keimenden Stille, eines dunklen Dranges, der zur Klarheit strebt, gebraucht wird."[14] Im ‚Werther' findet sich der Satz: „... Sie schwebt in einem dumpfen Bewußtsein, in einem Vorgefühl aller Freuden ..." (Bd. 6, S. 56). Die Briefe sprechen von „liebevoller Dumpfheit" (WA, IV. 3, S. 98), von „reiner Dumpfheit" WA. IV. 3, S. 100), von „Drang und Fülle der Dumpfheit" (WA. IV, 3 S. 140). Später verliert sich diese positive Bedeutung des Wortes „dumpf" wieder.

Es gibt andere Bilder, mit denen Goethe diesen Zustand der Vorbereitung auf das Erscheinen in der Welt zu fassen sucht: Im Reisetagebuch, Eberstadt 30. Okt. 75, heißt es: „Ominose Überfüllung des Glases. Projekte, Pläne und Aussichten" (Bd. 11, S. 46). Es ist nicht so sehr an das überschäumende Trinkglas gedacht, als vielmehr an eine schützende Glaskugel, die das zur Erscheinung Drängende noch bergend umhüllt. In den ‚Bekenntnissen einer schönen Seele' heißt es entsprechend: „Ich erkannte, daß es nur eine Glasglocke sei, die mich in den luftleeren Raum sperrte; nur noch soviel Kraft, sie entzwei zu schlagen, und du bist gerettet" (Bd. 7, S. 439).

Die gleiche Vorstellung findet sich später im zweiten Teil des ‚Faust' bei Homunkulus, der nach der letzten Fassung in der Glasphiole verharrt, bis er mit ihr am Wagen der Galathea zerschellt.[15]

„Natürlichem genügt das Weltall kaum,
Was künstlich ist, verlangt geschlossenen Raum." (‚Faust II', V. 6883 f.)

Auch Helena und ihr Sohn Euphorion sind auf diese Weise geschützt. Aus einem Paralipomenon geht dies hervor: „Nun muß man wissen, daß das Schloß mit einer Zaubergrenze umzogen ist, innerhalb welcher allein diese Halbwirklichkeiten gedeihen können ... daß Helenen das vorige Mal die Rückkehr ins Leben vergönnt worden unter der Bedingung eingeschränkten Wohnens und Bleibens" (Paralip. 70, Bd. 5, S. 622).

Euphorion läßt sich verlocken, diesen schützenden Bezirk zu verlassen, und muß dies mit seinem Leben bezahlen. Ebenso unruhig wie Euphorion

---

[14] E. A. Boucke, Wort und Bedeutung in Goethes Sprache (1901), S. 156 ff. – Vgl. R. M. Meyer, Studien zu Goethes Wortgebrauch. Archiv f. d. Stud. d. neu. Sprachen, Bd. 96, S. 2–7.
[15] Anders im Paralip. 73: wo es heißt: Homunkulus „zersprengt *augenblicklichst* den Glaskolben u. tritt als bewegliches, wohlgebildetes Zwerglein auf" (Bd. 5, S. 629).

sich hin und her treibt, wie auch schon Eugenie sich mutwillig „ins Labyrinth der Jagd" stürzt – man beachte den gleichlautenden Bestandteil
beider Namen! –, so lockt es auch den Homunkulus aus seiner Eingeengt-
heit heraus:

> „Ich schwebe so von Stell zu Stelle
> Und möchte gern im *besten Sinn entstehen,*
> Voll Ungeduld, mein Glas entzwei zu schlagen." (V. 7830f.)

„Im besten Sinn entstehen" – damit ist das volle „in die Erscheinung treten" gemeint, jenes Neugeboren-werden, von dem oben die Rede war.

Die Anklänge und Beziehungen, die sich von diesem Motiv her durch
das ganze Werk Goethes schlingen, reichen weit, und sie sollen nur noch
in einer Hinsicht ergänzt werden:

Von Homunkulus, dem's „gelüstet zu entstehen" (V. 7858). sagt Thales:

> „Er fragt um Rat und möchte gern entstehen,
> Er ist, wie ich von ihm vernommen,
> Gar wundersam nur halb zur Welt gekommen.
> Ihm fehlt es nicht an geistigen Eigenschaften,
> Doch gar zu sehr am greiflich Tüchtighaften.
> Bis jetzt gibt ihm das Glas allein Gewicht,
> Doch wär er gern zunächst verkörperlicht." (V. 8246 f.)[16],

um dann fortzufahren:

> „Auch scheint er mir von andrer Seite kritisch:
> Er ist, mich dünkt, *hermaphroditisch.*" (V. 8255 ff.)

Von Eugenie, im unentschiedenen Stadium ihres Lebens, auf der Jagd ist
als von einer „Amazonentochter" die Rede: auch hier ist sie das unge-
schlechtlich-doppelgeschlechtliche Wesen im präexistenten Zustand, jene
frühe Ungeschiedenheit des Menschlichen, die sich erst im Vorgang der
Entfaltung zum eindeutig Menschlichen hin wandelt, vergleichbar der
Entfaltung Nataliens in den ‚Lehrjahren'.

Neben dieser vorherrschenden Verwendung von „erscheinen" findet
sich eine andere, die – damit verwandt – in der Lage ist, ein neues Licht
auf das schon Gesagte zu werfen:

Über die Hofmeisterin heißt es:

> „Bist du denn ganz verwandelt?
> Äußerlich erscheinst du mir die Vielgeliebte selber;
> Doch wär er gern zunächst verkörperlicht." (V. 8246 f.)[16],

---

[16] vgl. dazu die Worte des Sekretärs zur Hofmeisterin: „Gebildet ist ihr
Geist, doch nicht zur Tat . . ." (V. 828 f.).

Ähnlich spricht die Hofmeisterin zum Sekretär:

> „Warum, oh! schuf dich die Natur von außen
> Gefällig, liebenswert, unwiderstehlich,
> Wenn sie ein kaltes Herz in deinen Busen,
> Ein glückzerstörendes, zu pflanzen dachte." (V. 723–6)

In beiden Stellen steht ein Inneres einem Äußeren fremd gegenüber, Schein und Sein, Wesen, verweisen nicht mehr aufeinander, und so wird der Schein zum *bloßen* Schein. Nicht länger kündet sich in ihm das Wesen an. Von Eugenie wird gesagt, daß ihr „nur eigner, innrer Wert" genügt und nicht der „Schein" (V. 1064–5), daß sie auf der anderen Seite durch „ihrer Würde wahren Glanz" den „eitlen Schein", der den Herzog bestechen will, „verscheucht" (V. 1708–9). Indem es erscheint, blendet das Erscheinende den, der es sieht. Über dieses Blenden heißt es im Faust:

> „Verflucht das Blenden der Erscheinung,
> Die sich an unsre Sinne drängt." (V. 1593)

Das Eigentümliche des bloßen Scheins liegt darin, daß nicht gleich zu durchschauen ist, daß nichts in ihm erscheint, daß er eitles Blendwerk ist. Dieses Doppelwesen der Erscheinung, die Möglichkeit des Zwiespaltes zwischen Erscheinung und Wesen, ist in den beiden Zentral-Versen der ‚Natürlichen Tochter' ausgesprochen:

> „Der Schein, was ist er, dem das Wesen fehlt?
> Das Wesen, wär es, wenn es nicht erschiene?" (V. 1066–7)

Von dieser Hinsicht aus sind die wiederholt auftretenden Chiffren „Rätsel" und „Gespenst" zu verstehen, was noch auszuführen ist.

IV

Das Ereignis des Stückes war als „erscheinen" bestimmt, das sich als ein *„verschwinden"* erweist.

Gerade diesen Vorgang spiegeln deutlich die Wörter. Prägnant in diesem Sinne taucht das Wort „verschwinden" mehrmals auf, z. B.:

> „So mußte dir der Jugend heitres Glück
> Beim ersten Eintritt in die Welt *verschwinden*." (V. 454–5)

Von Eugenie ist die Rede, wenn der Sekretär sagt:

> „... Sie muß dergestalt
> Auf einmal aus der Welt *verschwinden*." (V. 793–4)

„Erscheinen" war „Eintritt in die Welt", ins Leben gewesen. Erscheinen brauchte das Offne der Welt als den Ort seiner Ankunft, wenn sich auch das Offene als das im negativen Sinn Bedingende erweisen konnte. „Verschwinden" führt aus der Welt heraus. Erscheinen war immer ein öffentliches. Resultat des Verschwindens aber ist:

> „... *Verborgen* muß ihr künftiges Geschick
> ... ewig bleiben." (V. 796–7)

Die Richtung des Verschwindens geht ins Verborgene, ins Leere, wie vorher „aus der Welt" den Zielpunkt der Bewegung des Verschwindens bildete.

Die Aktionsart, das Tempo des Verschwindens offenbaren folgende Verse:

> „*Gewaltsam schmerzlich reißt* Zerstörung oft
> Durch Höllenqualen in die Ruhe hin." (V. 1454–5)

Mit Ruhe ist hier das „stille Reich der Schatten" gemeint. Weiter zeichnete sich die Richtung des *Erscheinens* als eine *aufwärts*strebende aus. *Verschwinden* führt *abwärts:*

> „... wenn der andre
> Sie hinabzudrängen strebt." (V. 1780–81)

Verschwinden gleicht somit dem Untergehen eines Gestirnes, wie das Erscheinen mit dem Aufgehen eines Sternes verglichen wurde, Eugenie gleicht einem „Meteor", der „verderblich niederstreift" (V. 1971) und dabei andre (den Gerichtsrat) gefährdet. Bei der Charakterisierung des Geschehens im vorangehenden Kapitel hatten wir schon auf die diese Doppelbewegung begleitenden Bilder hingewiesen.

Hatte sich Erscheinen als ein Hineintreten in die Helligkeit der Sichtbarkeit erwiesen, auch dergestalt, daß das Erscheinende Licht in diese Trübe bringt, so bedeutet Verschwinden den umgekehrten Weg aus der Sichtbarkeit und Helle ins Dunkle hinunter: Unaufhaltsam entgleitet Eugenie dem Gesehenwerden:

> „Verbirg sie fern / vor aller Menschen *Anblick*." (V. 875)

hatte des Sekretärs Befehl gelautet. Im V. Akt nimmt Eugenie ihn als ihr notwendiges Geschick, dem sie nicht mehr entrinnen zu können glaubt, auf sich:

> „Verbirg mich vor der Welt im tiefsten Winkel." (V. 2550)

„Aus dem Kreise der Lebendigen" soll sie so verstoßen werden (V. 1236). Die Lebendigen werden sie vergessen, wie sie alles Unangenehme, Erschütternde vergessen werden. Eugenie wird verschwinden, wenn das Andenken an sie vergeht, wie die Gegenstände vergehen, wenn der Sinn für sie tot ist (vgl. M+R, 1111).

> „Jeder kehret schnell
> Den Blick zum Leben und *vergißt* im Taumel
> Der treibenden Begierden, daß auch sie
> Im Reihen der Lebendigen geschwebt." (V. 1185–8)

So ist die Verschwundene „dahin für alle, sie verschwindet ins Nichts der Asche" (V. 484). Von der sinnlich-sittlichen Wirkung der Erscheinung wurde schon gesprochen. Ist die Erscheinung verschwunden, so ist das Licht mit ihr verschwunden, das diese Welt erleuchtete, und zumal für den Herzog und Vater bedeutet der Verlust Eugeniens Verlassenheit im Dunkel der Welt. Vergebens bemüht er sich, das Entschwundene zurückzurufen und zu erhalten, das Erscheinen zur Dauer zu machen:

> „Mühend versenkt ängstlich der Sinn
> Sich in die Nacht, suchet umsonst
> Nach der Gestalt. Ach! wie so klar
> Stand sie am Tage sonst vor dem Blick."
>
> („Pandora', Bd. IV, S. 890, V. 789)

Der 4. Auftritt des III. Aktes – der Dialog Herzog – Weltgeistlicher – ist ganz dem Thema gewidmet, das Verschwinden der Gestalt zu überwinden, ihr eine Dauer zu ermöglichen. Wie in einem Prozeß werden alle Möglichkeiten, diese Dauer zu erreichen, behandelt. Mit unerbittlicher Härte und Konsequenz geht Goethe hier daran, das von ihm sonst so gefürchtete und gemiedene Thema des Todes zu durchdenken. Klar ist die Einsicht in die zerstörerische Gewalt der Elemente, denen die Gestalt zum Opfer fällt. Das „Götterbild" soll erhalten bleiben. Dies vermag einzig und allein durch den Geist zu geschehen:

> „Getrenntes Leben, wer vereinigts wieder?
> Vernichtetes, wer stellt es her? – Der Geist!" (V. 1698)

V

Das Erscheinende gewann vom ersten Augenblick seines Daseins, seines Aufgehens ins Offene, Bestimmtheit und *Gestalt.* „Alles was den Raum füllt, nimmt, insofern es solidesziert, sogleich eine Gestalt an; diese regelt sich mehr oder weniger und hat gegen die Umgebung gleiche Bezüge mit anderen gleichgestalteten Wesen" (AGA, 17, S. 418).[17]

---

[17] C. G. Carus schreibt genau im Sinne Goethes: „Alles Entstehen, alles sich Bilden ist seinem Wesen nach ein Hervorgehen eines Bestimmten aus einem Unbestimmten, Bestimmbaren." Oder „Das selbständige Entfalten eines Bestimmten aus einem Unbestimmten ist ... ursprüngliche Erscheinung und zugleich Symbol des Lebens." Carus, Grundzüge allg. Naturbetrachtung (1954), § 1+4, S. 16.

„Gestalt" ist das Substantiv, das das Ergebnis des Vorgangs der Erscheinung faßt. Das Erschienene und Erscheinende ist das Gestaltete, zugleich sich ständig Neugestaltende. An drei Stellen in der ‚Natürlichen Tochter' findet sich das Wort „Gestalt" zur Bezeichnung Eugeniens:

> „Die Atome alle, die sich einst
> Zur *köstlichen Gestalt* versammelten,
> Sie sollen nicht ins Element zurück." (V. 1494 ff.)

Der Herzog verteidigt die Erscheinung seiner Tochter, die ihm für tot gemeldet ist, gegen das Verschwinden und Auflösen in die Elemente. Es ist bedeutsam, daß an allen drei Stellen „Gestalt" mit dem Verbum „verschwinden" verbunden ist. Von der Hofmeisterin über Eugeniens Schicksal unterrichtet, sagt der Gerichtsrat:

> „Dort soll verwelken diese Himmelsblume,
> Die Farbe dieser Wange dort verbleichen,
> *Verschwinden die Gestalt* . . ." (V. 1769 ff.)

Das Gestaltete löst sich wieder in die Elemente auf. „Verschwinden" erhält hier eine neue Bestimmung: es bedeutet den Übergang eines Bestimmten zu einem Unbestimmten, eines Gestalteten zu einem Gestaltlosen. C. G. Carus hat diesen Vorgang im Sinne Goethes so gefaßt: „Alles Vergehen, alles Zurückgebildetwerden ist ein Auflösen eines Bestimmten in ein Unbestimmtes, welches sofort wieder einer neuen Bestimmung fähig wird."[18]
Eugenie, vom Gerichtsrat zur Ehe aufgefordert, sieht auch noch in dieser ihre Gestalt gefährdet, indem „der Gatte sein Weib unwiderstehlich in seines Kreises abgeschloßne Bahn" (V. 2296) zieht:

> „Verschwunden ist die *frühere Gestalt*,
> Verloschen jede Spur vergangner Tage." (V. 2302–3)

Das Wort „Gestalt", wie auch das auf Eugenie angewandte Bild „Himmelsblume" (V. 1769) und „Blüte" (V. 147), sind als Metaphern und Analogien aus dem Bereich des Organischen wichtiger Anknüpfungspunkt für die Überlegungen des folgenden Kapitels.
Die „Himmelsblume" soll „verwelken": Eine Rückentwicklung der Gestalt, eine „umgekehrte Reihe von Metamorphosen" (Tagebuch. 18. 5. 1810) geht vor sich und löst die Gestalt auf:

> „O, die so blühend, heiter vor mir steht,
> Sie soll so früh, langsamen Tods, verschwinden." (V. 1989)

Das Ziel – oder Ende – des Verschwindens ist der Tod, so wie das Ziel der Entfaltung des Lebens in der Erscheinung der Blüte, der Fülle, der

---

[18] Carus, a. a. O., § 2, S. 16.

Schönheit lag. Aber für Eugenie erscheint der Tod „so früh"; für sie soll es kein „stufenweises Zurücktreten aus der Erscheinung" (M+R, 1348) im Alter geben. Sie wird hinweggerafft, bevor sie zur vollen Erscheinung gelangte und nicht wie Winckelmann, von dem Goethe schreibt: „So war er denn *auf der höchsten Stufe des Glücks,* das er sich nur hatte wünschen können, der Welt verschwunden" (AGA, 13, S. 450). Eugeniens Glück ist frühzeitig zerstört.

Bis zu dem absoluten Endpunkt wird der Prozeß des Verschwindens in der ‚Natürlichen Tochter' in dem vorliegenden ersten Teil der geplanten Trilogie nicht vorangetrieben. Es bleibt am Ende für Eugenie in der Entsagung, in der sie den „Schritt ins Verborgene" (V. 2513) tut, die bescheidene Möglichkeit des Daseins im beschränkten Kreise als einzige Möglichkeit zu leben.

VI

„Gestalt", „Himmelsblume" und „Blüte" waren Namen aus dem Bereich des Organischen für die „Erscheinung".[19] Sie werden uns Gelegenheit geben, „erscheinen" und „verschwinden" als *morphologische* Grundbegriffe aufzufassen.

„Erscheinen" heißt aber nicht nur „Gestalt annehmen", sondern auch „Sichtbar werden": Das Auge nimmt die Gestalt wahr. Durch den Sinn des Auges erscheint sie dem inneren Sinn. Sie erscheint als *„Bild".* Über zwanzigmal kommt das Wort „Bild" in der ‚Natürlichen Tochter' vor. Die Bedeutung schwankt: Phantasma, „Traumbild" (V. 260), Vorstellung; aber nicht minder ist das real Sichtbare in der Welt, das, was lebend entgegentritt, „Bild". So ist Eugenie Ihrem Vater ein beglückendes Bild:

> „Wie schwebte beim Erwachen sonst das Bild
> Des holden Kindes dringend mir entgegen." (V. 1290–1)

Auch solche, die nicht wie der Vater mit Eugeniens Leben eng verbunden sind, bei denen nicht der „Vatersinn" über „werdend Wachsendem mit Wonne brütend schwebte" (V. 1537), erfahren die Wirkung des Bildes an sich.

Dem Gedächtnis des Gouverneurs „schreibt solch ein Bild sich unauslöschlich ein" (V. 2427–8).

Die Wirkung des Bildes bedeutet Geschick für den Gerichtsrat:

> „Doch du erscheinest: ich empfinde nun,
> Was ich bedurfte. Dies ist mein Geschick." (V. 2166–67)

---

[19] Das Wort „Erscheinung" kommt in der ‚Natürlichen Tochter' nur *einmal* vor: in der Verbindung „Prachterscheinung":
> „Und so zerfällt in ungeformten Schutt
> Die Prachterscheinung." (V. 2801–2)

Bleibender Eindruck geht von diesem lebenden Bild aus:

> „Wie du zum ersten Male erschienen,
> Erscheinst du *bleibend* mir, ein
> Gegenstand der Neigung, der Verehrung." (V. 2938–40)

Diesem erscheinenden und auf die anderen Figuren wirkenden Bild droht Zerstörung:

> „O, wehe! daß die Elemente nun,
> Von keinem Geist der Ordnung mehr beherrscht,
> Im leisen Kampf das *Götterbild* zerstören." (V. 1534–6)

Zerstört-werden, Auflösen des Gesталthaften ins Gestaltlose, des Bildes ins Nichts: das alles bedeutet „Verschwinden".

Das ganze Bemühen des Herzogs geht darauf, das Bild zu erhalten:

> „Laß mit edlen Spezereien
> Das *unschätzbare Bild* zusammenhalten." (V. 1492–3)
> „O, bleibe mir, du vielgeliebtes Bild." (V. 1715)

Das Schicksal zerstört das Bild grausam. Der Verlust bedeutet mehr als nur sich selbst: Der Herzog verliert in Eugenie „das Leben seines Lebens" (V. 776). Die anderen Erscheinungen in der Welt versinken zur Bedeutungslosigkeit, die Welt verliert ihren Zusammenhang, den sie durch das Bild des Geliebten erhalten hatte.

Ist für Ottilie in den ,Wahlverwandtschaften' einmal wahr, daß „ihr in der Welt nichts mehr unzusammenhängend schien, wenn sie an den geliebten Mann dachte", so gilt auf der anderen Seite, daß sie nicht mehr begriff, „wie ohne ihn noch irgendetwas zusammenhängen könne" (Bd. 6, S. 506).[20]

Es gilt für den Herzog nicht mehr, „daß vor seinem Sinn der Erde Bilder heilend sich bewegen" (V. 1601–2). Nach Eugeniens Verschwinden ist ihm die Welt „öde, hohl und leer, ... ausgebrannt" (V. 1267 ff.). Seine Produktivität ist erstorben, nachdem ein „großer Schutt die Stätte seines Glücks" (V. 1269). Das auf die Zukunft, „wo seiner Hoffnung weite Felder, seiner Saaten keimender Genuß" liegen (V. 1308–9), gerichtete Streben und Blicken des Vaters, welches in der Zukunft die vollendete Gestalt der Tochter und damit zugleich sein eigenes vollkommenes Glück antizipiert, hat – nach dem Verschwinden der Tochter – kein Ziel mehr.

Der Verlust des Einen, der Tochter, bedeutet den Verlust des Ganzen:

---

[20] Vgl. dazu: „Ein Leben ohne Liebe, ohne Nähe des Geliebten ist nur eine ,Comédie à tiroir', ein schlechtes Schubladenstück. Man schiebt eine nach der anderen heraus und wieder hinein und eilt zur folgenden. Alles was auch Gutes und Bedeutendes vorkommt, hängt nur kümmerlich zusammen. Man muß überall von vorn anfangen und möchte überall enden" (Bd. 6, S. 520).

der Welt, wie es jener Vers der ‚Marienbader Elegie' ausspricht: „Mir ist
das All, ich bin mir selbst verloren" (Bd. 1, S. 494).

Die Worte des Sekretärs:

„O möchte doch das Viele, das dir bleibt,
Nach dem Verlust als Etwas dir erscheinen", (V. 1286-7)
verhallen im Leeren: Dem Herzog bleibt nichts als ein „geistverlassener,
körperlicher Traum" (V. 1288). Die Gegenwart der Welt wird entleert
durch den Verlust der Zukunft. Aufs konsequenteste verwirklicht sich
hier das, was Goethe in den ‚Wahlverwandtschaften' sagt, daß nämlich
„das höchste Unglück wie das höchste Glück die Ansicht aller Gegenstände verändert" (Bd. 6, S. 556).

Herzog: „Was hab ich in der Welt zu suchen, wenn
            Ich sie (Eugenie) nicht wiederfinde, die allein
            Ein Gegenstand für meine Blicke war." (V. 1603-5)

Goethe hat dieses besondere Verhältnis des Erscheinenden zu dem, *für
den* es erscheint, in der ‚Natürlichen Tochter' als Bezug Vater – Tochter
gestaltet, ein Verhältnis, das dem von Wilhelm und Felix in den ‚Meister'-
Romanen gleicht. In beiden öffnet sich für den Vater die Welt erneut im
Vorgang des Bildens des Kindes: indem er bildet, erzieht, wird er selbst
erneut gebildet.

In den ‚Lehrjahren' heißt es bezeichnenderweise: „Sie (Wilhelm und
Felix) gesellten sich endlich zum Gärtner, der die Namen und den Gebrauch mancher Pflanzen hererzählen mußte; Wilhelm sah die Natur
durch ein neues Organ, und die Neugierde, die Wißbegierde des Kindes
ließen ihn erst fühlen, welch ein schwaches Interesse er an den Dingen
außer sich genommen hatte, wie wenig er kannte und wußte. An diesem
Tage, dem vergnügtesten seines Lebens, schien auch *seine eigene Bildung
anzufangen"* (Bd. 7, S. 579).[21] Ähnlich wird für den Herzog „nur durch
der Jugend frisches Auge ... das längst Bekannte neu belebt ..." (V.
1614 ff.). Von hierher gewinnt das Substantiv „Bild" eine neue Dimension: es ist nicht länger nur Gesehenes, statisch Objektives. Von keinem
solch abgeschlossenen „Gegenständlichen" könnte derartige Lebenswir-
kung ausgehen. Bild meint hier eher „Gebilde" (V. 2810).

Eugenie ist ein Wesen, „sich stufenweis entwickelnd" (V. 122), ein „werdend Wachsendes" (V. 1537), ein Wesen, das „sich von Jugend auf aus
reicher Fülle rein entwickeln sollte" (V. 693-4). „Gebildet ist ihr Geist"
(V. 828).

Wieder betreten wir den Bereich des Organischen. Bild hat unmittel-
baren Bezug zu den Substantiven „Gestalt", „Blüte", die das Organische

---

[21] vgl. auch die ‚Wahlverwandtschaften' (Bd. 6, S. 520) „Sie erhält durch
ihren Sohn einen neuen Bezug auf die Welt und auf den Besitz ..."

des Erscheinenden aussprachen. Goethe hat in dem Aufsatz ,Bildung und Umbildung organischer Naturen' das Wort „Bildung" dem der „Gestalt" vorgezogen, weil ersteres „sowohl von dem Hervorgebrachten als von dem Hervorgebrachtwerdenden gehörig genug" zu verwenden ist (AGA, 17, S. 14). So ist Eugenie – wie der Herzog zu dem Weltgeistlichen sagt, der kinderlos einer der „selbstisch Verstockten, der Verkehrten einer" ist, „die ihr abgeschlossenes Wesen unfruchtbar verzweifeln läßt", (V. 1513 ff.) für den es also keine solche Erweiterung der individuellen Existenz durch ein Kind gibt –:

> „... Ein schön entworfnes Bild,
> Das wunderbar dich selbst zum zweiten Mal
> Vor deinen Augen zu erschaffen strebt ...
> ... diese Form,
> Die sich zu meinem Glück, zur Lust der Welt,
> In tausendfältgen Zügen auferbaut." (V. 1519 ff.)

In dem „zum zweiten Male ... erschaffen" vollzieht sich nicht nur die gattungsmäßige Wiederholung der menschlichen Erscheinung in der Folge der Generationen, es ist zugleich hier auch die Erneuerung des väterlichen Ichs gemeint, von der oben gesprochen wurde.

Dieses Verweben der eigenen Existenz mit der anderen im Vollzug der Bildung und des Lebens ganz allgemein – vgl. dazu Eugeniens Verse zum Herzog V. 477 ff. – ist nicht auf das Vater-Tochter-Verhältnis beschränkt. Eugenie hat Erzieher (V. 114).

> „Schon ihren ersten Weg geleiteten
> Ein ausgebildet Weib, ein weiser Mann."

Demzufolge kann die Hofmeisterin Eugenie ihren „holden Zögling" nennen, ihr „selbstgebildet Werk" (V. 689), das zu zerstören sie von dem Sekretär angehalten wird.

Man könnte in der Formel „selbstgebildet Werk" eine Doppelbeziehung unschwer feststellen: Eugenie ist der Hofmeisterin Werk, das sich (aber) selbst bildet. Dies eine Beziehung, die noch deutlicher in den Versen mitklingt:

> „Kann ich noch unterscheiden, was an dir
> Dein eigen ist, und was du mir verdankst?" (V. 695–6)

Ihr (der Hofmeisterin) Leben und das Eugeniens haben sich im Vollzug der Bildung, die als Begegnung geschieht, im strengsten Sinne ausgetauscht und wechselseitig mitgeteilt. Goethe nennt diesen Vollzug „eine Metamorphose im höheren Sinne, durch Nehmen und Geben" (M+R, 96).

Wie sich diese „Metamorphose im höheren Sinn" in der ,Natürlichen Tochter' noch äußert, zeigt folgende Szene:

Für den Herzog bedeutet Eugenie die Welt, wie ihr Verlust ihm den Verlust der Welt meint.

> „Wenn über werdend Wachsendem vorher
> Der Vatersinn mit Wonne brütend schwebte,
> So stockt, so kehrt in Moder nach und nach
> Vor der Verzweiflung Blick die Lust des Lebens." (V. 1537 ff.)

Der Herzog erfährt die Beglückung durch sein Kind in doppelter Stärke, als Eugenie aus der Ohnmacht erwacht und nach dem Sturz erneut ins Leben eintritt:

> „Nun steigert mir gefürchteter Verlust
> Des Glücks Empfindung ins Unendliche." (V. 243–44)

Diese Beglückung wünscht der Herzog festzuhalten –

> „O bleib und steh an diesem Platz
> Lebendig, aufrecht noch einmal, wie du
> Ins Leben wieder aufsprangst, wo mit Wonne
> Du mein zerrissen Herz erfüllend teiltest." (V. 610 ff.) –

und bleibend zu gestalten. Die bleibende Gestaltung geschieht in der Kunst. Ein Verharren der organischen Gestalt in einem einmal erreichten Zustand gibt es nicht. Das wiedererschienene Bild der verschwundenen Tochter fördert produktives Verhalten, Schaffen des Vaters:

> „Unfruchtbar bleibe diese Freude nicht . . ." (V. 615)

Es ist dem Menschen die Fähigkeit gegeben, im künstlerischen Gebilde „den Gefühlen (seiner) Brust für ewge Zeit den Stempel aufzudrücken" (V. 963–4).

Wie Eugenie vor Glück über ihre Erhöhung durch den König ein Gedicht schreibt, so will der Herzog einen Gedenkplatz schaffen: aus Dank für die Wiedergeburt seiner schon verloren geglaubten Tochter: Ihr erneut erscheinendes Leben, ihr ihn beglückendes „unschätzbares Bild" (V. 1493) bewirkt des Herzogs künstlerische Produktivität: Er baut ein Gebilde, das – bleibend – ihn erinnern soll.

So wiederholt sich Eugeniens Wiedererscheinen im Werden eines Parks, in dem Erscheinen und Entstehen eines künstlerischen Gebildes:

> „Zum ewgen Denkmal weih ich diesen Ort.
> Hier soll ein Tempel aufstehn, der Genesung,
> Der glücklichsten, gewidmet. Rings umher
> Soll deine Hand ein Feenreich erschaffen:
> Den wilden Wald, das struppige Gebüsch
> Soll sanfter Gänge Labyrinth verknüpfen;
> Der steile Fels wird gangbar, dieser Bach,

In reinen Spiegeln fällt er hier und dort;
Der überraschte Wandrer fühlt sich hier
Ins Paradies versetzt. Hier soll kein Schuß,
Solang ich lebe, fallen, hier kein Vogel
Von seinem Zweig, kein Wild in seinem Busch
Geschreckt, verwundet, hingeschmettert werden.
Hier will ich her, wenn mir der Augen Licht,
Wenn mir der Füße Kraft zuletzt versagt,
Auf dich gelehnt, wallfahrten; immer soll
Des gleichen Danks Empfindung mich beleben." (V. 615 ff.)

Durch die väterliche Liebe zur Tochter wird hier – und darin offenbart sich das Wesen der „Metamorphose im höheren Sinne" (M+R, 96) – eine neue Welt aufgebaut, die ganz von diesem Geliebten her ihren Sinn empfängt. Der Herzog vermag die Welt so leicht zu bewältigen, wie er sie neu erfährt. Er ist ihr eng verbunden: durch Tun.

Aus dem Elementar-Chaotischen der wild wachsenden und wuchernden Natur hebt sich das kunstvoll-gefährliche, stets gefährdete, übersichtliche, vom Menschen organisierte Stück Landschaft heraus.

Ist der Gegenstand dieser tätigen Liebe dem Blicke entzogen, die Gestalt dem Schauenden verschwunden, so bricht diese Welt in sich zusammen, noch ehe sie voll ausgebildet war: So wie Eugeniens Erscheinung *vor* ihrer Vollendung verschwinden muß, bleibt dem Herzog die künstliche Welt unvollendet und fällt den Elementen von neuem anheim: die volle Gestalthaftigkeit wird in beiden nicht erreicht.

Als Pilger wollte der Herzog die Erinnerungsstätte an Eugeniens wunderbares Auferstehen besuchen. Jetzt muß er als Wanderer in den unvollendeten Park allein eintreten, wo er seine Tochter zuletzt sah:

„Dort lag sie tot in meinen Armen, dort
Sah ich, getäuscht, sie in das Leben kehren.
Ich glaubte sie zu fassen, sie zu halten,
Und nun ist sie auf ewig mir entrückt." (V. 1566 ff.)

Die Gedenkstätte kann nicht voll in die Erscheinung treten, weil die Freude über Eugeniens Rettung von neuer Todesnachricht jäh abgelöst wird: So kann der Herzog, der sein Glück gestalten wollte, nur noch seinen „Schmerz verewgen" wollen.

„Ein Denkmal der Genesung hab ich dort
In meines Traums Entzückungen gelobt.
Schon führt klug des Gartenmeisters Hand
Durch Busch und Fels bescheidne Wege her,
Schon wird der Platz gerundet, wo mein König
Als Oheim sie an seine Brust geschlossen.

Und Ebenmaß und Ordnung will den Raum
Verherrlichen, der mich so hoch beglückt.
Doch jede Hand soll feiern! Halb vollbracht
Soll dieser Plan wie mein Geschick erstarren!
Das Denkmal nur – ein Denkmal will ich stiften,
Von rauhen Steinen ordnungslos getürmt,
Dorthin zu wallen, stille zu verweilen,
Bis ich vom Leben endlich selbst genese.
O! laßt mich dort, versteint, am Steine ruhn,
Bis aller Sorgfalt lichtgezogne Spur
Aus dieser Wüste Trauersitz verschwindet!
Mag sich umher der freie Platz berasen,
Mag sich der Zweig dem Zweige wild verflechten,
Der Birke hangend Haar den Boden schlagen,
Der junge Busch zum Baume sich erheben,
Mit Moos der glatte Stamm sich überziehn:
Ich fühle keine Zeit; denn sie ist hin,
An deren Wachstum ich die Jahre maß." (V. 1571 ff.)

Auch im erfüllten Augenblick ist die Zeit „nicht gefühlt": dieser Augenblick wurde Ewigkeit:

„Welcher Liebhaber fühlt die Zeit in der Nähe des Geliebten verfließen!" (AGA, 13, S. 252)

Genau das Gegenteil aber ist in den Worten des Herzogs gemeint. Er fühlt keine Zeit, weil die Zeit, die – wie das Wasser – „selbst ein Element" ist (M+R, 202), das man beherrschen und erfüllen kann und muß, hier entleert ist durch das Verschwinden dessen, was Maß und Füllung der Zeit des Herzogs gewesen: durch das Verschwinden Eugeniens.

„Ich fühle keine Zeit; denn sie (Eugenie) ist hin,
An deren Wachstum ich die Jahre *maß*." (V. 1592–3)

Wie in der ,Trilogie der Leidenschaft' auf das „Mir ist das All, ich bin mir selbst verloren!" die „Aussöhnung" durch die Musik geschieht, die „des Menschen Wesen durch und durch zu dringen" vermag, so daß „das Herz erleichtert merkt behende, daß es noch lebt und schlägt und möchte schlagen" (Bd. I, S. 484), wie am Schluß des ,Egmont' die leere Zeit in der Begegnung überwunden wird: in der Begegnung Egmont – Ferdinand, also gerade dadurch, was dem Herzog genommen ist, durch den Glauben an und die Hoffnung auf Weiterleben im Sohne Albas, so vermag der Herzog – dem vergleichbar – am Ende des III. Aktes „eines dumpfen, dunklen Traumgeflechtes verworrne Todesnetze zu zerreißen" (V. 1773–74) und sich zum Leben zu befreien: indem er durch den „Geist"

„getrenntes Leben" neu „vereinigt" (V. 1698), gewinnt er das Bild der verschwundenen Tochter wieder:

„Du bist kein Traumbild, wie ich dich erblicke!
Du warst, du bist! Die Gottheit hatte dich
Vollendet einst gedacht und dargestellt,
So bist du teilhaft des Unendlichen,
Des Ewigen, und bist auf ewig mein." (V. 1721 ff.),

überwindet er auch durch das nun bleibende „vielgeliebte Bild" (V. 1775) der Tochter die leere, entleerte Zeit, und das Viele der Welt vermag ihm wieder „als Etwas zu erscheinen" (V. 1287).

„Bild" als Substantiv für das „Erscheinende" offenbarte ein Doppeltes: Einmal – entsprechend seinem „Gebilde"-Charakter und dem Bezug zum Worte „Bildung" – wurde wie schon bei „Blüte" und „Gestalt" das Erscheinende als ein organisch Wachsendes erkannt. Zum anderen offenbarte sich im Substantiv „Bild", daß „erscheinen" zugleich immer „gesehen werden", „für jemanden sichtbar werden" bedeutet.

Beide Sinngehalte von „Bild" verbanden sich in der *Wirkung* dieses „Bildes" auf den, der es sieht: Das lebendige Gebild wirkt lebendig auf das Gegenüber, das entsprechend dem Goetheschen Satze, daß „der Mensch nichts erfährt und genießt, ohne sogleich produktiv zu werden",[22] schöpferisch wird.

So geschieht im lebendigen Wechselspiel das, was Goethe „eine Metamorphose im höheren Sinn, durch Nehmen und Geben" (M+R 96) nennt.

c) „ERSCHEINEN" UND „VERSCHWINDEN" ALS MORPHOLOGISCHE BEGRIFFE

I

Die voranstehenden Seiten dienten dazu, die Eigentümlichkeit des Geschehens in der ,Natürlichen Tochter' als eine *Doppelbewegung* des „Erscheinens" und „Verschwindens" zu beschreiben. Die Wortanalyse von „Erscheinen" und „Verschwinden" im Zusammenhang des Dramas verhalf uns zu ersten Einsichten in die Symbolik dieses Geschehens. Es kommt jetzt darauf an, durch eine weiter ausholende Betrachtung den vollen symbolischen Gehalt von „Erscheinen" und „Verschwinden" im Werke Goethes zu ermitteln. Dazu soll zunächst ein Blick auf Goethes wissenschaftliche Naturschau getan werden.

---

[22] Schema zum Dilettantismus, WA. I. 47, S. 323.

Das wissenschaftliche Denken und Schauen Goethes umfaßt in einem weiten Sinne alle Erscheinungen der Natur, die die Sinne des Menschen affizieren.

Die *organischen* Gestalten oder Erscheinungen machen dabei nur *einen* „Erscheinungskreis"[23] neben anderen aus: Am ehesten gewährt ein nachgelassenes Schema, ‚Erscheinungen' betitelt (Jena, d. 26. Mai 1799), Einblick in die Gesamtheit der von Goethe studierten natürlichen Erscheinungen. Es heißt dort:

	„Erscheinungen:
Elementare	Sie gehen in alles ein. Nehmen nichts in sich auf.
Stoffartige	Sind zum Teil fähig ästhetisch gebraucht zu wer-
Physische	den. Z. B. Farbe.
Chemische	Sie gehen ein und nehmen auf. Intussuszeption.
Materielle	Gelten dem Künstler bloß als Werkzeug z. B. Pigment.
Unorganische	Sind zwar chemisch, unterscheiden sich nur dadurch daß sie in der Natur als Gattungen pp. oder Individuen angetroffen werden, und sich der Nachahmung darbieten. Z. B. Granit und Marmor.
Organische	*Im Werden.* Fließend. Die Idee von der Metamorphose tritt hier ein. Quaeritur inwiefern sie dem Künstler zu Nutz dargestellt werden könnte. *Gehemmt.* Charakteristisch. Bedeutend. Durch die Sinne zu fassen, durch den Verstand zu begreifen. *Auf dem Gipfel.* Übersteigt den Verstand. Bezaubert den Sinn. Bleibt eine Art von Wunder und begegnet dem Ideal." (Bd. 18, S. 405–6)

Nicht von vornherein hatte die Naturschau Goethes diese Weite und diese Geschlossenheit. Ausgangspunkt bildete zuerst einfach „die Lust zu wissen". Sie „wird bei dem Menschen zuerst dadurch angeregt, daß er bedeutende Phänomene gewahr wird, die seine Aufmerksamkeit an sich ziehen" (AGA, 16, S. 19).

Dadurch wird die Produktivität ausgelöst, die „innerste Eigenschaft der menschlichen Natur, ja die menschliche Natur selbst" ist (WA, I. 47, S. 323).

Allgemein gibt Goethe an anderer Stelle Rechenschaft über den Impuls zur wissenschaftlichen Betätigung des Menschen, wenn er meint, „es habe sich ... in dem wissenschaftlichen Menschen zu allen Zeiten ein Trieb hervorgetan, die lebendigen Bildungen als solche zu erkennen, ihre äußeren, sichtbaren, greiflichen Teile im Zusammenhang zu erfassen und so das

---

23 G. Simmel, Goethe, S. 83.

Ganze in der Anschauung gewissermaßen zu beherrschen" (AGA, 17, S. 13).

Damit benennt Goethe einen spezifischen Zug seines Wesens, einen Trieb, der in allen seinen Verhaltensweisen den verschiedenen Bereichen der Natur gegenüber wirksam ist und diese unterschiedlichen Tätigkeiten wie mit einem Band zusammenknüpft und -hält.

Die Lektüre Spinozas – so lesen wir in einem Brief an Jacobi – gebe ihm (Goethe) „Mut, mein ganzes Leben der Betrachtung der Dinge zu widmen, die ich reichen kann und von deren essentia formali ich mir eine adaequate Idee zu bilden hoffen kann, ohne mich im mindesten zu bekümmern, wie weit ich kommen werde und was mir zugeschnitten ist" (5. 5. 1786 – AGA, 18, S. 924). Im selben Brief heißt es an anderer Stelle: „Ich halte viel aufs Schauen".

Daß damit eine ganz bestimmte Art des Schauens gemeint ist, die sich sehr wohl vom bloßen Sehen scheidet, braucht hier nur angedeutet zu werden: Goethe selbst betont später entschieden: „Das bloße Anblicken einer Sache kann uns nicht fördern" (AGA, 16, S. 11). Er weiß, „daß es ein Unterschied sei zwischen Sehen und Sehen, daß die Geistesaugen mit den Augen des Leibes im steten lebendigen Bunde zu wirken haben, weil man sonst in Gefahr gerät zu sehen und doch vorbeizusehen" (AGA, 17, S. 101). Ist das Schauen und Betrachten derart, daß es „in ein Sinnen" übergeht, „jedes Sinnen in ein Verknüpfen", so daß man sagen kann, „daß wir schon bei jedem aufmerksamen Blick in die Welt theoretisieren" (AGA, 16, S. 11), so kann der Schauende „weit kommen". Wie von selbst werden sich die zerstreuten Sinneseindrücke zu einem Ganzen verbinden. Wie dies geschieht, schreibt Goethe an Schiller: „Die Naturbetrachtungen freuen mich sehr. Es scheint eigen, und doch ist es natürlich, daß zuletzt eine Art von *subjektivem Ganzen* herauskommen muß. Es wird, wenn Sie wollen, eigentlich die *Welt des Auges,* die durch *Gestalt und Farbe erschöpft wird.* Denn wenn ich recht achtgebe, so brauche ich die Hülfsmittel anderer Sinne nur sparsam und alles Räsonnement verwandelt sich in eine Art Darstellung" (15. 11. 96 – Briefwechsel Bd. I, S. 259).

Die Welt der Goetheschen Erfahrung ist danach eine „Welt des Auges, die durch Gestalt und Farbe erschöpft wird" (s. o.).[24] Anschauung und Erforschung von Gestalt und Farbe bilden weitgehend den Inhalt Goethescher Naturschau. Farbphänomene haben vielleicht den Vorrang, wie aus einem so vielschichtigen Werk, wie es die ‚Farbenlehre' ist, leicht zu ersehen ist.

Aufgabe der ‚Farbenlehre' ist es, „anzuzeigen, wie wir die verschiedenen Bedingungen, unter welchen sich die Farbe zeigen mag, gesondert"

---

[24] vgl. dazu: „Die Gestalt wird eigentlich durch den Sinn des Auges gefaßt" (AGA, 17, S. 417).

haben (AGA, 16, S. 22). So speziell das Thema der ‚Farbenlehre' auch
sein mag, es weist ins Ganze: Ein Erscheinungsbereich weist auf den anderen, auf alle anderen. Ist doch die Natur, die alles aus sich entläßt, ein
und dieselbe, „unter verschiedenen Bedingungen erscheinend". Ein Analogieprinzip durchwaltet jede Betrachtung und leitet sie: „Jedes Exi-
stierende ist ein Analogon alles Existierenden" (M+R, 554).
So verschafft die ‚Farbenlehre' trotz der Beschränktheit ihres Aspektes
„die Bequemlichkeit, . . . die Lehre von den Farben in die Reihe aller
übrigen elementaren Erscheinungen (und auch aller übrigen, so dürfen wir
hinzufügen) vorzutragen und sich dabei einer übereinstimmenden Sprache, ja fast derselbigen Worte und Zeichen unter allen übrigen Rubriken
zu bedienen" (AGA, 16, S. 24). In diesem Sinne gibt es bei Goethe keine
spezielle Wissenschaftssprache, ja die wissenschaftliche Sprache ist nicht
eigentlich von der dichterischen geschieden: Es findet eine stets sich wiederholende Metamorphose der beiden durcheinander statt, „eine Metamorphose im höheren Sinne, durch Geben und Nehmen" (M+R, 96),
von der Hofmannsthal, auf *eine* Seite des Verhältnisses schauend, sagt:
„Goethes naturwissenschaftliche Schriften sind wahrhaftige Palingenesie
der Sprache."[25]

II

„Ich habe immerfort versucht, erprobt und eine Bedingung nach der anderen ausgeforscht, unter welchen die Erscheinung sich offenbaren möchte"
(AGA, 16, S. 777).
Das ist die zweite Stufe Goethescher Naturschau: Ihr ging voraus das
Affiziertwerden von den Phänomenen. Daraus folgt das Verstehen-Wol-
len dieser Phänomene, der Einheit derselben untereinander und der wech-
selhaften Bedingungen ihres Erscheinens. Aus der Betrachtung des Größten wie des Kleinsten geht so die „*Metaphysik der Erscheinungen*" hervor (Bd. 18, S. 371), die auf dem intuitiven Wissen aufbaut, daß „alle
Manifestationen der Wesenheiten verwandt sind" (AGA, 17, S. 702).
Das Mannigfaltige der Erscheinungen zur denkerischen Einheit zu führen, ist das Bestreben alles wissenschaftlichen Denkens. Gegen die traditionellen Formen dieser Vereinheitlichung, die eine Schematisierung, von
außen herangebracht, war, setzt Goethe den Glauben und das Wissen,
„daß es doch wohl noch eine andere Weise geben könne, die Natur nicht
vereinzelt vorzunehmen, sondern sie wirkend und lebendig, aus dem
Ganzen in die Teile strebend darzustellen" (AGA, 16, S. 867).
Dabei ist er sich bewußt, daß „den Punkt der Vereinigung des Mannigfaltigen zu finden . . . immer ein Geheimnis bleibt, weil die Individualität

---

[25] H. v. Hofmannsthal, Aufzeichnungen (1959), S. 192.

eines jeden darin besonders zu Rate gehen muß und niemand anhören
darf" (WA, III, Bd. 1, S. 8).

Das Seiende in seiner Mannigfaltigkeit, aus der einen Natur emanie-
rend, erscheint in verschiedenen Aggregatzuständen, wie sie das Schema
„Erscheinungen" deutlich macht. Allen aber ist die Weise des „Erscheinens"
gemeinsam: In der Erscheinung deutet sich ein Geheimnisvolles an. Goethe nennt es mitunter „Idee" und versteht darunter das, „was immer zur
Erscheinung kommt und daher als das Gesetz aller Erscheinungen uns
entgegentritt" (M+R, 1136). Es liegt dem die Erfahrung zugrunde, daß
„die Natur stets analytisches Verfahren beobachte, eine Entwicklung aus
einem lebendigen, geheimnisvollen Ganzen" (AGA, 16, S. 75). Diese Erfahrung wird wieder Anlaß zur Bildung einer subjektiven „Idee über
die Gegenstände der Erfahrung", einer Anschauungsform, die ein „Organ" sei, dessen Goethe sich „bediene, um diese (Gegenstände) zu fassen,
sich zu eigen zu machen" (An Sömmering, 28. 8. 1796).

Auf dem Grunde dieser dauernden lebendigen Schau in alle Sphären
der Natur, die als unendlich wirkende Kraft – „physis" – sich in immer
neuen Erscheinungen ankündigt, baut sich die „Weltansicht" Goethes auf:
daraus erwächst ihre Totalität. An Jacobi schreibt Goethe: „Dich hat
Gott ... mit der Metaphisick bestraft und dir einen Pfeil ins Fleisch ge-
sezt, mich dagegen mit der Phisick gesegnet, damit mir es im Anschauen
seiner Werke wohl werde" (5. 5. 1786 – AGA, 18, S. 913).

Viel später heißt es in einem Gespräch mit dem Kanzler von Müller
über Jacobi: „Ihm (Jacobi) hätten die Naturwissenschaften gemangelt,
und mit dem bißchen Moral läßt sich doch nie große Weltansicht fassen"
(26. 1. 1825).

Wie Faust sich von der ihn blendenden Sonne wegwendet: hin zu dem
Farbenspiel des Regenbogens, so wendet sich Goethe von jeder leeren
Spekulation ab und hin zu der Betrachtung der Vielfalt erscheinenden
Lebens.

III

Das bedeutet: zu den Gestalten! – Erscheinungen als Gestalten beschäftigen Goethe schon früh. Das, was sich in der Gestalt andeutet, zu begreifen: war Ziel der mit Lavater im Verband betriebenen Physiognomie.
Dies Bestreben erhielt sich über die Zeiten: Goethes Gestaltenlehre bleibt
bis zuletzt Physiognomie.[26]

Goethe hat den rein intuitiven Weg Lavaters bald verlassen. Die Erfahrung führt ihn weiter: Goethe bildete seine Naturschau zu einer Gestaltenlehre aus, die er „Morphologie" nannte und unter der er eine
Wissenschaft verstanden wissen wollte, „die sich hauptsächlich mit orga-

---

[26] vgl. dazu K. Hildebrandt, a. a. O., S. 92.

nischen Gestalten, ihrem Unterschied, ihrer Bildung und Umbildung abgibt" (AGA, 17, S. 410).[27] Wie schon die Physiognomie als Wissenschaft „vom Äußeren aufs Innere schließt" (AGA, 17, S. 439), so beruht die Morphologie auf der Überzeugung, „daß alles was sei, sich auch andeuten und zeigen (d. h. „erscheinen") müsse" (AGA, 17, S. 415).[28]
Der Morphologie liegt die Erfahrung zugrunde, daß „alles, was den Raum füllt, insofern es solidesziert, sogleich eine Gestalt" annimmt (AGA, 17, S. 418). Die Gestalt aber ist nichts ein für allemal Fertiges. Sie ist ständig – solange sie lebendig ist – beweglich und „regelt sich mehr oder weniger und hat gegen die Umgebung gleiche Bezüge mit anderen gleichgestalteten Wesen" (AGA, 17, S. 418).[29]
Goethe will den Begriff „Gestalt" nur mit aller Vorsicht verwendet wissen: die Eigentümlichkeit der deutschen Sprache hält das Wort „Gestalt" nun einmal zur Kennzeichnung derartiger beweglicher Phänomene bereit. Goethe mahnt vor Mißverständnissen: „Der Deutsche hat für den Komplex des Daseins eines wirklichen Wesens das Wort Gestalt." Die Problematik des Wortes liege aber in der Abstraktion vom Beweglichen. „Betrachten wir aber die Gestalten, besonders die organischen, so finden wir, daß nirgends ein Bestehendes, nirgends ein Ruhendes, ein Abgeschlossenes vorkommt, sondern daß vielmehr alles in einer steten Bewegung schwanke" (AGA, 17, S. 13–14).[30] Deswegen bevorzugt er das Wort „Bildung" gegenüber „Gestalt", weil man es sowohl „von dem Hervorgebrachten als von dem Hervorgebrachtwerdenden gehörig genug zu brauchen pflegt" (AGA, 17, S. 14).
So sehr diese Bevorzugung von „Bildung" als terminologische Spielerei anmuten mag, so sehr offenbart sich in diesem Tasten nach der rechten Formulierung ein Tasten nach der rechten Erfassung von Wesen und Eigentümlichkeit der Sache, gemäß der Maxime: „Wir haben das unabweisliche, täglich zu erneuernde grundernstliche Bestreben, das Wort mit dem Empfundenen, Geschauten, Gedachten, Erfahrenen, Imaginierten, Vernünftigen möglichst unmittelbar zusammentreffend zu erfassen" (M+R, 674). Insofern die Morphologie auf der Überzeugung ruht, „daß

---

[27] „Morphologie soll die Lehre von der Gestalt, der Bildung und Umbildung der organischen Körper enthalten; sie gehört daher zu den Naturwissenschaften" (AGA, 17, S. 115). – Charakteristischer Weise lautet der Titel eines morphologischen Aufsatzes „Bildung und Umbildung organischer Naturen" (1817 veröffentlicht).
[28] vgl. Ephemerides: „... und wie keine lebendige Kreatur ohne Gebärde und Anzeigung ist ..." (Bd. 11, S. 13).
[29] vgl. das Motto aus Hiob im I. Band, 1. Heft „Zur Morphologie": „Siehe er geht vor mir über ehe ichs gewahr werde und verwandelt sich ..."
[30] vgl. dazu: Goethe zu von Müller: „Sie wissen, daß ich ein fortwährend Werdendes statuiere" (6. 6. 1824).

alles was sei, sich auch andeuten und zeigen müsse" (AGA, 17, S. 415),
nimmt sie den bei der Betrachtung des Geschehens in der ‚Natürlichen
Tochter' verwandten Begriff des „Erscheinens" zur Grundlage.

„Das Unorganische, das Vegetative, das Animale, das Menschliche
deutet sich alles selbst an, es *erscheint, als was es ist,* unserem äußeren,
unserem inneren Sinn" (AGA, 17, S. 415). Indem sich die Gestalt als ein
„Erscheinendes" erweist, ist sie in ständiger Funktion. „Funktion und
Gestalt sind notwendig verbunden", ja „identisch" (AGA, 17, S. 421).[31]
Goethe erkennt in dem Leben der Gestalt eine Doppelbewegung: Die
Gestalt ist „ein Bewegliches, ein *Werdendes,* ein *Vergehendes"* (AGA, 17,
S. 415). Die Gestalt hat die Richtung der Bewegung auf *Werden* oder auf
Vergehen. Zu der Bestimmung des Beweglichen tritt die Richtung dieser
Bewegung hinzu: einmal die des Werdens, die wir in den Zusammen-
hängen des Stückes eine *Aufwärts*bewegung nennen konnten; dann eine
des Vergehens, der im Drama die *Abwärts*bewegung entsprach.

Überhaupt können wir die zur Kennzeichnung des dramatischen Geschehens verwendeten Termini hier einsetzen und sagen: Die Gestalt ist
ein Bewegliches: ein Erscheinendes, ein Verschwindendes. – Es erweist sich
hier deutlich, daß es sich bei „erscheinen" und „verschwinden" um spezifisch morphologische Begriffe handelt.

Die Doppelbewegung, bei der die eine Bewegung (die *abwärts*gerichtete
des „Verschwindens") aus der anderen (der *aufwärts*gerichteten des „Erscheinens") sich entfaltet, so daß eine Bewegungskurve entsteht, ist der
organischen Gestalt eigentümlich: sie ist „Grundeigenschaft der lebendigen
Einheit: ... *hervorzutreten* und zu *verschwinden* ..." (M+R, 571).

Auf Grund dieser Verhältnisse wird die Gestaltenlehre – die Morphologie – eine „Verwandlungslehre" (AGA, 17, S. 415), d. h. Lehre von
der „Metamorphose" der Gestalten. „Die Lehre der Metamorphose ist
der Schlüssel zu allen Zeichen der Natur" (AGA, 17, S. 415), ein unent-
behrlicher Schlüssel zum Verständnis der Gestalten. In diesem Sinne gibt
Goethe zu verstehen: „So viel getraue ich mir zu behaupten, daß, wenn
ein organisches Wesen in die Erscheinung hervortritt, Einheit und Freiheit
des Bildungstriebes ohne den Begriff der Metamorphose nicht zu fassen
sei" (AGA, 17, S. 192).

In der Tat war es auch die Metamorphosenlehre, die Goethe zuerst
ausbildete und die die folgenden Studien der Gestalten erst recht er-
möglichte.

Die in der traditionellen Botanik vorherrschende empirische Schematisierung und Klassifikation allein nach äußeren Merkmalen durch und im
Gefolge von Linné, konnte die flexible Gestalt, wie sie ständige Erfahrung des Lebens war, nicht gestalten und denkerisch bewältigen.

---

[31] vgl. dazu: „Funktion ist das Dasein in Tätigkeit gedacht" (M+R, 1367).

„Dergleichen Betrachtung erschien" dem jungen Goethe in den ersten Weimarer Jahren, den dort zu dieser Zeit – nach Schillers Urteil in einem Briefe an Körner (12. 8. 1787) – „eine stolze philosophische Verachtung aller Spekulation und Untersuchung, mit einem bis zur Affektation getriebenen Attachement an die Natur und einer Resignation in seine fünf Sinne, kurz eine gewisse kindliche Einfalt der Vernunft bezeichnet", „immer als eine Art Mosaik, wo man einen fertigen Stift neben den anderen setzt, um aus tausend Einzelheiten endlich den Schein eines Bildes hervorzubringen, und so war (ihm) die Forderung in diesem Sinne gewissermaßen widerlich" (AGA, 17, S. 76).

Goethe sucht und ahnt eine andre Art, die Mannigfaltigkeit der Erscheinungen als eine Einheit zu begreifen: Erst die Italienische Reise aber bringt der neuen Naturanschauung volle Entfaltung.

Gegenstand der neuen Erfahrungen sind zunächst die Pflanzen. Was Goethe an ihnen schon bei der Alpenüberquerung gewahr wird, ist „das *Wechselhafte* der Pflanzengestalten", das in ihm die Vorstellung erweckt, „die uns umgebenden Pflanzenformen seien nicht ursprünglich determiniert und festgestellt, ihnen sei vielmehr, bei einer eigensinnigen genetischen und spezifischen Hartnäckigkeit, eine glückliche Mobilität und Biegsamkeit verliehen, um in so viele Bedingungen, die über den ganzen Erdkreis auf sie einwirken, sich zu fügen und darnach bilden und umbilden zu können" (AGA, 17, S. 79).

Aus unmittelbarem Anschauen, das gleichwohl um die Verwandtschaft alles Lebendigen weiß, leuchtet ihm ein, „wie jede Pflanze ihre Gelegenheit, wie sie eine Lage fordert, wo sie in Fülle und Freiheit erscheinen kann. Bergeshöhe, Talestiefe, Licht, Schatten, Trockenheit, Feuchte, Hitze, Wärme, Kälte, Frost und wie die Bedingungen alle heißen mögen! Geschlechter und Arten verlangen sie, um mit völliger Kraft hervorzusprießen" (AGA, 17, S. 77).

In beiden Stellen wird bei aller Hervorhebung des Beweglichen der Pflanze auf ihre „generische und spezifische Hartnäckigkeit" abgehoben. Art- und Gattungsnorm sind (noch) unüberwindliche Schranken, die die Gestalten der Pflanzen bestimmen, die aber auch noch den Weg zur Einsicht in die Urpflanze hemmen. So wie Goethe es hier formuliert, liegt Grund und Ursache für die Mobilität der Pflanzenformen (innerhalb von Art- und Gattungsnorm) in der *Anpassung* an die Umwelt: in einer Anpassung, die hier noch als eine rein *passive*, nicht als eine produktive erfahren wird: die Pflanze bequemt sich den Bedingungen der Umwelt an. Es ist eine *einseitige* Determination der Pflanzengestalt von außen durch die Umwelt.

Noch hat sich der genetische Gedanke nicht voll entfalten können: die Fächerpalme in Padua, an der Goethe sämtliche Stufen der Blattentwicklung *zugleich* betrachten konnte, bedeutet Epoche auf dem Wege von der

Artnorm über die Gattungsnorm (die beide überwunden werden) zum Urbild der Pflanze, wie es Goethe in Sizilien erschien.

Es wurde Goethe „nach und nach klarer, daß die Anschauung noch auf eine höhere Art belebt werden könne: eine Forderung, die mir damals unter der sinnlichen Form einer übersinnlichen Urpflanze vorschwebte. Ich ging allen Gestalten, wie sie mir vorkamen, in ihren Veränderungen nach, und so leuchtete mir am letzten Ziele meiner Reise, in Sizilien, die ursprüngliche Identität aller Pflanzenteile vollkommen ein, und ich suchte diese nunmehr überall zu verfolgen und wieder gewahr zu werden" (AGA, 17, S. 79–80).

Welche Bedeutung diese Entdeckung für Goethe hat, mag man am ehesten aus seinem Brief an Frau von Stein entnehmen, in dem es heißt: „Sag Herdern, daß ich dem Geheimnis der Pflanzenzeugung und Organisation ganz nahe bin und daß es das einfachste ist was nur gedacht werden kann. Unter diesem Himmel kann man die schönsten Beobachtungen machen. Sag ihm, daß ich den Hauptpunkt, wo der Keim stickt, ganz klar und zweifellos entdeckt habe, daß ich alles übrige auch schon im ganzen übersehe und nur noch einige Punkte bestimmter werden müssen. Die Urpflanze wird das wunderlichste Geschöpf von der Welt über welches mich die Natur selbst beneiden soll. Mit diesem Modell und dem Schlüssel dazu kann man alsdann noch Pflanzen ins Unendliche erfinden, die konsequent sein müssen: d. h. die, wenn sie auch nicht existieren, doch existieren könnten und nicht etwa malerische oder dichterische Schatten sind, sondern eine innerliche Wahrheit und Notwendigkeit haben. Dasselbe Gesetz wird sich auf alles übrige Lebendige anwenden lassen" (AGA, 19, S. 84–85, Brief vom 8. 6. 1787).

Kern der Goetheschen Einsicht in die Pflanzenwelt war die Erkenntnis, daß die Gestalt durch Umformung und Sammlung der Elementarteile entsteht. In diesem Sinne ist die Pflanze gar kein Individuum, sondern eine Versammlung von gleichen, wenn auch modifizierten Individuen zu einer größeren Einheit. Grundeinheit, Element des Aufbaus der Pflanze ist das Blatt, das ein wahrer Proteus ist. „Alles ist Blatt, und durch diese Einfachheit wird die größte Mannigfaltigkeit möglich" (AGA, 17, S. 189).

Die auf das *Ganze der Gestalt* gerichtete Betrachtungsweise Goethes[32] konnte von der Analyse der Elemente keine weitere Förderung der Studien erfahren. Denn „der Begriff der Individualität *hindert* die Erkenntnis organischer Naturen, ... die offenbar (als Gestalten) *Mehrheiten* (von Individuen) sind" (AGA, 17, S. 421).

Daher wendet sich Goethe von den Pflanzen zu den Insekten, die sich dadurch von den Pflanzen unterscheiden, daß in ihnen deutlich sichtbar

---

[32] vgl. dazu Goethe an A. v. Humboldt: „Da Ihre Betrachtungen vom Elemente, die meinigen von der Gestalt ausgehen, so können wir nicht genug eilen, uns in der Mitte zu begegnen" (Brief vom 18. 6. 1795).

eine Monade die Herrschaft übernommen hat und die übrigen sich unterordnete.[33]

Der neue Begriff der Metamorphose, der in der Metamorphose der Tiere gefunden wird und der die Erstarrung der Art- und Gattungsnorm auflöst, ist die Idee der „Versabilität des Typus". „Ein Typus sollte anerkannt werden" – so schreibt Goethe an Müller (24. 11. 1829) – „ein Gesetz, von dem in der Erscheinung nur Ausnahmen aufzuweisen sind: eben dies geheime und unbezwingliche Vorbild, in welchem sich alles Leben bewegen muß, während es die abgeschlossene Grenze immerfort zu durchbrechen strebt." Damit tritt zur Lehre von der Metamorphose die Lehre vom Typus hinzu.

Gleicht die Metamorphosentendenz der „vis zentrifuga", die alles ins Unendliche auflöst, so ist der Typus eine Art „vis zentripeta", ein zähes „Beharrlichkeitsvermögen dessen, was einmal zur Wirklichkeit gekommen" (AGA, 17, S. 194). Beiden Kräften ist es eigen, „zugleich zu wirken".

Nicht Artnorm noch Gattungsnorm sind für Goethe mit dem Typus identisch. Vielmehr sieht er in diesem etwa die „Idee" des Tieres jenseits aller art- und gattungsmäßigen Begrenzungen. Typus ist die innere Form, die formende Kraft, das Wesen der organisch-animalen Erscheinung.

Insofern ist Goethes Betrachtung der Erscheinungen wahrhaft „wesentlich", als sie die Erscheinung der Gestalt verstehen will als Ausdruck des Wesens, der Substanz.[34]

Als diese Substanz ist der Typus wiederum nur in seinen Verwirklichungen in der Erscheinung zu fassen. „Die Erscheinung drückt das Wesen aus, die natura creata die natura creatrix; denn dies ist eben das Wesen des „Wesens", Erscheinung zu werden, sich zu gestalten."[35]

IV

Drängt sich die von Metamorphosengesetz und Typus geregelte Erscheinung ins Leben, so bedeutet dies immer zugleich und in jedem Falle den *Zusammenstoß mit der Welt.*

Daß Goethe die Beziehung des Erscheinenden zur Außenwelt als ein Konstituens der Gestalt erfahren hat, offenbart ein Brief an Schiller, in dem Goethe schreibt: „Sie wissen, wie sehr ich am Begriffe der Zweckmäßigkeit der organischen Naturen *nach innen* hänge, und doch läßt sich

---

[33] vgl. dazu AGA, 17, S. 15: „Die Subordination der Teile deutet auf ein vollkommeneres Geschöpf."
[34] vgl. dazu K. Hildebrandt, Goethes Naturerkenntnis (1947), S. 115.
[35] Hildebrandt, a. a. O., S. 115.

ja eine *Bestimmung von außen* und *ein Verhältnis nach außen* nicht leugnen“ (6. 1. 1798).

Dieses Inderweltsein, dieser Bezug auf ein Außen, das Wirken dieses Außen auf die Erscheinung gehört wesentlich zur Erscheinung hinzu. Somit gleicht der Typus eigentlich einem Wesen, „das in Harmonie mit der Umwelt steht“,[36] und sich auf Grund dieser Harmonie „in der größten Freiheit, nach seinen eigenen Bedingungen“ entfaltet (M+R, 1346).

Es wird hier deutlich, wie sich Goethe, nachdem er einmal das Zusammenwirken von Typus und Metamorphose erkannte, zu einem Gesetz der Anpassung bekennt, die jetzt nicht länger – wie oben angedeutet – rein passiv vor sich geht, sondern zu einer Anpassung, die zugleich aktiv und passiv ist, zu einem „pulsierenden Wechselverhältnis von Disposition und Determination“[37] also, das gerade bei den höheren organischen Wesen, besonders beim Menschen wirksam ist.

Dies zeigt deutlich Goethes Kritik an der Psychologie Stiedenroths, von der eine Maxime sagt: „... Mit der Gegenwirkung des Inneren nach außen gelingt es ihm (Stiedenroth) nicht ebenso. Der Entelechie, die nichts aufnimmt, ohne sichs durch eigene Zutat anzueignen, läßt er nicht Gerechtigkeit widerfahren“ (M+R, 273).

Wie Goethe sich dieses Wechselverhältnis zwischen Gestalt und bedingender Welt dachte, ersehen wir aus den Fragmenten zur Physiognomie, in denen zu lesen steht: „Was den Menschen umgibt, wirkt nicht allein auf ihn, er wirkt auch wieder zurück auf selbiges, und indem er sich modifizieren läßt, modifiziert er wieder rings um sich her ... Die Natur bildet den Menschen, er bildet sich um, und diese Umbildung ist doch wieder natürlich; er, der sich in die große weite Welt gesetzt sieht, umzäunt, ummauert sich eine kleine drein, und staffiert sie aus nach seinem Bilde“ (AGA, 17, S. 439). Auf Grund dieser Einsichten formuliert Goethe den „Grundbegriff“ aller organischen Wesenheiten und sagt von ihnen, „daß sie mit sich selbst beständig und mit ihren Teilen in einem notwendigen Verhältnis zu sich selbst stehen, daß nichts Mechanisches gleichsam von außen gebaut oder hervorgebracht wird, obgleich die Teile *nach außen wirken und von außen Bestimmung annehmen*“ (AGA, 17, S. 192).

Der Morphologe läßt sich auch bei diesen Begriffen von der Metamorphosenlehre leiten. Ohne den Begriff der Metamorphose sei Einheit und Freiheit des Bildungstriebes organischer Wesen, wenn sie in die Erscheinung hervortreten, nicht zu fassen.[38]

Die Lehre von der Metamorphose als dem Schlüssel zu allen Erscheinungen zeigt uns die Gesetze, nach denen die organischen Gestalten gebildet werden: „Sie macht uns auf ein doppeltes Gesetz aufmerksam:

[36] Hildebrandt, a. a. O., S. 118.
[37] Goethe an den Grafen Reinhard, 24. 12. 1819.
[38] vgl. dazu AGA, 17, S. 192.

1. auf das *Gesetz der inneren Natur,* wodurch die Pflanzen konstituiert werden.

2. auf das *Gesetz der äußeren Umstände,* wodurch die Pflanzen modifiziert werden" (AGA, 17, S. 111).

Analog gelten diese Gesetze von allen organischen Wesenheiten. Goethe unterscheidet nun drei Aspekte der Metamorphose von einander: Er kennt *„regelmäßige, unregelmäßige* und *zufällige* Metamorphosen". Die *regelmäßige* Metamorphose heißt auch „fortschreitende", die *unregelmäßige* entsprechend „rückschreitende".[39] Nur die erste Art der Metamorphose verwirklicht die Entfaltung der Gestalt nach den eigenen Bedingungen des zur Erscheinung Strebenden. Die Entfaltung stößt auf keine Hindernisse oder doch nur auf solche, die leicht zu überwinden sind. Das Erscheinende hat den Platz, die Gelegenheit gefunden, „wo (es) *in Fülle und Freiheit erscheinen* kann" (AGA, 17, S. 77). Auch hier ist das Erscheinende nicht für sich: es steht in einem „pulsierenden Wechselverhältnis" mit der Welt.[40] Dieses Wechselverhältnis bildet sich aber harmonisch aus: es herrscht Gleichgewicht zwischen Ich und Umwelt.

Die eine Tendenz des gestalthaften Lebens, daß es ein Bewegliches, ein Werdendes[41] ist, das „hervortreten" will,[42] kann sich ausleben.

Die zweite und dritte Form der Metamorphose: die „rückschreitende" wie die „zufällige",[43] zeigt an, daß das hier erstrebte Gleichgewicht nicht erreicht wird, daß die Entfaltung der inneren Form nicht ohne Hemmnis vor sich geht, ja daß diese Hindernisse sich entschieden „dem schönen Lauf zur Vollendung entgegenstellen" (AGA, 17, S. 11) und so aus der fortschreitenden Metamorphose eine „rückschreitende" machen.[44]

Es kommt zu Verformungen, Mißbildungen und Abnormitäten, bei denen „die Einzelheiten obsiegen" (AGA, 17, S. 714) und eine „Ausbildung ohne oder gegen das Gleichgewicht" (AGA, 17, S. 105) statthat.

Als Morphologe hat Goethe sich stets darum bemüht, „die Wechselwirkung der normalen und abnormen Erscheinungen" (AGA, 17, S. 18) zu beobachten, weil er wußte, „daß man keineswegs zur vollständigen Anschauung gelangen kann, wenn man nicht Normales und Abnormes

---

[39] vgl. dazu AGA, 17, S. 22–23.
[40] Goethe an den Grafen Reinhard, 24. 12. 1819.
[41] vgl. dazu AGA, 17, S. 415.
[42] M+R, 571.
[43] vgl. dazu auch die zweite Stanze der ‚Urworte-Orphisch', die den Titel ‚Tyche' trägt, Bd. 15, S. 519.
[44] Ein deutliches Beispiel der „rückschreitenden" Metamorphose ist die Gestalt des Werner in den ‚Lehrjahren', des Jugendfreundes Wilhelms, der sich aber nicht wie Wilhelm aus dem engen bürgerlichen Verhältnis herausarbeiten kann und von dem es im 8. Buch des Romans heißt: „Er (Werner) schien eher *zurück-* als *vorwärts* gegangen zu sein" (Bd. 7, S. 580).

zugleich gegeneinander schwankend und wirkend betrachtet" (AGA, 17, S. 106–7).

Auch die Mißbildungen – und gerade sie – sind ihm, dem Morphologen, ein Beweis für die Gültigkeit der Metamorphosenlehre als eines Maßstabes, „woran die organischen Wesen gehalten, wonach sie gemessen werden sollen" (AGA, 17, S. 103).

Der Morphologe kennt an den Abweichungen von der Norm, den Mißbildungen, „daß die Regel zwar fest und ewig, aber zugleich lebendig sei, daß die Wesen zwar nicht aus derselben heraus, aber doch innerhalb derselben sich ins Unförmliche umbilden können, jederzeit aber, wie mit Zügeln zurückgehalten, die unausweichliche Herrschaft des Gesetzes aberkennen müssen" (AGA, 17, S. 396).

Schon in den Mißbildungen und Verformungen deutet sich die zweite Möglichkeit des gestalthaft Beweglichen an, nämlich daß sie „vergehen" (AGA, 17, S. 415). Die Verformungen sind bereits eine Form des Vergehens, indem das Erscheinen hier entschiedene Hemmnis erfährt.

Dabei handelt es sich um ein Vergehen besonderer Art: Nicht nämlich tritt es aus innerer Erschöpfung des Lebenstriebes *nach* Erreichung des Zieles, des Gipfels der Erscheinung ein, es ist hier kein „stufenweises Zurücktreten aus der Erscheinung" (M+R, 1348) im Alter – diese Art des Vergehens entspricht der fortschreitenden Metamorphose, wo unmerklich und folgerichtig das Werden in ein Vergehen, die aufsteigende Bewegung in eine abwärtsführende übergeht, sondern handelt es sich hier vielmehr um ein gewaltsames Vergehen, durch gewaltsames Hindern, Entgegenwirken von außen hervorgerufen: Die Aufwärtsbewegung des Erscheinens wird jäh unterbrochen, zum Stocken und Stillstand gebracht. „Wie viele Früchte fallen schon *vor* der Reife durch mancherlei Zufälligkeiten, und der Genuß, den man schon in der Hand zu haben glaubt, wird vereitelt" (Bd. 8, S. 952). Die „Wirkung des Äußeren" bringt „Retardationen hervor". Diese können „einen *morbosen Zustand* hervorbringen und durch eine *umgekehrte Reihe von Metamorphosen das Wesen umbringen* (Bd. 11, S. 951). Aus dem aufgehenden und aufsteigenden „Erscheinen" wird gewaltsam niedergehendes „Verschwinden".

V

„Erscheinen" und „Verschwinden", von uns als geeignet erkannt, das Geschehen der ‚Natürlichen Tochter' zu kennzeichnen und zu deuten, haben sich als *morphologische* Anschauungsformen Goethes erwiesen. In ihnen kann das schwebende Leben der Gestalten, ihr Aufgehen, Blühen und Vergehen gefaßt werden.

Der folgende Abschnitt soll nun zeigen, wie Goethe in seinen Äußerungen über die Geschichte des Menschen im besonderen wiederum diese beiden Anschauungsformen und Begriffe verwendet und ihnen die Bedeutung zumißt, die wir schon erkannten: so daß sich „erscheinen" und „verschwinden" nicht nur als morphologische, sondern zugleich auch als „geschichts-morphologische" Grundbegriffe ausweisen.

d) „ERSCHEINEN" UND „VERSCHWINDEN" ALS GESCHICHTSMORPHOLOGISCHE BEGRIFFE

I

„Alles ist Metamorphose im Leben, bei den Pflanzen und bei den Tieren, bis zum Menschen, und bei diesem auch", teilte Goethe Sulpiz Boisserée in einem Gespräch mit (3. 8. 1815). Damit ist angedeutet, daß die bisher entwickelten Gesetze des organischen Lebens, wie sie sich im Pflanzen- und Tierleben zeigten, auch für den Menschen gelten. Die durchgehende Verwandtschaft alles Lebendigen, ja alles Seienden, hatte sich als die Voraussetzung der Goetheschen Naturschau erwiesen. So hatte Goethe schon jenen frühen, oben bereits angeführten Brief an Frau von Stein (8. 6. 87), in dem er ihr die Entdeckung „des Geheimnisses der Pflanzenzeugung und -organisation" meldet, mit der Bemerkung beschlossen: „Dasselbe Gesetz wird sich auf alles übrige Lebendige anwenden lassen."
Bereits 1784 hatte es in einem Brief an Knebel geheißen: „Der Mensch ist aufs nächste mit den Tieren verwandt" (17. 11. 84). Die Entdeckung des Zwischenkieferknochens bestätigt diese Einsicht.
Die enge Verbindung dieser Goetheschen Gedanken mit denen Herders, wie in seinen ‚Ideen' mitgeteilt und in Italien von Goethe gelesen, sind unübersehbar.
Ist das Analogieprinzip die Voraussetzung, so ist die Metamorphosenlehre das immanente Gesetz, das die Erscheinungen des Lebendigen verbindet: sie ist in der Tat „der Schlüssel zu allen Zeichen der Natur" (AGA, 17, S. 415).

II

Zugleich aber weiß Goethe, daß „der Mensch ... doch um so manche Stufe über jene Elemente erhöht" ist (Bd. 6, S. 343), auch über das andere organische Leben. „Das letzte Produkt der sich immer steigernden Natur ist der schöne Mensch" heißt es in ‚Winckelmann und sein Jahrhundert' (AGA, 13, S. 421). So bedeutet die Anwendung der morphologischen Prinzipien auf den Menschen *mehr* als die bloße Einbeziehung eines neuen Lebewesens in die Betrachtung; zum mindesten lassen sich zwei verschiedene Aspekte aufzeigen, unter denen die Einbeziehung des Menschen gesehen werden muß: Einmal kann der Mensch als natürliches Lebewesen unter anderen betrachtet werden und in der vergleichenden Anatomie Behandlung finden. Zum anderen kann er als *geschichtliches* Wesen Gegenstand des Denkens sein: Er ist dann in einem ganz anderen Sinne „da" als die übrigen Lebewesen.

Goethe hat diesen charakteristischen Unterschied im Auge, wenn er einmal zu Riemer sagt: „Der Mensch kommt *moraliter* ebenso nackt auf die Welt als *physice*, obgleich später in diesem Sinne. Daher ist er (seine Seele) in der Jugend so empfindlich gegen die äußere Witterung, ob er sich gleich nach und nach daran bis auf einen gewissen Grad gewöhnt" (21. 6. 1810).

So ist der Mensch auf dieser Erde Bürger zweier Welten,[45] die, durch die Worte „moraliter" und „physice" gekennzeichnet, in einem analogen Verhältnis (als „Witterung") auf ihn zu wirken beginnen, sobald er erscheint. Die Analogie zwischen diesen beiden Welten geht im angeführten Satz aus der Doppelbezüglichkeit des Wortes „Witterung" klar hervor.[46] Auf die „physische Welt" als auf den Menschen wirkende brauchen wir hier nicht mehr einzugehen: ihre Wirkung auf organische Wesen allgemein wurde oben betrachtet.

Mit dem Wort „moraliter", das hier „physice" gegenübergestellt ist, wird auf die dem Menschen eigentümliche Weise zu sein hingewiesen: auf den ihm eigenen Raum, auf die „mores", womit hier nicht so sehr die Gesetze und Vorschriften als sittliche Normen gemeint sind, sondern die sich aufbauenden Lebensverhältnisse und Gewohnheiten in ihrer Faktizität.[47] In den ‚Wanderjahren' gebraucht Goethe hierfür den Ausdruck „modus". Es heißt dort: „Ubi sunt homines, modi sunt, welches wir deutsch erklären, daß da, wo Menschen in Gesellschaft zusammentreten, sogleich die Art und Weise, wie sie zusammensein und bleiben mögen, sich ausbilde" (Bd. 7, S. 1064).

Gerade das Letzte ist wichtig: Die Art des Menschen, wie er mit seinesgleichen zusammen ist, entwickelt sich eben durch dieses Zusammensein. In diesem Satz ist das Wesen der „mores" voll erfaßt.

---

[45] „Unsere Zustände schreiben wir bald Gott, bald dem Teufel zu und fehlen ein wie das anderemal; in uns selbst liegt das Rätsel, die wir Ausgeburt *zweier Welten* sind" (M+R, 429).
[46] Diese Analogie als Quelle für Gleichnisse ist häufig, vgl. etwa ‚Wiederholte Spiegelungen', in denen sich Goethe „eines allgemein-physischen, im besonderen aber aus der Entoptik hergenommenen Symbols" bedient (AGA, 16, S. 821) und von einer „sittlichen Spiegelung" spricht (AGA, 16, S. 822). Vgl. ferner die Selbstanzeige Goethes für die ‚Wahlverwandtschaften'. − Ferner ‚Tasso' „O Witterung des Glücks, Begünstige diese Pflanze noch einmal."
[47] „Die Sitte (ist für Goethe) eine so zarte wie unzerreißbare Macht und hat im Leben des Menschen so hohe Ehre wie das Naturgesetz im Leben des Alls." (M. Kommerell, Gedanken über Gedichte, S. 419.)

Wie sich das so entstehende Gebilde menschlichen Zusammenlebens von Gebilden der Natur oder auch der Kunst unterscheidet, tut eine Notiz über die Italienische Reise und ihre Resultate für Goethe kund.

In der ‚Geschichte meiner botanischen Studien' lesen wir: „Das dritte, was mich (in Italien) beschäftigte, waren die *Sitten der Völker*: An ihnen zu lernen, wie aus dem Zusammentreffen von Notwendigkeit und Willkür, von Antrieb und Wollen, von Bewegung und Widerstand ein Drittes hervorgeht, was weder Kunst noch Natur, sondern beides zugleich ist, notwendig und zufällig, absichtlich und blind. Ich verstehe die menschliche Gesellschaft" (AGA, 17, S. 85). Das so entstehende Dritte ist das „moralische Klima", in dem der Mensch ständig lebt: in dem er sich entfalten kann und an dem er seine Begrenzung findet. Wie das Verhältnis „physisch-moralisch" als strenge Analogie gedacht und zu verstehen ist, lehren Sätze aus den ‚Noten und Abhandlungen zum west-östlichen Divan': „*Physisch-klimatische* Einwirkung auf die Bildung menschlicher Gestalt und körperlicher Eigenschaften leugnet niemand, aber man denkt nicht immer daran, daß die Regierungsform eben auch einen *moralisch-klimatischen* Zustand hervorbringe, worin die Charaktere auf verschiedene Weise sich ausbilden. Von der Menge reden wir nicht, sondern von bedeutenden, ausgezeichneten Gestalten" (Bd. 2, S. 214). Wenn im letzten Satz von „Gestalten" die Rede ist, so auch hier bereits im analogen Sinn: Der Terminus „Gestalt", aus der allgemeinen Morphologie bekannt, ist hier in einem speziellen Sinn neuverwendet und in der Verbindung mit „moralisch-klimatischem Zustand" auf eine andere Ebene übertragen, auf der er die den Menschen eigentümliche „moralische" Verfassung des Lebenszustandes meint. Dabei ist der „moralisch-klimatische Zustand" – wie in dem obigen Divan-Zitat – von der politischen „Regierungsform" bewirkt.

Die Annäherung von „moralisch" und „politisch" die sich hier andeutet, ist auch sonst belegbar: etwa in einem Brief an Frau von Stein (12. 12. 1781): „Liebe Lotte, ich habe einen rechten Arm voll *moralischer* und *politischer* Geheimnisse Dir mitzubringen" und: „... außer daß ich von dem Aufwand nebenher etwas in meine *politisch-moralische* Tasche stecke ..." (ebenda). Ein Prolog aus dem Jahre 1774 trägt den Titel: ‚Prolog zum neueröffneten *moralisch-politischen* Puppenspiel' (Bd. 3, S. 733).

III

Goethe zögert nicht – so wie Herder nicht in seinen ‚Ideen' davon Abstand nahm –, die Gesetze und Anschauungsformen, die vorher auf naturwissenschaftlichem Gebiet gefunden waren, auch auf moralisch-politisches Leben im oben erläuterten Sinne anzuwenden.

Die genetisch-organische, von der Metamorphose her bestimmte Betrachtungsweise setzt sich hier fort. So spricht Goethe analog von einem „geistigen Organismus" (zu von Müller, 8. 6. 1821).

Das bedeutet konkret: Auch als moralisch-politisches Wesen ist der Mensch denselben Gesetzen unterworfen, sein Leben folgt auch im „moralischen Klima" den Gesetzen der Metamorphose. Auch hier gibt es einen Typus von hartnäckiger Beständigkeit, der sich gegen das Äußere trotz allem behauptet und durchsetzt. Innerster Antriebsmotor ist die „Monas".

„Jede Monas ist eine Entelechie, die unter bestimmten Bedingungen (des moralischen Klimas, dürfen wir hier hinzufügen) zur Erscheinung kommt" (AGA, 17, S. 435).

Diese Monas gilt Goethe für „das Höchste, was wir von Gott und Natur (deus sive natura!) erhalten haben, das Leben, die rotierende Bewegung ... um sich selbst, welche weder Rast noch Ruhe kennt" (AGA, 17, S. 772).[48]

Indem diese Monas unter verschiedenen Bedingungen erscheint, wird sie zur Gestalt, und die „entschiedene Gestalt ist gleichsam der Kern, welcher durch die Determination des äußeren Elementes sich verschieden bildet" (AGA, 17, S. 420).

Zweierlei bewirkt folglich die Gestaltwerdung, die als solche freilich zu keinem Zeitpunkt des Lebens abgeschlossen sein kann, sondern mit dem Lebensprozeß identisch ist: die Determination durch das äußere Element und die innere Kraft der Monas, die nach Entfaltung drängt: Es ist – einem Brief Goethes an den Grafen Reinhard zufolge (24. 12. 1819) – ein „pulsierendes Wechselverhältnis zwischen Disposition und Determination".

IV

Goethe hat die Anwendung der Metamorphosenlehre auf die Geschichte „geistiger Organismen" theoretisch nicht im Zusammenhang ausgearbeitet. Gleichwohl war es eine seiner ständigen Anliegen, geistige Gestalten wie organische Gestalten zu betrachten und sie – wie jene – aus den Bedingungen des vielförmigen Lebens zu verstehen.

Ein Interpret hat über dieses Verhältnis einmal die Sätze geschrieben: „Goethes Weltanschauung ist eine Synthese von Natur und Geist; ihre sinnlich-sittliche Einheit hat ihren Grund darin, daß den Dichter und Weltmann das *gleiche Grundproblem* bewegte wie den Naturforscher: *die Frage nach den inneren Bedingungen des Wandels aller Gestaltungen.* In Natur und Geschichte, am einzelnen und in der menschlichen Gesellschaft beobachtet Goethe das Lebendige, seine Bildung, sein Wachstum und seine charakteristischen Äußerungen."[49]

---

[48] vgl. dazu: „Die Griechen nannten die Entelechie ein Wesen, das immer in Funktion ist" (M+R, 1365).
[49] Ewald A. Boucke: Goethes Weltanschauung, S. 322.

Die theoretischen Bemerkungen hierzu sind über das Werk verstreut. Dafür ist das Prinzip deutlich sichtbar zur Wirksamkeit gekommen in den biographischen und autobiographischen Versuchen Goethes, desgleichen in der Geschichte der Farbenlehre.[50] Dieses geht vielleicht am klarsten aus dem Entwurf eines Vorwortes zum III. Teil von ‚Dichtung und Wahrheit' hervor: „Ehe ich diese nunmehr vorliegenden drei Bände zu schreiben anfing, dachte ich sie nach jenen Gesetzen zu bilden, wovon uns die Metamorphose der Pflanzen belehrt" (Bd. 8, S. 951). Wie Goethe sich diese Anwendung dachte, lernen wir aus den Forderungen, die er an die Darstellung eines Lebens, an die Biographie stellt, wobei sich zeigt, wie „alles Räsonnement . . . sich in eine Art von Darstellung verwandelt" (An Schiller, 15. 11. 1796), wie man bei Goethe die Kategorien der Anschauung als Kategorien der Darstellung findet.

In der kurzen Einleitung zu ‚Dichtung und Wahrheit' heißt es: „Dies scheint die Hauptaufgabe der Biographie zu sein, den Menschen in seinen Zeitverhältnissen darzustellen und zu zeigen, inwiefern ihm das Ganze widerstrebt, inwiefern es ihn begünstigt, wie er sich eine Welt- und Menschenansicht daraus gebildet und wie er sie, wenn er Künstler, Dichter, Schriftsteller ist, wieder nach außen abspiegelt" (Bd. 8, S. 13–4).

Wir sehen, wie Goethe an dem Grundsatz des „pulsierende Wechselverhältnisses von Disposition und Determination" (an Reinhard, 24. 12. 1819) festhält. Dieses unabdingbare Festhalten wird eindrucksvoll evident in zwei sich ergänzenden Kritiken Goethes: So rügt Goethe einmal den Historiker Johannes von Müller für seine Selbstbiographie: „Wir finden die Wirkung großer Weltbegebenheiten auf ein so empfängliches Gemüt nicht genugsam ausgedrückt" (Bd. 15, S. 313), zum anderen den Psychologen Stiedenroth: „Alle Wirkung des Äußeren aufs Innere trägt er unvergleichlich vor, und wir sehen die Welt nochmals nach und nach in uns entstehen. Aber mit der Gegenwirkung des Inneren nach außen gelingt es ihm nicht ebenso. Der Entelechie, die nicht aufnimmt ohne sich durch eigene Zutat anzueignen, läßt er nicht Gerechtigkeit widerfahren, und mit dem Genie will es auf diesem Wege gar nicht fort" (M+R, 273).

Indem die Biographie „das Individuum lebendig darstellt und zugleich das Jahrhundert wie auch dieses lebendig auf jenes einwirkt", hat sie für Goethe einen „großen Vorrang vor der Geschichte" als Historie (Bd. 8, S. 953). Allen Goetheschen historischen Versuchen ist dieser biographische Charakter eigen.

---

[50] Das Besondere an der Geschichte der Farbenlehre ist, daß hier die *Metamorphose einer Wissenschaft* in einer 3000jährigen Geschichte gegeben wird: eine Wissenschaft ist hier als eine Metamorphosenkette eines geistigen Organismus, zusammengesetzt aus vielen einzelnen Individuen, geschichtlich betrachtet.

V

Welche morphologischen Grundgedanken sind bei der biographischen Darstellung maßgebend? – Wenden wir uns zunächst dem Komplex des „Erscheinens" einer Gestalt zu. Als ein wichtiges, Aufschlüsse vermittelndes Dokument können die ‚allgemeinen Bemerkungen' aus den ‚Materialien zur Geschichte der Farbenlehre' gelten, in denen ein Schema zu einer Morphologie „geistiger Organismen" geliefert wird. Man liest dort: „Das Leben eines bedeutenden Menschen, das nicht durch einen frühen Tod abgebrochen wird, läßt sich in drei Epochen teilen, in die der ersten Bildung, in die des eigentlichen Strebens und in die des Gelangens zum Ziele, zur Vollendung" (Bd. 8, S. 1357). Was hier als eine Folge von drei Epochen gesehen wird, ist nichts anderes als der Vorgang des „Erscheinens" eines „geistigen Organism" in der Welt in der Folge der Zeit.

„Ein Mann, der länger gelebt, ist verschiedene Epochen durchgegangen", heißt es in der ‚Einleitung zur Farbenlehre' (Bd. 21, S. 477). Hinter der Selbstverständlichkeit dieser Feststellung verbirgt sich das morphologische Gesetz der Metamorphose, das hier wirksam ist.

Goethe anerkennt drei Stufen der moralisch-politischen Erscheinung, die einander ablösen, sich auseinander entfalten und deren erste sich dadurch auszeichnet, daß „man nur (von ihr) sagen kann, daß die Zeit Ehre von ihr habe: denn erstlich deutet der Wert eines Menschen auf die Natur und Kraft der in seiner Geburtsepoche Zeugenden, das Geschlecht, aus dem er stammt, manifestiert sich in ihm öfters und mehr als durch sich selbst, und das Jahr der Geburt eines jeden enthält in diesem Sinne eigentlich das wahre Nativitätsprognostikon mehr in dem Zusammentreffen irdischer Dinge als im Aufeinanderwirken himmlischer Gestirne" (Bd. 8, S. 1357).

Das Verlegen des Nativitätsprognostikon in das „Zusammentreffen irdischer Dinge" ist für Goethe keineswegs üblich. Daher ist es geboten, kurz auf diese Stelle einzugehen, um die besondere Bedeutung zu erkennen.

Das „Es stand in den Sternen geschrieben" ist zwar nach des Dichters eigenen Worten (an W. J. C. Jahn, 10. 3. 1832) ein „tropischer Ausdruck", wird aber von ihm immer wieder verwendet, und zwar nicht für das Zusammentreffen irdischer Dinge bei der Geburt eines Menschen, sondern gerade für das, was er „Daimon", „Individualität", „Charakter" nennt. Nicht von ungefähr beginnt ‚Dichtung und Wahrheit' mit einem „Horoskop". Auch der Hinweis auf den Daimon am Schluß von ‚Dichtung und Wahrheit', jenes Zitat aus ‚Egmont' gehört hierher: Anfang und Ende verbinden sich im selben Gesetz, indem sie seine Wirksamkeit bezeugen.

6*

Vollendete Gestaltung gewinnt diese Beziehung Horoskop – Daimon in der ersten Stanze der ‚Urworte – Orphisch':

> „Daimon
> Wie an dem Tag, der dich der Welt verliehen,
> Die Sonne stand zum Gruße der Planeten,
> Bist alsobald und fort und fort gediehen
> Nach dem Gesetz, wonach du angetreten.
> So mußt du sein, dir kannst du nicht entfliehen,
> So sagten schon Sibyllen, so Propheten;
> Und keine Zeit und keine Macht zerstückelt
> Geprägte Form, die lebend sich entwickelt." (Bd. 1, S. 541)

Goethe benutzt hier uralte menschliche Erfahrungen, die er „poetischkompendios, lakonisch vorzutragen sucht" (Bd. 15, S. 517). Der Verweis auf die Sterne – so wird deutlich – ist ihm doch *mehr* als ein „tropischer Ausdruck". In einem Brief an Schiller schreibt er: „Der astrologische Aberglaube ruht auf dem dunklen Gefühl eines ungeheuren *Weltganzen*" (8. 12. 1798). Die Erfahrung zeigt den Einfluß der Gestirne auf Klima, Vegetation und Witterung. Der Philosoph sei geneigt, eine Wirkung auf das Entfernteste anzunehmen. Und „so darf der Mensch im Vorgefühl seiner selbst nur immer etwas weiter schreiten und diese Einrichtung aufs Sittliche, aufs Glück und Unglück ausdehnen. Diesen und ähnlichen Wahn möchte ich nicht einmal Aberglauben nennen, er liegt unserer Natur so nahe, ist so leidlich und läßlich als irgend ein Glaube" (An Schiller, 8. 12. 1798). In einem diese Strophen erläuternden Kommentar heißt es dann: Der Daimon bedeute hier die notwendige, bei der Geburt unmittelbar ausgesprochene, begrenzte Individualität[51] der Person, das Charakteristische,[51] wodurch sich der Einzelne von jedem anderen bei noch so großer Ähnlichkeit unterscheide. „Diese Bestimmung schrieb man den einwirkenden Gestirnen zu . . ." (Bd. 15, S. 518).

Damit wird offenbar, was das Horoskop anthropologisch und dichterisch meint: Es ist der Versuch, die Individualität des Individuums, den treibenden Daimon, aus den Bezügen der Gestirne zueinander zu begreifen, d. h. das Horoskop ist der Versuch der Determination und Definition des Undeterminier- und Undefinierbaren. Die innere Unendlichkeit („Das Höchste, das Vorzüglichste am Menschen ist gestaltlos . . ." Bd. 6, S. 497) wird der Unendlichkeit des scheinbar erkannten und begriffenen Kosmischen verglichen und von dorther bestimmt. „Hiervon (von dem durch die Sternenkonstellation begriffenen Kern der Individualität her) sollte nun auch das künftige Schicksal des Menschen aus-

---

[51] Vgl. den Untertitel zur ersten Stanze, den Goethe einer Handschrift beifügte: „Individualität, Charakter." Vgl. K. Vietor, Goethes Anschauung vom Menschen (1960, S. 34).

gehen und man möchte, jenes erste zugebend, gar wohl gestehen, daß angeborene Kraft und Eigenheit mehr als alles Übrige des Menschen Schicksal bestimme" (Bd. 15, S. 518). „Angeborene Kraft ...", „Unveränderlichkeit des Individuums" (ebenda), das sich trotz allem Widerständigen der Welt Durchsetzende der „Eigenheiten, die – „irrtümlich nach außen, wahrhaft nach innen" – das Individuum „konstituieren" (Bd. 15, S. 1029): das ist das erste wahre Nativitätsprognostikon. Die hier gefundene innere Form ist nach Goethes Meinung unverlierbar, so sehr auch das Schicksal dem erscheinenden Wesen mitspielt. „Das so entschieden Einzelne kann als Endliches gar wohl zerstört, aber, solange sein Kern zusammenhält, nicht zersplittert noch zerstückelt werden, sogar durch Generationen hindurch" (Bd. 15, S. 518).

VI

Das so durch die innere Form von innen her bestimmte Wesen bleibt *nicht isoliert.* In einem Brief an Schiller schreibt Goethe: „Sie wissen, wie sehr ich am Begriff der Zweckmäßigkeit der organischen Naturen nach innen hänge, und doch läßt sich ja eine *Bestimmung von außen* und ein *Verhältnis nach außen* nicht leugnen" (6. 1. 1798). Vom ersten Moment des Erscheinens an steht das Lebendige in den Bedingungen und Bindungen der Welt, und insofern ist „das Zusammentreffen der irdischen Dinge" auch ein Nativitätsprognostikon. „Diese feste, zähe, dieses nur aus sich selbst zu entwickelnde Wesen kommt freilich in mancherlei Beziehungen, wodurch sein erster und ursprünglicher Charakter in seinen Wirkungen gehemmt, in seinen Neigungen gehindert wird" (Bd. 15, S. 518–9). Beides – Daimon und Tyche, Individualität und umgebende zufällige Welt – zusammenzusehen als ein sich wechselseitig stets Forderndes und Veränderndes, als ein „Wechselverhältnis zwischen Determination und Disposition",[52] aus dem erst die eigentlich menschliche Atmosphäre hervorgeht: das ist die Hauptaufgabe der Biographie. – „Den Menschen in seinen Zeitverhältnissen darzustellen und zu zeigen, inwiefern ihm das Ganze widerstrebt, inwiefern es ihn begünstigt, wie er sich eine Welt- und Menschenansicht daraus gebildet und wie er sie, wenn er Künstler, Dichter, Schriftsteller ist, wieder nach außen spiegelt" (Bd. 8, S. 13).[53]

Hierzu werde aber ein kaum Erreichbares gefordert, „daß nämlich das Individuum sich und sein Jahrhundert kenne, sich inwiefern es unter allen Umständen dasselbe geblieben, das Jahrhundert, als welches sowohl den willigen als den unwilligen mit sich fortreißt, bestimmt, bildet,

---

[52] Goethe an Reinhard, 24. 12. 1819.
[53] vgl. dazu: „Charakter, Individualität, Neigung, Richtung, Örtlichkeit, Umgebungen und Gewohnheiten bilden zusammen ein Ganzes, in welchem jeder Mensch wie in einem Elemente, in einer Atmosphäre schwimmt, worin es ihm allein bequem und behaglich ist."

dergestalt, daß man wohl sagen kann, ein jeder, nur 10 Jahre früher oder
später geboren, dürfte, was seine eigene Bildung und Wirkung nach außen
betrifft, ein ganz anderer geworden sein" (Bd. 8, S. 13–14).
Die Untrennbarkeit des Lebendigen von seiner Welt, das Ineinander-
wirken von Individuum und Umwelt ist Goethesche Grundüberzeugung.
Zu Eckermann sagte er einmal: „Man spricht immer von Originalität,
allein was will das sagen! So wie man geboren wird, fängt die Welt an,
auf uns zu wirken, und das geht so fort bis zum Ende" (12. 5. 1825).[54]
Der Doppelbegriff dessen, was Goethe Charakter nennt, tritt hier in
Erscheinung: Charakter ist einmal die apriorische Form des Individuum,
zum anderen aber unterliegt der Charakter wieder der Erfahrung, ist
also auch „aposteriorisch".[55]
Im letzteren Sinne ist Charakter nichts absolut Festes. Er ist modi-
fizierbar durch die Konstellationen, in die er gerät. Goethe drückt dies in
einem Brief an Schiller einmal so aus: „Es ist mit dem, was man moralischen Charakter nennt, eine eigene Sache; wer kann sagen, wie sich je-
mand in einem neuen Verhältnis benehmen wird?" (9. 12. 1796). Hält
sich auch der Daimon durch alles durch, kehrt auch der „alte Adam", so
oft er ausgetrieben ist, immer wieder: so läßt „Tyche" in ihrer Wirkung
nicht nach (vgl. Bd. 15, S. 520). Die eine Position verlangt ständig die
Ergänzung durch die andere, und so stellt sich das bleibende „Wechselverhältnis zwischen Disposition und Determination" ständig wieder her.

VII

Die Epoche der Bildung als erste Epoche eines bedeutenden Lebens darzustellen: das ist das Thema von ‚Dichtung und Wahrheit'. Als den Sinn
dieses Buches gibt Goethe in einem Brief an Zelter (15. 2. 1830) an: Man
vermöchte aus dem Vorgetragenen „den Begriff stufenweiser Ausbildung
einer durch ihre Arbeiten schon bekannten Persönlichkeit sich zu bilden."
Ergänzend dazu ist die Bemerkung zu Eckermann: „Es sind lauter
Resultate meines Lebens, und die erzählten Fakten dienen bloß, um eine
höhere Wahrheit zu bestätigen ... Ich dächte es stecken darin einige
Symbole des Menschenlebens" (30. 3. 1830). Mit der „höheren Wahrheit"
ist die morphologische Struktur dieses bedeutenden Lebens gemeint, das
sich gesetzhaft entfaltet. Auch die geplante Fortsetzung von ‚Dichtung
und Wahrheit' empfing entsprechend den morphologischen Grundvor-
stellungen ihre Ausrichtung. Dies geht wiederum aus einer Bemerkung
zu Eckermann hervor: „Ich muß die späteren Jahre mehr als Annalen

---

[54] vgl. dazu: „Wir sind Originale nur, weil wir nichts wissen" (AGA, 17,
S. 95).
[55] vgl. K. Vietor, Goethes Anschauung vom Menschen, 1960, S. 39. – vgl. auch
zu Riemer, 27. 8. 1808.

behandeln; es kann darin weniger mein Leben als meine Tätigkeit zur Erscheinung kommen. Überhaupt ist die bedeutendste Epoche eines Individuums die der Entwicklung (der Bildung), welche in meinem Falle mit den ausführlichen Bänden von ,Dichtung und Wahrheit' abschließt. Später beginnt der *Konflikt mit der Welt*, und dieser hat nur insofern Interesse als etwas dabei herauskommt" (27. 1. 1824). Schon vor dem Konflikt mit der Welt wirkte die Welt auf das erscheinende Wesen. Goethe unterscheidet solche Wirksamkeiten der Umwelt: er kennt „vorbereitende, begleitende, mitwirkende, nachhelfende, fördernde, verstärkende, hindernde, nachwirkende" (M+R. 535).

In der auf die erste Stufe, die Stufe der „ersten Bildung", folgende Epoche, die „des Konfliktes mit der Welt", verstärken sich die „hindernden" Einwirkungen entscheidend: „Sobald die Welt den einzelnen Strebenden erblickt, sobald erschallt ein allgemeiner Aufruf, sich ihm zu *widersetzen*. Alle Vor- und Mitbewerber sind höchlichst bemüht, ihn *mit Schranken und Grenzen zu umbauen*, ihn auf jede Weise zu *retardieren*, ihn ungeduldig, verdrießlich zu machen und ihn nicht allein *von außen*, sondern auch *von innen zum Stocken zu bringen*" (Bd. 8, S. 1358).

Erst auf der dritten Stufe vollendet sich die Erscheinung. Es ist dies die Epoche „des Gelangens zum Ziele, zur Vollendung" (Bd. 8, S. 1358).

Bei vegetabilischen Gestalten heißt dieser Zustand „Blüte". Sie bildet den Gipfel der pflanzlichen Erscheinung (vgl. M+R, 1345).

Im menschlichen Bereich nennt Goethe diesen Zustand „Glück".[56] Winckelmann hatte diesen Gipfelpunkt der Erscheinung nach Goethes Meinung erreicht, als der Tod ihn faßte: „So war er (Winckelmann) denn auf *der höchsten Stufe des Glücks*, das er sich nur hätte wünschen können, der Welt verschwunden" (AGA, 13, S. 450). Hat das zur vollen Erscheinung strebende, bedeutsame Wesen die Widerstände der Welt überwunden, „ist das Streben gelungen, das Angefangene vollbracht, so läßt sichs die Welt zuletzt auch wohl gefallen" (Bd. 8, S. 1358).

Die Erscheinung im Zustand der Vollendung ist zu einer neuen Art der Naturkraft geworden, die sich mit den anderen wirkenden Kräften und Mächten in ein Gleichgewicht gesetzt hat und so bestehen kann: sie wird als Macht respektiert. In diesem Rhythmus, der eine Kreisbewegung darstellt – „... und so schließt sich der Kreis, oder vielmehr, so dreht sich das Rad abermals, um seine erneute, wunderliche Linie zu beschreiben" (Bd. 8, S. 1358) – vollzieht sich die Geschichte der Menschheit als eine nicht abreißende Folge der Geschichten von einzelnen Individuen.

Den Epochen des einzelnen, individuellen Lebens analog sind die Epochen der Gesamt-Menschheit, wie Goethe sie stichwortartig in dem kleinen Aufsatz ,Geistesepochen' skizziert (vgl. Bd. 15, S. 365 ff.).

---

[56] Vgl. dazu den Abschnitt ,Glück' weiter unten!

Jedes Individuum fängt von vorn an: „Wenn auch die Welt im Ganzen vorschreitet, die Jugend muß doch immer wieder von vorn anfangen und als Individuum die Epochen der Weltkultur durchmachen" (zu Eckermann, 17. 1. 1827).[57]

VIII

Uns soll hier nicht so sehr der Rhythmus der Gesamtgeschichte interessieren: für die Interpretation des Stückes genügt es, Aufschluß zu gewinnen über die Gesetzmäßigkeiten, die die Erscheinung des werdenden Individuums durchwalten. Dieses Interesse teilt Goethe, und es ist in diesem Sinne zu verstehen, wenn Goethe sagt: „Die Biographie sollte sich einen großen Vorrang vor der Geschichte erwerben, indem sie das Individuum lebendig darstellt und zugleich das Jahrhundert wie auch dieses lebendig auf jenes einwirkt" (Bd. 8, S. 953). Für den Dichter ist der Mensch in seiner Individualität der oberste und bleibende Gegenstand. Somit scheint sich die morphologische Betrachtung der Geschichte, wie Goethe sie pflegt, auf eine Morphologie der Geschichte der einzelnen Individuen einzuengen und zu beschränken. Es bleibt aber noch zu bedenken, in einem wie hohen Maße das Interesse für Goethe erkenntnistheoretisch auf das Individuelle bezogen ist. An den Grafen Reinhard schreibt er einmal, daß ihn „nur das Individuelle in seiner schärfsten Bestimmung interessiert" (14. 11. 1812). Unter den ‚Biographischen Einzelheiten' gibt es einen Abschnitt, ‚Bedeutung des Individuellen' überschrieben; in diesem heißt es: „Jeder ist selbst nur ein Individuum und kann sich auch eigentlich nur für das Individuelle interessieren . . . Wir lieben nur das Individuelle" (Bd. 8, S. 1356).

IX

Ist dem Individuum seine Eigenart gegeben, die es zum Unverwechselbaren macht, so ist über dasselbe Individuum gesagt, daß es „nur zehn Jahre früher oder später geboren . . ., was seine eigene Bildung und Wirkung nach außen betrifft, ein *ganz anderes* geworden sein" dürfte (Bd. 8, S. 13–4). Es ist in seiner Entfaltung nicht allein abhängig von der Umwelt, sondern nicht minder von der Epoche. Das Jahrhundert gleicht nicht dem Jahrhundert, wie der Boden der Pflanze nicht der Boden ist und bleibt. „Dem Gartenfreunde ist es wohlbekannt, daß eine Pflanze nicht in jedem Boden, ja in dem selben Boden nicht jeden Sommer gleich

---

[57] Vgl. dazu ‚Wanderjahre', Bd. 7, S. 866–67: „. . . begann Leonardo mit der Betrachtung, daß es die Eigenart des Menschen sei, von vorn anfangen zu wollen; worauf der Freund erwiderte, dies lasse sich wohl erklären und entschuldigen, weil doch genau genommen jeder wirklich von vorn anfängt."

gedeiht und die angewendete Mühe nicht immer reichlich lohnt" (Bd. 8, S. 951). Analog ist die Wirkung der Epoche auf das Individuum. Das Jahrhundert, das Jahrzehnt, mit seinem „atmosphärischen" Druck, seiner moralisch-klimatischen Bedingnis, formt dasselbe, hindert es am Wachstum und an der Entfaltung, ja es kann derart wirksam werden, daß das neuerscheinende Wesen „retardiert" wird und „ins Stocken" gerät. „Ja, viele Früchte fallen schon vor der Reife durch mancherlei Zufälligkeiten (durch Tyche!), und der Genuß, den man schon in der Hand zu haben glaubt, wird vereitelt" (Bd. 8, S. 952).

Wie selbstverständlich mutet die folgende Bemerkung Goethes an: „Ein jedes Talent, dessen Entwicklung von Zeit und Umständen nicht begünstigt wird, so daß es sich vielmehr erst durch vielfache Hindernisse durcharbeiten, von manchen Irrtümern sich losarbeiten muß, steht unendlich im Nachteil gegen ein gleichzeitiges, welches Gelegenheit findet sich mit Leichtigkeit auszubilden und, was es vermag, ohne Widerstand auszuüben" (AGA, 13, S. 842). Und doch steht hinter dieser Aussage die ganze Tiefe morphologischer Erfahrung, einer Erfahrung, die dem jungen Goethe an Shakespeare aufging und von der – zwar noch ohne morphologischen Sprachgebrauch – die Rede zum Shakespeare-Tag Kunde gibt: „Seine Stücke drehen sich alle um den geheimen Punkt (...), in dem das Eigentümliche unseres Ichs (vgl. „ruling passion", Bd. 15, S. 1029), die prätendierte Freiheit unsres Willens mit dem notwendigen Gang des Ganzen zusammenstößt" (Bd. 15, S. 31). Was ihm die Werke Shakespeares symbolisch, d. h. als „ein im geistigen Spiegel zusammengezogenes Bild" (AGA, 13, S. 868), boten, findet der morphologisch Geschulte in Natur und Geschichte in gleicher Weise gesetzlich vorsichgehen; hier gewahrt er das Schauspiel, „wie die menschliche Natur, die immer unbezwinglich bleibt, sich dem äußersten Druck entgegensetzt; und da finden wir denn überall, daß der Frei- und Eigensinn der Einzelnen sich gegen die Allgewalt des Einen ins Gleichgewicht stellt" (Bd. 2, S. 244).

Ob das Gleichgewicht in jedem Falle leicht herzustellen ist, ja überhaupt zu erreichen ist, bleibt selbst für Goethe problematisch: gerade in den neunziger Jahren. Aber: dies Gleichgewicht, das ständig bedroht und nie endgültig erreicht ist, anzustreben, ist die Aufgabe, die sich auch Goethe als Dichter beständig vornimmt. Es bedarf dazu der ständigen, tätigen Auseinandersetzung mit der Welt der Menschen und der Natur. Die Entelechie der Monas nimmt nichts auf, „ohne sichs durch eigene Zutat anzueignen" (M+R, 273).

Genau formuliert, lautet diese Aufgabe: „Jeder Mensch in seiner Beschränktheit muß sich nach und nach eine Methode bilden, um nur zu leben. Er lernt sich allmählich kennen, auch die Zustände der Außenwelt. Er fügt sich darein, setzt sich wieder auf sich selbst zurück und formt sich zuletzt Maximen des Betragens, womit er auch ganz gut durchkommt, sich anderen mitteilt, von anderen empfängt und je nachdem er Widerspruch oder Einstimmung erfährt, sich entfernt oder anschließt und so halten wirs mit uns und mit unsren Freunden" (Bd. 8, S. 1404). Insofern es von der Eigentätigkeit abhängt, was jedes Individuum aus sich macht und so erreicht, „hat jeder sein eignes Glück unter den Händen, wie der Künstler eine rohe Materie, die er zu einer Gestalt umbilden will" (Bd. 7, S. 82).

In dieser aktiven Potenz des Menschen, in seiner Fähigkeit, die zugleich Notwendigkeit ist, sich selbst „herzustellen", liegt der Unterschied des Menschen vom Tier, wie Goethe ihn in seinem letzten Brief – an W. v. Humboldt – aussprach: „Die Tiere werden durch ihre Organe belehrt, sagten die Alten; ich setze hinzu: die Menschen gleichfalls, sie haben jedoch den Vorzug, ihre Organe dagegen wieder zu belehren" (17. 3. 1832).[58] Hier zeigt sich der Charakter des Individuums, den Goethe in eben diesem Briefe an W. v. Humboldt „die eigentliche Grundbestimmung" des Individuums nennt, der sich äußert „in der Fähigkeit zu wirken, gegenzuwirken, und was mehr ist sich zu beschränken, zu dulden, zu ertragen" (Bd. 15, S. 351).[59] Nicht allein ist das Individuum als Charakter unverwechselbar, es wird und bleibt unvergleichbar nicht minder durch den Prozeß der Bildung. „Der Venezianer mußte eine neue Art Geschöpf werden, und so Venedig auch nur mit sich verglichen werden kann" Bd. 9, S. 101).[60]

So tätig in der Auseinandersetzung mit der ihn umgebenden Welt, kann „der geringste Mann *komplett* sein, wenn er sich innerhalb der Grenzen seiner Fähigkeiten und Fertigkeiten bewegt; aber selbst schöne Vorzüge werden *verdunkelt, aufgehoben und vernichtet,* wenn jenes unerläßlich geforderte Ebenmaß[61] abgeht. Dieses Unheil wird sich in der neueren Zeit noch öfter hervortun. Denn wer wird wohl den *Forderungen* einer durchaus *gesteigerten Gegenwart* und zwar in *schnellster Bewegung* genugtun können!" (M+R, 474)[62]. In einem solchen wechselseitigen Prozeß der Bildung und Umbildung *wird* der Mensch, indem er die Welt

---

[58] „Was den Menschen umgibt, wirkt nicht allein auf ihn, er wirkt auch wieder zurück auf selbiges, und indem er sich *modifizieren läßt, modifiziert* er wieder rings um sich her ... Die Natur bildet den Menschen, er bildet sich um, und diese Umbildung ist doch wieder natürlich" (AGA, 17, S. 439).
[59] Hier ist der morphologische Bestimmungsort der Entsagung.
[60] „Die Verschiedenheit der Gestalten entspringt aus den notwendigen Beziehungsverhältnissen zur Außenwelt" (AGA, 17, S. 359).
[61] = Gleichgewicht, Harmonie von Innen und Außen.
[62] vgl. dazu: „Der jetzige Zustand der Weltklarheit in allen Verhältnissen ist dem Individuum sehr förderlich, wenn es sich auf sich selbst beschränken will; will es aber eingreifen in die bewegten Räder des Weltganges, glaubt es als ein Teil des Ganzen selbsttätig nach eigenen Ideen wirken, schaffen oder hemmen zu müssen, so geht es um so leichter zugrunde." (Goethe zu dem Kanzler von Müller, 30. 6. 1824).

formt und ständig von ihr geformt wird, indem er sich macht und die Welt verändert. Es wird deutlich, wie so „alle Kultur gewaltsam fürs Leben (des Menschen) gefordert wird" (AGA, 17, S. 760). Sie – die Kultur – ist das beständig neu herzustellende, labile Gleichgewicht zwischen Anspruch von außen und Entsprechung von innen, oder: Resultat des „pulsierenden Wechselverhältnisses zwischen Disposition und Determination."[63]

Die Möglichkeit, daß das gewünschte „Erscheinen" der Gestalt in diesem Prozeß unterbunden werde, daß das zur Erscheinung drängende Wesen wieder und frühzeitig „verschwinden" muß, ist ständig gegenwärtig. Die Wirkung des moralisch-klimatischen Zustandes auf die menschliche Gestalt kann derart sein, daß eine Reihe umgekehrter Metamorphosen eintritt, „einen morbosen Zustand hervorbringe und das Wesen umbringe" (Bd. 11, S. 951).

e) „ERSCHEINEN" UND „VERSCHWINDEN"
ALS GESCHICHTSMORPHOLOGISCHE BEGRIFFE
IN DER ‚NATÜRLICHEN TOCHTER'

I

In den beiden voranstehenden Abschnitten wurden „erscheinen" und „verschwinden" als morphologische und als geschichtsmorphologische Begriffe ausgewiesen.

Wir sind so in den Stand gesetzt, das, was über das Ereignis des Stückes weiter oben ausgeführt wurde, jetzt in einen neuen Horizont des Verständnisses zu stellen.

Dies soll auf einem doppelten Wege geschehen: einmal dadurch, daß wir das Ereignis des Stückes geschichtsmorphologisch interpretieren, zum anderen durch die Betrachtung eines einzelnen Substantivs, das in den Zusammenhängen unseres Dramas eine bevorzugte Stellung einnimmt, des Wortes *„Glück"*.

Zuvor sei jedoch noch ein Wort zu einem anderen Phänomen erlaubt.

II

Immer wieder hat man es in den verschiedenen Interpretationen der ‚Natürlichen Tochter' dem Dichter zum Vorwurfe gemacht, daß er hier allein die *oberen Schichten* der Gesellschaft dargestellt habe, sich davon enthalte, die unteren Stände, das Volk, die Masse, in die Gestaltung der Dichtung einzubeziehen. Dieses Unterlassen – so meinen die Interpreten – habe zur Folge gehabt, daß es in der ‚Natürlichen Tochter' zu keiner rechten und echten Bewältigung der Französischen Revolution, die Goethe sich ja seinen eigenen Worten zu Folge bei der Verfassung dieses Stückes vorgenommen, gekommen sei, unter diesen Umständen auch nicht habe kommen können. „Das Werk, wie es vorliegt – schreibt Barker Fairley in seinem Goethe-Buch[64] – ist und bleibt ausschließlich und fast unnahbar aristokratisch; nur das dumpfe Getöse fernen Donners erinnert ab und zu daran, daß außerhalb dieser Sphäre andere Kräfte am Werk sind." Man entschuldigt auch wohl dieses Unterlassen Goethes. – Für das eine wie das andere wählte man[65] aber zumeist den falschen Gesichtspunkt, der deswegen falsch ist, weil er von außen an die Dichtung herangebracht und nicht aus ihr selbst gewonnen wurde. Man hat sich nicht gefragt, welche Notwendigkeit waltete und die Verwendung ausschließlich der oberen Stände in diesem Stück verlangte.

Zwei Gesichtspunkte scheinen maßgebend gewesen zu sein, sie durchdringen und bedingen sich wechselweise. Zum ersten ist der Begriff des Standes bei Goethe ein im oben erläuterten Sinn *morphologischer* Begriff. Was diese Behauptung meint, vermag am ehesten eine Stelle aus den ‚Lehrjahren' zu klären:[66]

In einem Rechenschaftsbericht schreibt dort Wilhelm an seinen Jugendfreund Werner: „In Deutschland ist nur dem Edelmann eine gewisse allgemeine, wenn ich sagen darf, *personelle* Ausbildung möglich. Ein Bürger kann sich Verdienst erwerben und zur höchsten Not seinen Geist ausbilden; seine *Persönlichkeit geht aber verloren,* er mag sich stellen wie er will" (Bd. 7, S. 336). Wilhelm, der den Trieb zur allseitigen Entfaltung seiner Person in sich verspürt, strebt aus dem bürgerlichen, engen Kreis hinaus: ins Weite, in die große Welt des Adels – durchaus Goethes eigener Entwicklung entsprechend. Werner, der Jugendfreund, verharrt dagegen im Bürgerkreise, und es ist bezeichnend, daß es von ihm im VIII. Buch der ‚Lehrjahre' später heißt: „Er schien eher zurück als vorwärts gegangen zu sein" (Bd. 7, S. 580). Der Edelmann zeige – so heißt es in Wilhelms Brief weiter –, daß „er *überall im Gleichgewicht steht.* Er ist eine *öffentliche Person".*

Man beachte den Begriff „öffentliche Person"!

Diese Formel weist auf die Harmonie von Ich und Welt hin, die sich nach Wilhelms Meinung allein noch im Leben des Edelmanns gestalte. Morphologisch bedeutet dies die Verwirklichung des Typus in der Welt und Zeit: denn der Typus ist ursprünglich „das Wesen, das in Harmonie mit der Umwelt steht."[67] „Der Edelmann kennt im gemeinen Leben gar

---

[63] Goethe an Reinhard 24. 12. 1819.

[64] Barker Fairley, Goethe, S. 169.

[65] vgl. dazu W. Mommsen: Goethes polit. Anschauungen, S. 103 ff.

[66] Es ist bekannt, daß die ‚Lehrjahre' nach dem Grundgesetz der Metamorphose gebildet sind. Vgl. zu dieser Stelle jetzt auch Jürgen Habermas: Strukturwandel der Öffentlichkeit, Neuwied 1962, S. 24 ff.

[67] Hildebrandt, Goethes Naturerkenntnis, S. 118.

keine Grenzen ... Er darf überall vorwärtsdringen, anstatt daß[68] dem
Bürger nichts besseres ansteht als das reine, stille Gefühl der Grenzlinie,
die ihm gezogen ist. Er darf nicht fragen: ‚Was bist du?', sondern nur:
‚Was hast du?' ... Wenn der Edelmann durch die Darstellung seiner
Person alles gibt, so gibt der Bürger durch seine Persönlichkeit nichts und
soll nichts geben; jener darf und soll scheinen; dieser soll nur sein, und
was er scheinen will, ist lächerlich oder abgeschmackt" (Bd. 7, S. 336).

Der Bürger soll einzelne Fähigkeiten ausbilden, „um brauchbar zu werden", und es werde schon vorausgesetzt, „daß in seinem Wesen *keine*
Harmonie sei noch sein dürfe, weil er, um sich auf *eine* Weise brauchbar
zu machen, alles übrige vernachlässigen muß..." (ebenda).

An diesem Unterschied sei nicht etwa die Anmaßung der Edelleute
und die Nachgiebigkeit der Bürger, „sondern die *Verfassung* der Gesellschaft selbst schuld" (ebenda).

Wie hätte von dieser Sicht her die Darstellung der *menschlichen* Konsequenzen – denn nur um diese kann es dem Dichter gehen – der Französischen Revolution bei den Bürgern ansetzen können, d. h. bei solchen,
deren normaler Zustand schon den Verlust der Harmonie und Persönlichkeit bewirkt?

Um geschichts-morphologisch die Wirkung der Französischen Revolution darstellen zu können – so darf man die experimentelle Situation des
Dichters umschreiben – bedurfte Goethe solcher Gestalten, die normaler-
weise zur *vollen* Harmonie der Gestaltausbildung gelangen, um so an
ihren Schwierigkeiten, in der neuen politischen Welt zu erscheinen, die
Härte der Wirksamkeit der Französischen Revolution zeigen zu können.

Es ist demnach keine bloße Vorliebe des „Fürstenknechtes" Goethe für
den Adel, die sich hier kundtut: Die geschichtliche Situation und die dem
Dichter von ihr und in ihr gestellte Aufgabe verlangen vielmehr eine
diesem Weg folgende Darstellung. Es war – sollte die Bewältigung dieses
schrecklichen Ereignisses in der Dichtung eine echte sein – nicht der Willkür des Dichters anheimgegeben, wie er verfuhr. Er ist genötigt, sich für
das gestellte Darstellungsproblem die günstigsten Bedingungen zu bereiten.
Dies gehört – nach einem Schillerschen Diktum – mit zur „Tragödien-
Ökonomie".[69] Eine Stelle in den ‚Noten' zum ‚Divan' sagt, „daß der
Dichter den würdigsten Gegenstand aufzufinden sucht" (Bd. 2, S. 223),
was auch heißt: den geeignetsten! Schon in der oben zitierten Divanstelle
hatte es geheißen: „... Von der Menge reden wir nicht, sondern von
bedeutenden, ausgezeichneten Gestalten" (Bd. 2, S. 214). Denn diese sind
allein auch die „wahren" Gestalten.

---

[68] „anstatt daß" heißt hier „während" (adversativ), vgl. dazu Fischer, Goethe-
Wortschatz, S. 40.
[69] an Goethe, 28. 11. 96.

Die Bedingungen, die sich der Dichter so günstig wie möglich zu schaffen hat, umfassen sowohl die Gestalten wie auch die Welt, in der diese erscheinen sollen.

So kann man verstehen, daß durch die Lektüre der Memoiren der Stephanie de Bourbon-Conti die Konzeption der ‚Natürlichen Tochter‘ unmittelbar bestimmt wurde: die Lektüre glich in diesem Falle dem in die Salzlösung gehaltenen Zweig, an den die Kristalle anschossen. Als die günstigsten Bedingungen der Darstellung sind die anzusehen, die noch nicht von anderer Seite bestimmt sind. Wenn Goethe sonst von einem „prägnanten Augenblick" spricht, so darf man hier von einem „prägnanten Gegenstand" sprechen.

Zweiter, nicht weniger bedeutender Gesichtspunkt ist folgender: Im Aufsatz ‚Über epische und dramatische Dichtung‘, den Goethe und Schiller 1797 gemeinsam verfaßten, heißt es: „Die Personen stehen am besten auf einem gewissen Grade der Kultur, wo die Selbständigkeit noch auf sich allein angewiesen ist, wo man nicht moralisch, politisch, mechanisch, sondern persönlich wirkt. Die Sagen aus der heroischen Zeit der Griechen waren in diesem Sinne dem Dichter besonders günstig" (Bd. 15, S. 115). Die Bemühungen um eine klassische Dichtungstheorie lassen Goethe und Schiller die alte Lehre von der Trennung der Stile[70] wieder aufnehmen, die im Sturm und Drang fallen gelassen war. Die Tragödie, dem hohen Stil zugehörig, verlangt Figuren, die höchstem oder höherem menschlichem Range zugehören. Zugleich ist es aber – besonders in der Begründung der Standesforderung im obigen Zitat – unverkennbar, wie in die zentralen Begriffe der „Selbsttätigkeit" und „Persönlichkeit" der geschichts-morphologische Gesichtspunkt wieder eingeführt ist, so daß man sagen kann: geschichtsmorphologischer und stilistischer Gesichtspunkt durchdringen sich wechselweise.

Es ist hier – wie so oft bei Goethe –, daß eine altüberkommene Anschauung von ihm aufgegriffen, mit neuem, persönlichem Gehalt angereichert, von nun an in dieser Doppelfunktion umso notwendiger und organischer erscheint.

III

In den ‚Noten‘ zum ‚Divan‘ schrieb Goethe, daß die „Regierungsform eben auch einen moralisch-klimatischen Zustand hervorbringe, worin die Charaktere auf verschiedene Weisen sich ausbilden" (Bd. 2, S. 214). An dieser Stelle fährt Goethe dann fort: „Von der Menge reden wir nicht, sondern von bedeutenden, ausgezeichneten Gestalten."

---

[70] Zur antiken Lehre von den verschiedenen Stilen und ihrem Fortwirken in der abendländischen Dichtung vgl. besonders Erich Auerbach: Mimesis, Bern 1948.

Die Wirksamkeit einer neuen, revolutionären Regierungsform auf solche
„bedeutenden und ausgezeichneten Gestalten" zu beschreiben, das war es,
was Goethe sich bei der Konzeption der ,Natürlichen Tochter' vorgenommen hatte.

Eugenie, als Tochter des Herzogs und Verwandte des Königs, gehört
dem höchsten Adel an und ist auf diese Weise durch ihren sozialen Stand
„bedeutend und ausgezeichnet". Die Besonderheit ihrer Lage beruht dabei
auf der Tatsache, daß sie „natürliche" Tochter, d. h. illegitime, ist. Mit
den Begriffen der bisherigen Interpretation bedeutet dies: Eugenie ist in
der „physischen" Welt bereits erschienen, aber noch nicht in der „moralischen". Diese Tatsache verleiht ihr eine schwankende Stellung zwischen
Natur und Gesetz. Eine Spannung zwischen diesen beiden Polen deutet
sich an: das Gesetz erweist sich als eng und das ausschließend, was die
Natur reichlich spendet.[71]
So heißt es von Eugenie:

> „Aus edlem Blut entsproß die Treffliche,
> Von jeder Gabe, jeder Tugend *schenkt*
> Ihr die *Natur* den *allerschönsten Teil*,
> *Wenn* das *Gesetz* ihr *andre Rechte weigert*." (V. 1760–1)

Die Begriffe „physisch"-„moralisch" lernten wir oben als analoge Begriffe kennen, durch welche Gesetzlichkeiten, die zuerst im Bereich des
Physischen erkannt waren, auf den Bereich der „mores" übertragen und
angewendet wurden, „umso mehr, als es doch überall nur *eine* Natur ist"
(Bd. 15, S. 456). Hier – in dem Verhältnis von „Natur" und „Gesetz" –
hat sich etwas entscheidend verschoben, dem wir uns jetzt behutsam
nähern wollen:
Angelpunkt dieser Verse ist die Konjunktion „wenn", die hier in *ad-
versativer* Bedeutung für das heute hier nur noch gebräuchliche „Während" verwendet ist.[72]
Schon diese adversative Konjunktion weist auf eine Spannung zwischen
den beiden, durch „Natur" und „Gesetz" gekennzeichneten Bereichen
hin. Die Spannung verstärkt sich und findet inhaltliche Bestimmung durch
die Verba: Die Natur „schenkt", während das Gesetz „weigert". Von den
Analoga „Natur" und „Gesetz" gehen diametral entgegengesetzte Bewegungen aus: „Schenken" und ver-„weigern".

---

[71] „Während Sitte und Meinung das halbe Sein verneint, ist das Gottleben
in allem" (M. Kommerell, Gedanken über Gedichte, S. 427).
[72] Vgl. Duden-Grammatik (1959), S. 319. – Goethe kennt auch sonst das
adversative „wenn"; vgl. dazu P. Fischer: Goethe-Wortschatz, S. 735. Dort
weitere Belege. – In der ,Natürlichen Tochter' findet sich neben der erwähnten
Stelle noch: „Sie will der eine Teil zum höchsten Glück berechtigt wissen, *wenn*
der andre sie hinabzudrängen sucht" (V. 1779–81).

So kann nicht länger von einer strengen Analogie im oben erläuterten Sinne gesprochen werden: zwar wirken in beiden Bereichen analoge Gesetze, aber sie wirken nicht mehr analog: das Gesetz enthält vor, was die Natur freiwillig spendet. An die Stelle von Harmonie ist eine Gegenwirkung getreten.

Der Sinn des „Weigerns" kommt stärker zum Ausdruck, wenn man das Objekt dieses Satzes betrachtet. Das Gesetz weigert nämlich „andre Rechte". Diese Bestimmung ist zu ergänzen durch die Verse der Hofmeisterin:

„Und gönnt ihr dieser köstlichen Natur
Vom Fürstenblute nicht das *Glück des Rechts?*" (V. 754–55)

Es wird nicht irgendetwas verweigert oder mißgönnt; sondern Rechte, das Glück des Rechtes. Das heißt: man verweigert die Erfüllung des Eigensten, das Wesen in der Erscheinung, eines Substantiellen, ja der Substanz selbst, des Kerns der Gestalt und nicht eines Akzidentell-Zufälligen.

Eugenie – als „natürliche" Tochter bereits in der physischen Welt erschienen – strebt danach, ebenfalls in der „moralischen" Welt, in der Welt des „Gesetzes" sich entfalten zu können, um so voll und ganz ihr Wesen zu verwirklichen.

Sie spricht davon, durch des Königs Wort „neugeboren" zu werden. „Ein Kind, das erst zum Vorschein kommt, ist ein moralisch neugeboren Kind" (AGA, 13, S. 343). Eugenie will aus der Verborgenheit heraustreten.

Durch des Königs Worte soll sie die Wiedergeburt an sich erleben. Wenn man das oben erläuterte geschichts-morphologische Schema jetzt auf die Verhältnisse der ‚Natürlichen Tochter' anwendet, so sieht man Eugenie beim Übergang von der ersten Stufe (der Epoche der stillen Bildung) zur zweiten Stufe, die den Konflikt mit der Welt bringt. – Wieder finden wir denselben schwebenden Zwischenzustand: zwischen Verborgenheit und Dunkel und Geborgenheit auf der einen und Helle, Offenheit, Weite und gefährlicher Schutzlosigkeit auf der anderen Seite schwankt die Erscheinung der Heldin hin und her.

Sogleich muß sie erleben, wie an der Widerständigkeit der „moralischen" Welt ihr Glück des Rechts zunichte wird, wie ihr Streben nach voller Erscheinung ermattet.

Um die bestimmte Verfassung der Eugenien umgebenden „moralischen" Welt zu kennzeichnen, hat der Dichter Metaphern aus dem Bereich der Natur verwendet, aus denen wir ersehen, wie moralische und physische Welt auf neue Weise in analoge Beziehung zueinander treten: so daß die physische Welt in einer besonderen Erscheinungsform den chaotischen, revolutionären Zustand, in dem sich die moralische Welt befindet, spiegelt. Die moralische Welt gleicht den Elementen, die „als kolossale Gegner" des Menschen ihren „eigenen wilden wüsten Gang zu nehmen immerhin den Trieb" haben (AGA, 17, S. 642). Egoistisch in sich selbst zurücktretend, haben sich die Elemente aus der Verbundenheit miteinander gelöst und so jede Ordnung aufgehoben. Sie wüten gegeneinander, alles Bestehende zerstörend. Es fehlt der sie beherrschende Geist und

> „Das Element zu bändigen vermag
> Ein tiefgebeugt, vermindert Volk nicht mehr." (V. 2805–6)

Als solchermaßen gestaltlose, chaotisch-elementare Gewalt wirkt die Weltwirklichkeit auf Eugenie, die zur Erscheinung Strebende, und versucht auf jedem Wege, die personhafte Entfaltung zu „retardieren", sie „nicht allein von außen, sondern auch von innen zum Stehen zu bringen" (Bd. 8, S. 1358). Die Leidenschaft des zur Erscheinung Strebenden, die darauf zielt, wesentlich und ganz zu erscheinen und so zu bleiben, bringt ihm tödliche Gefahr: Verlangt doch die soziale Welt „Verstellung" und „Flachheit" (Bd. 15, S. 973), d. h. Schein. Eugenie konnte ihre Existenz in der gewünschten Form nicht verwirklichen: In der neuen Weltsituation ist selbst der Adelige daran gehindert, eine „öffentliche Person" zu sein. Nicht länger ist diese echte Harmonie, von der Goethe noch wenige Jahre zuvor in den ,Lehrjahren' gesprochen hatte, eine reale Möglichkeit. Gerade hier kann man die Entwicklung Goethes zwischen der Verfassung der ,Lehrjahre' und der der ,Natürlichen Tochter' ablesen.

Morphologische (... daß die Gestalt nicht unabhängig ist von der Umgebung) und politische Erfahrung bewirkten gemeinsam diese „Revolution" im Goetheschen Denken. Wir erinnern uns an jene frühe Äußerung über die Französische Revolution in einem Brief an Jacobi: „Daß die Französische Revolution *auch für mich eine Revolution* war kannst du denken" (3. 3. 1790) und verstehen ihren Sinn.

Von hier aus ergibt sich zwingende Einsicht in die für Goethe bestehende stilistische wie geschichts-morphologische Notwendigkeit, „bedeutende und ausgezeichnete Gestalten", d. h. solche von „*Stand*" für seine Dichtung zu wählen. Diese Erfahrung, an der ,Natürlichen Tochter' gemacht, bestätigt zugleich, daß sich bei Goethe „alles Räsonnement ... in eine Art Darstellung verwandelt", deren Sinn schwer zu erkennen ist (an Schiller, 15. 11. 96). Die in den ,Lehrjahren' positiv erwähnte Tatsache, daß „der Edelmann ... im gemeinen Leben gar keine Grenzen kennt" und „überall vorwärtsdringen" kann (Bd. 7, S. 336 ff.), wird in der neuen, durch die politischen Umwälzungen gekennzeichneten Situation zu einem tödlichen Nachteil. Die Welt des Adels mit ihrer allseitigen Offenheit bietet keine Gelegenheit mehr für die volle Erscheinung, für das reine Glück. Auf diesem Hintergrund vollzieht Goethe besonders in den beiden letzten Akten des Dramas eine Neubewertung des bürgerlichen Zustandes.

Schon das Epos ‚Hermann und Dorothea' hatte die feste Fügung der
bürgerlichen Welt dem andringenden, aber noch und nur in der Ferne
rumorenden Chaotischen gegenüber gezeigt. Die biographischen Schriften, die ‚Kampagne in Frankreich', und manch ein Brief aus den neunziger Jahren offenbarte die Goethesche Sehnsucht nach Geborgenheit,
Stille und Enge: „Ich sehne mich nach Hause; ich habe in der Welt nichts
mehr zu suchen", schreibt Goethe an Herder (21. 8. 90). Die Befestigung
des engen, zugleich schützenden Kreises, das Wirken nur in und für diesen Kreis wird zur Lebensaufgabe, nicht nur für Goethe, wie man aus
Schillers ‚Ankündigung der Horen'[73] leicht ersehen kann.

Im vollendeten ersten Teil der „Natürlichen Tochter" versinnbildlicht
die Sphäre der Sicherheit, zu der sich Eugenie zuletzt wendet und durch
die sie so vor dem völligen Verschwinden gerettet wird, in reiner Form
der Gerichtsrat. Er lebt in „abgeschlossenen Kreisen", „das in der Mittelhöhe des Lebens wiederkehrend Schwebende" lenkend (V. 2009).[74]

IV

Beweis für die bewährende Stärke der bürgerlichen Enge ist nicht weniger das Schicksal des Weltgeistlichen. Sein Geschick ist zugleich Spiegelung von Eugeniens Verhältnissen. Durch solche Spiegelungen versucht
Goethe in seinen späteren Dichtungen zunehmend „den geheimen Sinn
des Ganzen ... zu offenbaren".[75]
Die Enge erscheint beim Weltgeistlichen als Hülle, die jedes Lebendige
zu seinem Dasein notwendig braucht. Der Weltgeistliche lebte „im Paradies beschränkter Freuden", „von des Gartens engem Hag umschlossen"
(V. 1202–3). „Zufriedenheit im kleinen Hause" gab ihm „Gefühl des
Reichtums" (V. 1206–7). Einmal aus dieser schützenden Verborgenheit
herausgetreten, verliert er augenblicklich jegliche Sicherheit und all seine
Selbständigkeit: In der labyrinthhaften Welt verirrt er sich bald, verliert seine wesentliche Existenz, wird unfrei, ja Sklave, willfähriges Werkzeug der herrschenden Mächte.

---

[73] Schiller, Werke (München, 1959), Bd. V, S. 870).
[74] In der geplanten Fortsetzung verliert der Gerichtsrat durch Heraustreten
in die politische Welt alle Sicherheit.
[75] Goethe an Iken, 27. 9. 1827.

f) GLÜCK

I

Die Substantive „Gestalt", „Blüte", „Blume" und auch „Bild" im Sinne von „Gebilde" stellten den Bezug des „Erscheinens" zum Organischen her.[76] Der Abschnitt über den geschichts-morphologischen Sinn von „Erscheinen" und „Verschwinden" hat gezeigt, daß zwar zwischen dem Organischen und dem Geschichtlichen eine deutliche Analogie waltet, daß aber das sich geschichtlich entfaltende Wesen Mensch mit dem Begriff des Organischen allein nicht erschöpfend zu beschreiben ist. Es tritt zu dem Organischen noch etwas hinzu. Als der Gipfel der organischen Erscheinungen ist der Mensch zugleich mehr als diese.

Goethe spricht vom „geistigen Organism des Menschen"[77] und weist mit dieser Formel *über* den Bereich des bloß Organischen hinaus in die Sphäre, die er „moralisch" nennt und die der eigentliche Bereich menschlichen Daseins ist.[78]

Um die Erreichung der gestalthaften Vollendung in diesem moralischen Bereich zu kennzeichnen, verwendet Goethe in der ‚Natürlichen Tochter' – und auch sonst – ein Substantiv, welches mit etymologisch verwandten Wörtern in unserem Drama insgesamt achtzigmal erscheint: „Glück".

Der „Begriff des Glückes" – so schreibt Jos. Kunz im Kommentar zur Hamburger-Goethe-Ausgabe (Bd. 5, S. 492) – „gelte in der ‚Natürlichen Tochter' als das bevorzugte Wort für die Wesenserfüllung".

Was mit diesem Satz gemeint ist, kann erst eine genaue Analyse des Sinnes von „Glück" in den Zusammenhängen unseres Dramas erhellen.

II

Über die Schauspielerin Wilhelmine Maas sagt Goethe in den ‚Annalen': „Ihre niedliche *Gestalt*, ihr anmutig natürliches *Wesen*, ein wohlklingendes *Organ*, kurz das *Ganze* ihrer *glücklichen Individualität* gewann sogleich das Publikum" (Bd. 8, S. 1059). „Gestalt", „Wesen", „Organ" sind Formen des organischen Erscheinens, ja meinen das Erscheinende selbst. Durch die Adjektiva „niedlich", „anmutig natürlich" und „wohlklingend"

---

[76] vgl. den Abschnitt ‚Erscheinen und Verschwinden als morphologische Begriffe', weiter oben.

[77] zum Kanzler von Müller, 8. 6. 1821.

[78] vgl. dazu weiter oben die Erörterung über „moraliter-physicea" eingangs des Abschnittes ‚Erscheinen u. Verschwinden als geschichtsmorphologische Begriffe'.

7*

wird dieses Erscheinende noch näher bestimmt. Gerade das Zusammenwirken der einzelnen Kräfte, eben das „Ganze", machen die „glückliche
Individualität" der Schauspielerin aus. Ihre Individualität ist glücklich,
weil sie „geglückt" ist, d. h. harmonisch vollendetes Zusammenspiel aller
Kräfte, die zur Ganzheit ausgebildet sind. Es gibt nichts Störendes, Fremdes in ihr oder – mit einem Schiller-Wort über Madame de Staël –: „Es
ist alles aus einem Stück und kein fremder, falscher und pathologischer
Zug an ihr" (an Goethe, 21. 12. 1803).
    Glück und Bildung der Gestalt – so lehrte uns bereits dieses Goethe-
Zitat – gehören eng zusammen. Es darf schon hier gesagt werden, daß
diese Art von „Glück" gemeint ist, die Eugenie erstrebt, das zu erreichen
ihr jedoch vom Schicksal verwehrt wird. Schon die junge, vom Vater
sorglich behütete Tochter

> „erfreut . . . sich des Gegenwärtigen,
> Indes ihr Phantasie das *künftge Glück*
> Mit schmeichelhaften Dichterfarben malt." (V. 117 ff.)

So sehr auf den ersten Blick auch das „*künftge* Glück" – als ein „*kom-*
mendes Glück" – wie etwas von außen Herantretendes, wie etwas durchaus Fremdes erscheinen mag, so liegt doch unzweifelhaft Eugeniens Glück
in der Anerkennung ihrer Existenz durch den König, durch die sie erst
wird, was sie eigentlich ist; ihr Glück liegt in der vollen Erscheinung in
der großen Welt.
    Indem das Glück in ihrem Erscheinen in der Welt beruht, eben darin,
daß sich die Gestalt in dem ihr gemäßen Raum entfaltet, mit diesem in
Harmonie lebt,[79] erweist sich dieser Begriff von „Glück" als ein geschichtsmorphologischer oder ein moralisch-politischer Terminus. Das Glück in
diesem Verständnis ist nichts von außen Hinzutretendes, sondern ein sich
aus dem Innern der Gestalt Entwickelndes. In diesem Sinne kann es das
„bevorzugte Wort für die Wesenserfüllung" sein.
    „Phantasie des künftigen Glücks" wäre demnach nichts anderes als das
„Vorgefühl" des zu erstrebenden Zustandes, „Vorgefühl der Fähigkeiten . . ., die in uns liegen. Was wir können und mögen, stellt sich unserer
Einbildungskraft außer uns und in der Zukunft dar (vgl. „künftges
Glück"!); wir fühlen Sehnsucht nach dem, was wir im Stillen schon besitzen."[80]
    Will man eine Analogie zum Organischen, zur Pflanze wagen, so ent-

---

[79] vgl. Hildebrandt, Goethes Naturerkenntnis, S. 118.
[80] „So verwandelt ein leidenschaftliches Vorausgreifen das wahrhaft Mögliche
in ein erträumtes Wirkliche. Liegt nun eine solche Richtung entschieden in unserer
Natur, so wird mit jedem Schritt unserer Entwicklung ein Teil des ersten Wun-
sches erfüllt . . ." (Bd. 8, S. 454–55).

spricht dem Glück die Blüte;[81] die Blüte ist der Pflanze unbewußter Glückszustand. Denn: „In den Blüten tritt das vegetabilische Gesetz in seine höchste Erscheinung" (M+R, 1345). Analog kann man sagen: Im Glück tritt das moralische Gesetz, d. h. das Wesen, der Charakter des Menschen, in seine höchste Erscheinung.

Die höchste Erscheinung ist zugleich wieder die *schöne Erscheinung* oder die *Erscheinung des Schönen,* indem zum Schönen ein Gesetz erfordert wird, das in die Erscheinung tritt.[82] Nach einem Goethe-Wort ist „das letzte Produkt der sich immer steigernden Natur ... der schöne Mensch" (AGA, 13, S. 421). Aber es gilt hier eine Bedingung: Nur „das Gesetz, das in die Erscheinung tritt, in der *höchsten Freiheit,* nach *seinen eigensten Bedingungen,* bringt das objektiv Schöne hervor" (M+R, 1346).

Schönheit und Erscheinung (Schein) verweisen – auch etymologisch – aufeinander: Schönheit ist Erscheinung auf dem Gipfel. Auf das Transitorische der schönen Erscheinung hat Goethe sich hinzuweisen verpflichtet gefühlt, d. h. daß die schöne Erscheinung sich nur einen Moment auf dem Gipfel halten kann, wie die Blume der Pflanze nur ein Zwischenstadium ist. Die Natur vermag das Schöne „nur sehr selten hervorzubringen, weil ihren Ideen gar viele Bedingungen widerstreben, und selbst ihrer Allmacht ist es unmöglich, lange im Vollkommnen zu verweilen und dem hervorgebrachten Schönen eine Dauer zu geben. Denn genau genommen kann man sagen, es sei nur ein Augenblick, in welchem der schöne Mensch schön sei" (AGA, 13, S. 421).

Auf die Blüte als den Gipfel der Erscheinung folgt das „stufenweise Zurücktreten aus der Erscheinung" – im Altern (vgl. M+R, 1348). So sind Schönheit und Glück ein schwebender, augenblickhafter Zustand zwischen Erscheinen und Verschwinden.

Vier verschiedene Stufen des Verhältnisses zum Glück lassen sich in der ,Natürlichen Tochter' – dem Gange des Stückes folgend – nachweisen. Wir wenden uns der ersten zu, die wir „das erwartete Glück" überschreiben.

III

Eugeniens Zustand zu Beginn des Stückes gleicht dem der Knospe der Blume. Dementsprechend ist ihr Verhältnis zum Glück: wie die Knospe auf die Blüte hofft – und Hoffnung macht –, so wartet Eugenie auf das

---

[81] vgl. dazu die Verse 1945–46:
      „Wer hat es reizender als ich gesehen,
      Der Erde *Glück* mit allen *seinen Blüten*!"
Dies ist keine zufällige Metapher. Die Blüten können nur deswegen metaphorisch zu Glück treten, weil sie diesem wesensmäßig entsprechen.
[82] vgl. dazu M+R, 1346.

ihr bevorstehende Glück der vollen Erscheinung in der Welt. Hindernisse standen diesem Glück bislang im Wege und bannten Eugenie in die dunkle Sphäre der Verborgenheit: der Zustand des Staates, der Haß des Bruders und nicht zuletzt die Tatsache ihrer illegitimen Geburt hinderten ihr Erscheinen.

Jetzt scheinen diese Hemmnisse nicht länger bedeutsam. Plötzlich und unerwartet wird Eugenie in die Nähe des Glückes gerissen: in schneller Folge soll sie die Stufen der Erscheinung durchlaufen und das ersehnte Glück erreichen.

Es erfolgt kein *allmähliches* Heranführen an die unbekannte Welt und in den neuen Zustand der Existenz, wodurch das bestehende Gefälle zwischen antizipierter und tatsächlicher Wirklichkeit langsam hätte ausgeglichen werden können – wie es der Herzog wünschte (vgl. V. 461–2). Vielmehr wird Eugenie „auf einmal weggerissen nach dem Ziele" (V. 451), und „ans Licht ... hervorgerissen" (V. 267–8). So in der Welt erscheinend, ist Eugenie zugleich „verwirrt" und „geblendet" (V. 265 +950). Wie ihr Sturz aus der Höhe symbolisiert, betritt sie nicht allein den Bereich möglichen Glücks, sondern zugleich den drohender Gefahren. Sie muß die Doppelgesichtigkeit der Welt alsbald erfahren:

> „Und nun auf einmal, wie der jähe Sturz
> Dir vorbedeutet, bist du in den Kreis
> Der Sorgen, der Gefahr herabgestürzt." (V. 465 ff.)

Aber es ist kein absolutes fremdes Glück, von dem Eugenie überwältigt wird; heißt es doch:

> „Uns überrascht ein längst gewünschtes Glück." (V. 534).

Die Schatulle, die mit Schmuck gefüllt für das glückliche Erscheinen bereit steht, deutet darauf hin.

Wohl nimmt sich das Glück in der Welt anders, verfremdet, verändert aus, wie ein Gegenstand, in ein neues, unerwartetes Licht getaucht, verändert anmutet, so daß im Herzog, der in der Tochter sein „Stufenglück" (V. 37) betrachtet und dadurch, daß ihm ein solches „Wundergut" wie Eugenie beschert ist, zu den „Glücklichen" (68–9) gehört, zum wachsenden „Vaterglück" die „Sorge" sich gesellt (V. 132).

Das längst erwartete Glück begegnet in dem Rahmen der Welt als ein anderes. Dabei wächst die Sorge aus dem Wissen um die gefährliche Struktur der Welt, in der Eugenie glücklich erscheinen soll, die sich aber einer solchen glückhaften Erscheinung widersetzt. Der symbolische Sturz aus der Höhe und, daß Eugenie für tot hereingetragen wird, wo sie triumphieren sollte, bestärken und bestätigen die Sorge des Herzogs:

> „So mußte dir der Jugend heitres Glück
> Beim ersten Eintritt in die Welt verschwinden." (V. 454–55)

Die unheilvolle Ahnung des Herzogs, daß das zu erhoffende Glück in solcher Welt schwerlich erscheinen könne, sondern viel eher verschwinden müsse, wird noch einmal vom Glücksgefühl überwältigt, als sich Eugenie aus der Ohnmacht zu neuem Leben erhebt:

> „Nun steigert uns gefürchteter Verlust
> Des Glücks Empfindung ins Unendliche." (V. 243–44)

Für die letzten Szenen des ersten Aktes bleibt das Schweben zwischen Glücksempfindung und Sorge charakteristisch. Der Herzog empfindet „nicht zum ersten Male..."

> „... Wie Stolz und Sorge, Vaterglück und Angst
> Zu übermenschlichem Gefühl sich mischen." (V. 132 ff.)

Das Bild der Ohnmächtigen, scheinbar Toten ist unauslöschlich.

> „Es ist ein wahres, unauslöschlich's Bild,
> Eugenie, das Leben meines Lebens,
> Bleich, hingesunken, atemlos, entseelt." (V. 575–77)

Allein Eugenie selber vermag es in ihrer sich steigernden Empfindung des Glückes, das Geschehen des Sturzes umzuwerten:

> „Laß diesen Sturz, laß diese Rettung dir
> Als wertes Pfand erscheinen meines Glücks." (V. 579–80)

Sich vom Glück erfüllt wissend, läßt Eugenie leidenschaftlichen Wunsch zum Handeln verlauten, und „vor dem glühenden, liebevollen Leben" soll „des verhaßten Todes Bild" entweichen (V. 584 ff.). Der Herzog gelobt, am Orte der „glücklichsten Genesung" einen „Tempel" zu errichten.

Es wird hier sichtbar, wie die sich entfaltende Bedeutung des Wortes „Glück" in diesem ersten Akt den gleichen Schwankungen unterliegt wie das Ereignis des „Erscheinens", „Erscheinen" und „Glück" gehören wesentlich zusammen: sie erhellen sich wechselseitig. Das Glück erfährt man auf dem Gipfel der Erscheinung, und die Erscheinung ist da auf ihrem Gipfel, wo das Glückserlebnis am höchsten und intensivsten ist: d. h. für unser Drama in den Szenen 3–5 des II. Aktes, denen wir uns jetzt zuwenden.

IV

Wir erfahren hier für einen Moment den Zustand des „erreichten Glücks". So wie das Ereignis „Erscheinen" im II. Akt, Szene 3–5, den Höhepunkt, wenn auch nicht die absolute Vollendung, erreichte, so ist auch Eugeniens Glücksgewißheit in diesen Szenen die größte und sicherste.

Nicht von ungefähr taucht das Wort „Glück" gleich in den Begrüßungs-
worten der Hofmeisterin auf und bildet zudem das letzte Wort Eugeniens
in diesem Akt: Es umrahmt auf diese Weise die für das Ereignis des
Stückes so bedeutsamen Szenen. Hofmeisterin:

> „Wie *heiter glänzt* dein Auge! Welch *Entzücken*
> Umschwebet Mund und Wange! Welches *Glück*
> Drängt aus bewegtem Busen sich hervor!" (V. 908–10)

Das „heitre Glänzen" des Auges und das „Entzücken" verstärken die
Glücksvorstellung noch, genau wie die „Freude", die Eugenie „reich aus
Lebensfülle... entquillt" (V. 906–7).

Das Glück entspringt dem gehobenen Existenzzustand: Der König hat
durch sein Wort, Eugenie werde nun bald vor der großen Welt erscheinen
können, sie „göttlich ... beglückt" (V. 433). „Neugeboren durch sein
Wort" tritt Eugenie „ins Leben" (V. 944), und „beglückt wird sie an dem
Fuße der festen Thronen, ein Sprößling königlichen Stammes ... wohnen" (V. 952–3).

Diese Empfindungen verleihen ihr das Unwiderstehliche und Strah-
lende, das von ihr in den Szenen 3–5 des III. Aktes ausgeht. Aus der
Ohnmacht erwacht, ist sie „gesund und hochbeglückt" (V. 914). Sie hat
den Gipfel ihres Strebens erreicht.

> „Und all mein frühes Hoffen ist vollendet!" (V. 954)

Die nächsten Szenen – das Schreiben des Sonetts, das ganz aus dem über-
strömenden Glücksgefühl und dazu, daß sie sich in ihr neues Gefühl
finde, geschieht – „wie glücklich, den Gefühlen unsrer Brust für ewge
Zeiten den Stempel aufzudrücken" (V. 963–4) – die Ankunft des Schmuck-
kästchens, das Öffnen desselben, die kultische Handlung des Anlegens
von Schmuck und Gewandung, das Sichselbstbetrachten im Spiegel – sind
dazu angetan, die Gewißheit des erreichten Glücks noch zu steigern.

Der sich steigernden Erscheinung entspricht das wachsende Glücksgefühl, wie alle Glücksempfindung Ausdruck der erhöhten Erscheinung ist
– beide Phänomene erhellen sich wechselweise. Die Steigerung des Glük-
kes reicht bis zu den letzten Worten Eugeniens in diesem Akt:

> „Unwiderruflich, Freundin, ist mein Glück! (V. 1147)

Hinzuweisen bleibt noch auf die enge motivische Verbindung der beschriebenen Glücksempfindung mit den Goldbildern, die weiter unten im
Zusammenhang beschrieben werden. Es wird gezeigt werden, wie die
Goldmetaphern einmal den Vorgang des Erscheinens begleiten und erhellen, wie zum anderen aus ihnen sich ein objektiver Aspekt der Welt,
in die hinein Erscheinen sich vollzieht, gegeben wird.[83]

---

[83] vgl. dazu den Abschnitt ‚Goldsymbolik', weiter unten.

Inneres und Äußeres – Glück und Gold – entsprechen sich vollkommen. Das, was „sich unsere Einbildungskraft *außer uns* und *in der Zukunft* darstellt" (Bd. 8, S. 454), besitzen wir im stillen schon.[84] Sinnfällig wird dieser Austausch und dieses Zugleich von Innen und Außen durch das Spiegelmotiv: „Eugenie öffnet den Schrank: an der Tür zeigen sich Spiegel:

> „Und diese Spiegel! Fordern sie nicht gleich,
> Das Mädchen und den Schmuck vereint zu schildern?" (V. 1040)

Unter dem Bilde des „Eros", unter dem alles begriffen ist, „was man von der leisesten Neigung bis zur leidenschaftlichsten Raserei nur denken möchte", verbinden sich der individuelle „Daimon" und die verführende „Tyche" miteinander: „Der Mensch scheint nur sich zu gehorchen, sein eigenes Wollen walten zu lassen, seinem Triebe zu frönen, und doch sind es Zufälligkeiten, die sich unterschieben, Fremdartiges was ihn von seinem Wege ablenkt; er glaubt gewonnen zu haben und ist schon verloren. Auch hier treibt Tyche wieder ihr Spiel, sie lockt den Verirrten zu neuen Labyrinthen, hier ist keine Grenze des Irrens: *denn der Weg ist der Irrtum*" (Bd. 15, S. 520). So kann denn am Ende dieser Szene die antithetische Doppelformel stehen:

> „Unwiderruflich, Freundin, ist mein *Glück!*
> Das *Schicksal*, das dich trifft, unwiderruflich!" (V. 1147–8)

Glück ist Schicksal, wenn das erscheinende Wesen sich unter den „eigensten Bedingungen" in aller Freiheit entfalten darf (M+R, 1346).

Glück und Schicksal treten auseinander, wenn die Wirkung des äußeren Elementes dieser freien Entwicklung Hemmnisse in den Weg stellt. Eugeniens Leidenschaft ist noch so groß, daß sie die Widerstände der Welt zu überwinden glaubt. So kann – in dem Höchstgefühl ihres Glückes – keine Warnung von außen sie erreichen: Sie hat den vollen Zustand des Glückes in der Einbildungskraft bereits vorweggenommen. Sie erlebt, „wie so schön aus diesem Übel" ihres Sturzes „sich das Glück entwickelt" (V. 915–6). Die Möglichkeit, daß sich aus „Glück ... Schmerz entwickelt" (V. 917), weist sie zurück.

V

Hatte sich im Verlauf des I. Aktes zu dem Glück bereits die Sorge gesellt, so erscheint zu Beginn des II. Aktes – *vor* dem Gipfelpunkt der Erschei-

---

[84] vgl. dazu: V. 1080 ff., bes. 1089: „der Wonne Vorgefühl"! auch V. 971: „Beflügelt drängt sich Phantasie voraus, sie trägt mich vor den Thron und stellt mich vor ..."

nung – der Grund dieser Sorge mit aller Deutlichkeit. Zunächst zeigt sich
der „Neider . . . als Folie des Glücks" (V. 1093).

Aber dabei bleibt es nicht: Die Wirksamkeit des Äußeren, die individuelle Leidenschaft des Menschen zu überwinden und zu unterdrücken,
wächst zunehmend. Was sich anbahnt, ist der Zusammenstoß „der prä-
tendierten Freiheit" unseres Ichs „mit dem notwendigen Gang des Ganzen" (Bd. 15, S. 31).
Der Herzog *ahnt* im I. Akt nurmehr diese Bedrohung des zur Erscheinung drängenden Lebens. Daher seine (unbestimmte) Sorge. Im Dialog
Sekretär – Hofmeisterin spricht sich das Gefährliche und Bedrohende
selbst aus: als Intrige gegen die Heldin:

> „Lange droht ihr schon von fern
> Dem Glück des liebenswürdgen Kindes." (V. 785–6)

Eugeniens Glück, d. h. ihre gestalthafte Ausbildung, ist bedroht. Die
feindliche Umwelt „gönnt" ihr nicht „das Glück des Rechtes" (V. 755),
wobei hier unter Recht das unverwechselbar Eigentümliche der Person,
das, was Goethe „Eigenheit" nennt, gemeint ist, das Glück, das aus der
Entfaltung nach „eigensten Bedingungen" und unter „größter Freiheit"
(M+R, 1346) erreicht werden kann.
Allmählich verstärkt sich die Wirkung des Äußeren auf die Gestalt:
Zunächst ist es eine allgemeine Vergiftung der Atmosphäre:

> „*Mißtrauen* atmet man in dieser Luft" (V. 468)
> „*Mißgunst* lauert auf . . ." (V. 414)

Parteiungen stehen dem Glücksstreben Eugeniens entgegen und suchen
das „Glück zu hindern" (V. 1111).
Es bleibt nicht bei der Vergiftung der Atmosphäre, bei Bedrohung und
Behinderung der Erscheinung und des Glücks. Vielmehr zeigt sich die
Unbarmherzigkeit der politischen Wirklichkeit erst recht in folgendem:
Während Eugenie, „als des Haders Apfel . . . ins Mittel zwischen zwei
Parteien" geworfen, von der einen Partei zum höchsten Glück erkoren
ist, versucht die andere Partei sie „hinabzudrängen". Das zuerst anscheinend lediglich Widerständige der Außenwelt wird zur *aktiven* Kraft.
Aufwärtsbewegung steht gegen Abwärtsbewegung, d. h. Erscheinen
gegen (erzwungenes) Verschwinden. Auf der einen Seite gehört Erhebung
und Glück zusammen; auf der anderen Hinabdrängen und Verschwinden,
die sich in den Versen der Hofmeisterin konkretisiert:

> „. . . Das Glück
> Des holden Zöglings soll ich *morden* helfen" (V. 688).

Dies bedeutet nichts anderes, als daß die Entfaltung der Gestalt durch
die Vernichtung der Gestalt verhindert werden soll. Diese Tendenz

zur absoluten Vernichtung, d. h. Auflösung ins Nichts, spricht sich wohl am deutlichsten in der Unterredung Sekretär – Weltgeistlicher aus:

„Sie ist dahin für alle, sie *verschwindet*
Ins Nichts der Asche . . .“ (V. 1184–5)

Der Weltgeistliche, der diese Worte spricht, nennt das, was geschieht und geschehen muß, ein „*Unglück*“: Es zeigt sich damit, wie auch dieses Wort morphologischen Sinn hat, insofern es das „Miß-glücken“ der Gestalt bezeichnet. „Unglück“ deutet in diesem Zusammenhang an, daß die Mächtigkeit des Wirklichen einen solchen Grad erreicht hat, daß sie eine „umgekehrte Reihe von Metamorphosen“ erzwingt, die zu einer Vernichtung des Wesens führen.[85] Der III. Akt offenbart das „Unglück“, nachdem es eingetreten ist, d. h. das „Mißglücken“ der Erscheinung Eugeniens, im Reflex seiner Wirkung auf den Herzog. Der IV. Akt wiederum zeigt uns Eugenie selbst – der Möglichkeit des Glückes beraubt, verbannt, an den Rand des Chaos gedrängt. Ein anonymes Dokument besiegelt ihr unwiderruflich scheinendes Schicksal:

„Des Lebens Glück entriß mir dieses Blatt.“ (V. 2590)

VI

„Glück“ als unbedingte Entfaltung des Wesens in der Erscheinung wird durch die Mächtigkeit der Umwelt vereitelt. Die erstrebte „Wesenserfüllung“, für die das Wort „Glück“ steht, wird nicht erreicht. Das solchermaßen verhinderte Erscheinen wird zum Verschwinden: Glück – als Wesenserfüllung – wird zum Unglück: d. h. zum Mißglücken der Gestalt. Dies wird vollends klar im IV. Akt des Stückes: Das Glück wird nur mehr erinnert: als ein verlorenes, zerstörtes. So spricht man vom „*alten*“ Glück (V. 1839 + V. 2031). Im Verlauf des Stückes, zunehmend gegen Ende tritt an die Stelle des „alten Glückes“ ein „*neues* Glück“. Aus dem Munde des Königs erfahren wir zuerst davon:

„*Begnügte* sollten unter *niedrem* Dach,
Begnügte sollten im Palaste wohnen,
Und hätt ich einmal ihres Glücks genossen,
Entsagt ich gern dem Throne, gern der Welt.“ (V. 421 ff.)

„Sich Begnügen“, „Entsagen“ und das neue Glück treten in eine Beziehung zueinander: nicht länger gilt unbedingtes Streben zu unbedingter Erscheinung als Weg zum Glück.

---

[85] vgl. Goethes Tagebuch v. 18. 5. 1810 – Bd. 11, S. 951.

Der Herzog entfaltet das Thema der Entsagung und des „neuen Glük-
kes" weiter. Er hatte gehofft, daß Eugenie „sich nach und nach . . .
. . . aus der Beschränkung an die Welt *gewöhne*" und „nach und nach den liebsten
Hoffnungen *entsagen* lerne" (V. 461 ff.). Noch konkreter spricht die Hofmeisterin:

> „Eugenie, wenn du *entsagen* könntest
> Dem *hohen Glück, das unermeßlich* scheint!" (V. 893)

Die Forderung der Entsagung geht nicht auf das Glück im allgemeinen,
sondern auf das „*hohe* Glück", das als solches „unermeßlich" ist.
Gerade aus der „Höhe" und der „Unermeßlichkeit" erwächst dem Erscheinenden
in der gegebenen Welt Gefahr.
Das „hohe Glück" – so wissen wir, auf den IV. Akt zurückblickend –
ist das „alte Glück": ist nicht zu erreichen. Daher soll das Streben des
Erscheinenden seine Richtung ändern und dem „hohen Glück" entsagen.
Aus der vollzogenen Entsagung – damit nähern wir uns dem „neuen
Glück" –, „aus Mäßigkeit entspringt ein *reines Glück*" (V. 1075). „Reines
Glück" und „hohes Glück" stehen – sich wechselseitig ausschließend – ein-
ander gegenüber: Das unerreichbare, hohe Glück sollte „sich droben in
ungemessnen Räumen" (V. 2012) erfüllen, „auf jenen Gipfeln" (V. 1907).
Aber auf den Höhen des Lebens gesellt sich dem Glück sogleich die Sorge
zu, nicht länger handelt es sich beim „hohen Glück" um ein „reines Glück".
Und das „neue Glück"? – Die Hofmeisterin zeigt im Gespräch mit dem
Gerichtsrat die Richtung an, die das menschliche Streben zu nehmen habe,
um das „neue Glück" zu erreichen:

> „Den werten Zögling wünscht ich lange schon
> Vom *Glück* zu überzeugen, das *im Kreis*
> *Des Bürgerstandes, hold genügsam*, weilt.
> *Entsagte* sie der *nicht gegönnten Höhe*,
> *Ergäbe* sich des biedern Gatten Schutz
> Und *wendete von jenen Regionen*,
> Wo sie *Gefahr, Verbannung, Tod umlauern*,
> *Ins Häusliche* den liebevollen Blick:
> Gelöst wär alles . . ." (V. 1805)

Das „neue Glück" wartet im „Kreis des Bürgerstandes". Die schutzlose
Offenheit der weiten Welt wird gegen die schützende Hülle des „Häuslichen" eingetauscht. Auf die nicht „gegönnte Höhe" wird verzichtet.
Die Entwicklung, wie sie sich in der ‚Natürlichen Tochter' offenbart:
als Bewegung vom „Hohen Glück" zum „Reinen Glück" verwirklicht
den Satz Goethes aus den ‚Lehrjahren': „Der Mensch ist nicht eher glücklich, als bis sein unbedingtes Streben sich selbst seine Begrenzung bestimmt."

Symbol dieses entsagenden Glückes ist die Ehe, die Eugenie am Ende des vorliegenden Teiles der ‚Natürlichen Tochter' mit dem Gerichtsrat eingeht. Die Ehe verschafft demjenigen, der sie anerkennt, „Glück und Ruhe" (V. 2093).

Die Betrachtung des Wortes „Glück" in den Zusammenhängen des Dramas offenbarte eine Sinnbewegung, die derjenigen des Wortes „Erscheinen" weitgehend parallel läuft. In beiden Fällen ließ sich eine Abwendung vom Unbedingten und eine Hinwendung zum Bedingten erkennen: eine Bewegung vom Offenen zum Beschützten, zum bergenden Kreis. Die Betrachtung der Weltsymbole wird die sich andeutenden Verhältnisse noch weiter erhellen.

Glück – als Wesenserfüllung – kann sich als „hohes Glück", als unbedingtes Erscheinen, in dieser Weltsituation nicht mehr verwirklichen. Es wird in der Entsagung, durch die Hinwendung zum beschränkten Bezirk des Häuslichen zum „*reinen* Glück", in dem sich die Erscheinung relativ entfalten kann.

DRITTER TEIL

DIE FIGUREN –
IHR ERSCHEINEN UND VERSCHWINDEN

a) DIE NAMEN

I

Auch der Namenskatalog zu Eingang des Dramas gehört zur Dichtung,
und der Interpret darf mit Recht über die Verhältnisse und Behandlung
der Figuren aus diesem Katalog einigen Aufschluß erwarten. So ist die
Namensgebung in der ‚Natürlichen Tochter‘ in den meisten Deutungen
dieser Dichtung wenigstens kurz gestreift worden.

Wir wollen die Namen auf dem durch den morphologischen Exkurs gewonnenen Hintergrund nach ihrer dramatischen Funktion befragen.

Gewöhnlich nahm man die eigenartige Form der Namengebung, in der
nur die Hauptfigur einen Eigennamen trägt, alle anderen hingegen nur
mit Standesbezeichnungen auftreten, als einen Hinweis auf Goethes spät-
klassische Neigung zum Typisieren, durch das das Individuelle aufgelöst
wird. Man bezog sich hierzu gewöhnlich auf Goethes Bemerkung zu
Riemer, er sei in den Spätwerken ins „Generische" gegangen.

Nun sehen wir aber, daß keineswegs *alle* Figuren dieser Art entsprechend „typisiert" wurden, sondern daß gerade die Hauptfigur davon
ausgenommen bleibt. Es besteht also eine Spannung zwischen den „typisierten" Figuren und der einen nicht „typisierten" Figur. Was aber heißt
hier „typisiert"? Was meint hier „Typus"?

Einmal könnte es sich bei „Typus" hier um einen eher soziologischen
Terminus handeln, der als heuristisches Hilfsmittel, d. h. als ein Begriff,
„unter welchen die Gegenstände allenfalls möchten zusammenzufassen sein,
der (aber) alles Anschauen und somit die Poesie selbst aufhebt" (Bd. 2,
S. 248), eingesetzt wird, der aber keinerlei reale Existenz hat. Für einen
Dichter als Gestaltungsprinzip ein fragwürdiges und gefährliches Unter-
fangen, wird doch „die Poesie selbst" dabei „aufgehoben".

Zum anderen könnte man meinen, es handele sich hier um eine Verwendung von Typus, wie Goethe diesen Begriff selbst in der Morphologie
braucht. Typus wäre dann „Urbild", „Idee". Aber es bedarf keiner langen
Überlegung, um einen solchen Gedanken als unrichtig abzuweisen: Zum

---

¹ vgl. dazu auch M+R, 388.

einen entsprechen die „typisierten" Figuren vom König angefangen
bis hin zum Weltgeistlichen – mit Ausnahme höchstens des Gerichtsrates
und des Mönches – keineswegs den idealbildlichen Vorstellungen von
König, Herzog usw. Beim Weltgeistlichen haben wir es zudem mit einer
sehr individualisierten Figur zu tun: durch die ausführliche und vielleicht
nur im motivischen Zusammenhang als Spiegelung zum Erscheinen Eugeniens verstehbare Erzählung seines Herkommens, das unmöglich als das
typische Herkommen eines Weltgeistlichen gemeint sein kann. Das Schlim-
me bei der Anwendung von „Typus" und „typisiert" in den beiden skiz-
zierten Auffassungsmöglichkeiten beruht weniger darin, daß das Resultat,
zur Gewinnung dessen man sich dieser Begriffe bedient, schief und falsch
wird, als vielmehr darin, daß die wirklichen, viel komplexeren dichtungs-
immanenten Verhältnisse mit einer solchen Interpretation eher verdeckt
als erhellt werden, d. h. konkret: Man denkt nicht länger der möglichen
Funktion solcher Namengebung im dramatischen Aufbau des Stückes nach.

Zur Klärung der dramatischen Funktion dieser eigentümlichen Namengebung mag man versuchsweise zwei Schichten der Dichtung voneinander
trennen: Eine Goethesche Maxime lautet: „Es ist nichts theatralisch, was
nicht für die Augen symbolisch ist" (M+R, 1053).

Diese Art der Symbolik gilt für alle Verhältnisse, für die Figuren so
gut wie für Handlung und Motivfolge: Im ‚Faust' nicht weniger als im
‚Tasso' oder in der ‚Natürlichen Tochter'. Welcher Art diese „hohe Symbolik" ist, mag am ehesten ein Wort Goethes erklären, das er anläßlich
einer Besprechung von Calderons ‚Die Tochter der Luft' äußerte: „Nun
gesteht man bei einigem Nachdenken, daß menschliche Zustände, Gefühle,
Ereignisse in ursprünglicher Natürlichkeit sich nicht in dieser Art aufs
Theater bringen lassen, und so finden wir sie hier (bei Calderon): Der
Dichter steht an der Schwelle der *Überkultur*, er gibt eine *Quintessenz
der Menschheit*" (Bd. 15, S. 1138). Jede Figur ist insofern „Symbol", als
sie in der Gestalt des Individuellen ein Allgemeines immer mitausspricht.
In diesem Sinne kann Goethe von Eugenie sagen, sie sei „sehr bedeutend"
(Goethe an Marianne v. Eybenberg, 4. 4. 1803).

Was für die Figuren gilt, gilt für die Vorgänge nicht minder, gilt für
die ganze Dichtung. Symbol-Sein ist die Seinsweise der Dichtung.

In diesem Sinne ist eine Notiz des Kanzlers von Müller zu verstehen,
in der es heißt: „Es machte ihm (Goethe) Freude und Beruhigung, zu
finden, daß der ganze Roman durchaus symbolisch sei, daß hinter den
vorgeschobenen Personen durchaus etwas Allgemeines, Höheres verborgen
liege" (22. 1. 1821).

Sind die Figuren so vorgeschoben, so sind sie doch immer Individuen.
Denn „kein Mensch will begreifen, daß die höchste und einzige Operation
der Natur und Kunst die Gestaltung sei, und in der Gestaltung die Spe-
zifikation, damit jedes ein besonderes Bedeutendes werde, sei und bleibe"

(Goethe an Zelter, 30. 10. 1808). Jede Gestalt, in Natur *und Kunst*, ist ein besonderes Bedeutendes oder ein bedeutendes Besonderes, d. h. ein Individuelles, Für-sich-Seiendes, Gestalthaftes *und zugleich* ein Bedeutendes, über sich Hinausweisendes. Wenn Goethe in einem Brief an Reinhard (14. 11. 1812) von sich bekennt: „Im Innersten interessiert mich eigentlich nur das Individuelle in seiner schärfsten Bestimmung", so widerspricht sich das keineswegs mit seinen sonstigen, aufs Symbolische und Typische abzielenden Bemerkungen. Denn „alles was geschieht, ist Symbol, und indem es vollkommen sich selbst darstellt, deutet es auf das Übrige." Goethe weiß nämlich, daß „das Einzelne, Besondere, Individuelle uns über Menschen und Begebenheiten den besten Aufschluß gibt" (Bd. 15, S. 403).

In einem kurzen Aufsatz ‚Bedeutung des Individuellen', der zu dem Umkreis von ‚Dichtung und Wahrheit' gehört, heißt es allgemeiner: „Jeder ist selbst nur ein Individuum und kann sich auch eigentlich nur fürs Individuelle interessieren. Das Allgemeine findet sich dann von selbst, dringt sich auf, erhält sich, vermehrt sich. Wir benutzens, aber wir lieben es nicht. Wir lieben nur das Individuelle" (Bd. 8, S. 1356).

Wie es Goethe dabei zugleich jedoch immer auf die Darstellung des *Urbildlichen*, d. h. *Typischen*, ankommt, beweist sein Brief an Meyer, in dem er diesen anläßlich von ‚Hermann und Dorothea' fragt: „ob er, der Menschenmaler, unter dem modernen Kostüm die wahren echten Menschenproportionen und Gliederformen anerkennen werde" (28. 4. 97).

In diesem Sinne fallen „das Allgemeine und das Besondere . . . zusammen: Das Besondere ist das Allgemeine, unter verschiedenen Bedingungen erscheinend" (M+R, 569).

Es ist nur *eine* Natur, „natura creatrix", „physis", die alles nach den gleichen Gesetzen hervorgehen läßt, welche Gesetze auch als Formgesetze des künstlerischen Genies wirksam sind. Nach einer Maxime (571) ist es eben „die Grundeigenschaft der lebendigen Einheit, sich zu trennen, sich zu vereinen, sich ins Allgemeine zu ergehen, im Besonderen zu verharren, sich zu wandeln, sich zu spezifizieren . . ., deswegen auch das Besonderste das sich ereignet, immer als Bild und Gleichnis des Allgemeinen auftritt."

Aus diesen Gründen, die einen Durchblick auf Goethes ‚Metaphysik der Erscheinungen' (Bd. 18, S. 371) erlauben, ist „des tragischen Dichters Aufgabe und Tun nichts anders, als ein physisch-sittliches Phänomen, in ein faßliches Experiment dargestellt, in der Vergangenheit nachzuweisen" (M+R, 1050).

Von dieser Schicht ist in der Betrachtung diejenige zu lösen, auf der die innerdramatischen Vorgänge und Verhältnisse sich aufbauen und abspielen. Das Symbolische – wie erläutert – „übergreift die geschlossene Spielsphäre des Werkes". „Nur wer (als Leser) ganz in die Spielsphäre dieser Kunstwelt eingegangen ist, wird von der Wahrheit (des Symbols) ergriffen."[2] Auf dieser Spielebene wird die Namengebung als dramatische Funktion, insofern in ihr Entscheidendes über die Figuren des Dramas zur Sprache kommen kann, bedeutsam. Es ist dann – bei Anwendung auf die Verhältnisse der ‚Natürlichen Tochter' – von symbolischer Bedeutung, daß die Figuren (bis auf Eugenie) ohne Eigennamen auftreten, nicht aber sind die Figuren symbolisch, *weil* sie ohne Eigennamen auftreten. Diese Symbolik ist aber nur dann aufzuhellen, wenn danach gefragt wird, was Eigennamen für Goethe überhaupt bedeuten.

Zunächst aber folge der „Tatbestand", wie er sich aus dem Namenskatalog entnehmen läßt! Eine Figur erscheint mit Eigennamen, alle anderen ohne Eigennamen. Sie sind in diesem Sinne „namenlos".

Für sie stehen Bezeichnungen, die nicht – wie der Eigenname – auf sie als Person hinweisen, sondern die ihrem eigentlichen Sinne nach Standesbezeichnungen sind. Durch sie sind die Figuren nicht in ihrem persönlichen, unverwechselbaren Wesen benannt und aufgerufen, sondern bezogen auf ein Gesellschaftsganzes, in dem sie ihren verschiedenen Bezeichnungen nach unterschiedlichen Stufen des Ranges und der Betätigung angehören.

Auf die in solcher Weise persönlich Namenlosen als eine Gesamtheit blickend, erkennt man, daß mit eben diesen Bezeichnungen des Standes die Figuren in ein allein von außen und nach außen definiertes gesellschaftliches Verhältnis zueinander gebracht sind. Insofern die Figuren allein durch ihre Berufs- und Standesbezeichnungen markiert werden, sind sie reduziert auf die Funktion oder Rolle, die sie im sozialen Ganzen einnehmen. Die Rolle die sie so übernehmen, ist abhängig von einem äußeren höheren Leitenden, von dem sie regiert werden.[3]

Es ist unmöglich, diesen Funktionsbegriff (Bestimmung von außen nach außen) mit dem Goetheschen Typusbegriff in Verbindung zu bringen, der Form von innen meint, geschweige denn, diese beiden zu identifizieren. Im Typus ist die individuelle Erscheinung auf ein Urbildliches, Inneres bezogen, das in der Erscheinung durchleuchtet und nur in und durch die Erscheinung sichtbar werden kann, nicht aber an sich.

Bei den „namenlosen" Figuren erscheint das Wesen als Person – wie es im Namen „Eugenie" Ausdruck gewinnt – gerade *nicht*. Ihr Wesen scheint sich zu erfüllen, indem sie zur sozialen Funktion geworden sind und als solche funktionieren. Sie sind „Schein", dem das Wesen fehlt, in dem das Wesen nicht zur Erscheinung kommen kann: bloßer Schein. Sie haben sich einer sozialen Welt angepaßt, „in der man ohne Verstellung und Flachheit nicht umhergehen kann" (Bd. 15, S. 973).

Andererseits ermangelt die einzige Figur, die als Person mit ihrem Namen erscheint, einer derartigen sozial einordnenden Bestimmung, was

---

[2] Wolfg. Kayser, Die Wahrheit der Dichter (Rde, Bd. 87), S. 54–5.
[3] vgl. dazu ‚Natürliche Tochter', V. 706: „... das Mächtige, das uns regiert."

exakt dem Ereignis des Stückes entspricht, das ja gerade darin zu sehen ist, daß ein reines Wesen, aus dem Verborgenen entlassen, in der Welt erscheinen soll. Während die anderen Figuren in der sozialen Beziehung aufgehen, steht Eugenie *noch außerhalb, noch vor derselben.*

Karl Ernst Schubarth hat recht zu sagen, „daß (in Eugenie) ein reich begabtes Kind der Natur, entstanden außerhalb der bürgerlichen Ordnung, durch alle Stände wie eine fremdartige Menschheit geht und darum das Opfer der gesellschaftlichen Klassifikation wird."[4]

Eugenie ist ungeschützt und bloß, nicht einmal durch die Beifügung eines Familiennamens in einem größeren Ganzen geborgen. Sie ist „natürliche" Tochter: d. h. illegitim. Die schon weiter oben erörterte, in der ,Natürlichen Tochter' auch an anderer Stelle wirksame Spannung Natur – Gesetz, moraliter – physice, wird hier in der Namengebung schon offenbar.

Braucht nach Goethes Lehre jedes Lebendige eine Atmosphäre, d. h. eine Welt um sich her, in der es leben kann, so scheint hier der Fall vorzuliegen, wo ein Lebendiges dieser schützenden und bergenden Hülle entbehrt und sie auch nicht erringen kann. Dieses ungeborene, auf diese Weise von vornherein gefährdete Wesen steht umringt von lauter Gestalten, die zum Teil nicht zu ihrem Personhaften haben durchdringen können, in denen aber zumindest der Kern der wahren Person von einem Mächtigeren, Fremden verschüttet ist.

In einem Gespräch mit Eckermann sagt Goethe: „Jenes ungestörte, unschuldige, nachtwandlerische Schaffen, wodurch allein etwas Großes gedeihen kann, ist (heute) gar nicht mehr möglich. Unsere jetzigen Talente liegen alle auf dem *Präsentierteller der Öffentlichkeit*; die täglich an fünfzig verschiedenen Orten erscheinenden kritischen Blätter und der dadurch im Publikum bewirkte Klatsch, lassen nichts Gesundes aufkommen. Wer sich heutzutage nicht ganz davon zurückhält und sich nicht mit Gewalt isoliert, ist verloren . . ." (2. 1. 1824).

„Wo kommt – so heißt es dort weiter – uns noch eine originelle Natur *unverhüllt* entgegen? Und wo hat einer die Kraft *wahr* zu sein und sich zu zeigen, wie er ist?" – An anderer Stelle in den von Eckermann überlieferten Gesprächen heißt es: „Jedermann ist fein und höflich, aber niemand hat den Mut *gemütlich und wahr* zu sein, so daß ein redlicher Mensch mit natürlicher Neigung und Gesinnung einen recht schweren Stand hat" (12. 3. 1828). Dergestalt „fein und höflich", sind sie in der „Lage, in einer sozialen Welt zu sein", „in der man ohne Verstellung und Flachheit nicht umhergehen kann".

So kündigt sich in der Art der Namengebung – wenn man den Tatbestand nimmt und ihn in Bezug zum Geschehen setzt – in dem Wider-

---

[4] K. E. Schubarth, Zur Beurteilung Goethes, 2. Aufl. 1820, I. Bd., S. 286.

spiel der Figuren, eine Spannung an, die das Stück durchbebt: Im Namenskatalog sind hier die dramatischen Verhältnisse bereits klar gegeben. Das Spiel hat schon *vor* dem Aufzug des Vorhangs unsichtbar und doch in aller Wirklichkeit begonnen.

Die beiden, schon an anderer Stelle als Schlüsselverse zitierten Verse Eugeniens:

> „Der Schein, was ist er, dem das Wesen fehlt?
> Das Wesen, wär es, wenn es nicht erschiene?" (V. 1066)

scheinen auch die innere Spannung der Verhältnisse zu offenbaren, die sich bereits im Namenskatalog ankündigt, womit auch diese Betrachtung streng auf das Ereignis des Stückes verweist: Das Ereignis „Erscheinen – Verschwinden" manifestiert sich – recht betrachtet – schon im Namenskatalog.

Dieser Art Deutung des Namenskatalogs – mag sie auch noch so geschlossen sein – wird nicht bestehen bleiben können, wenn nicht aus anderen Zusammenhängen des Goetheschen Werkes die Interpretation gestützt werden kann. Vielleicht „bedeutet" die Namengebung nichts besonderes, vielleicht folgt sie nur einer Konvention. Aber selbst wenn dies so wäre, könnte man auf diesem Wege zeigen, wie Konventionen, von einem Dichter wie Goethe ergriffen, sich verwandeln und sich unter seinen Händen mit neuem Bedeutungsgehalt aufladen, der einem inneren Stilzwang zu gehorchen scheint.

Die aus dem Namenskatalog herausgelesene dramatische Funktion und Symbolhaftigkeit soll dadurch zur Evidenz gebracht werden, daß gefragt wird, was Eigennamen für Goethe bedeuten. „Der Eigenname eines Menschen ist nicht etwa wie ein Mantel, der bloß um ihn her hängt und an dem man allenfalls noch zupfen und zerren kann, sondern ein vollkommen passendes Kleid, ja wie die Haut selbst ihm über und über angewachsen, an der man nicht schaben und schinden darf, ohne ihn selbst zu verletzen" (Bd. 8, S. 478). Behutsam ist das Eigentümliche des Namens in drei Stufen verdeutlicht: drei Bilder umschreiben sein Wesen, erst negativ: „Nicht bloß etwa ein Mantel . . ."; dann positiv: „ein vollkommen passendes Kleid . . ."; dann auch diese Aussage aufhebend und verbessernd: „ja wie die Haut selbst . . ."

Aus dem Aufsatz ‚Bildung und Umbildung organischer Naturen' wissen wir, welche Funktion solche Hüllen wie die Haut haben: „. . . die ganze Lebenstätigkeit verlangt eine Hülle, die gegen das äußere rohe Element, es sei Wasser oder Luft oder Licht, sie schütze, ihr zartes Wesen bewahre, damit sie das, was ihrem Innern spezifisch obliegt, vollbringe" (AGA, 17, S. 17). Man darf nicht an dieser Haut „schaben und schinden", ohne den Menschen selbst zu verletzen.

Von hier aus mag man einsehen, was es symbolisch bedeutet, wenn
Eugenie im V. Akt vor ihrem Gespräch mit dem Gouverneur sich von der
Hofmeisterin sagen lassen muß:

> „Doch nennst du keine Namen, nur die Sache." (V. 2414),

wenn Eugenie dem Gouverneur sagen muß:

> „Von hohem Haus entsproß die Bittende;
> Doch leider ohne Namen tritt sie auf." (V. 2425–6)

So ohne ihren Namen auftretend, muß Eugenie schon zu Beginn ihres Ver-
suches, im Gespräch sich zu offenbaren und dadurch zu retten, auf ihren
Namen verzichten.

> „Der Name bleibt doch immer der schönste, lebendigste
> Stellvertreter der Person",

heißt es in den ‚Wanderjahren' (Bd. 7, S. 1197). Jedes Wort will hier er-
wogen sein: Stellvertreter – Person (Wesen) – Name. Der Name ist Stellvertreter der Person: Symbol der Person. Die ursprüngliche Form des
Sagens, das Nennen, wird hier wieder lebendig. Dieses Nennen vollzieht
sich in Symbolen, die die Sache selbst sind und doch nicht sind. Im Nennen
erhält das Gestaltete seinen Namen und wird durch den Namen aus dem
Chaos herausgehoben:

> „Wer keinen Namen sich erwarb, noch Edles will,
> Gehört den Elementen an." (‚Faust II', III. Akt)

Wodurch erwirbt man sich einen Namen? – durch persönliches Tun. Erst
in diesem Vollzug formt sich die Person, schließt sich als wesentlich zusammen, hat einen Namen als „Stellvertreter".

In den ‚Wanderjahren' heißt es an einer Stelle: „Sagen Sie mir, was will
der Vetter in seiner Nachschrift mit Valerien? Diese Frage ist mir doppelt
aufgefallen. Es ist die einzige Person, die er mit Namen nennt. Wir
anderen sind ihm Nichten, Tanten, Geschäftsträger, *keine Personen sondern Rubriken*" (Bd. 7, S. 791). Steht der Name für die Person, so vermögen andere Bezeichnungen diese nicht auszusprechen. „Wir sind ihm
keine Personen, sondern *Rubriken*". Diese Stelle wirft ein Licht auf die
Verhältnisse der ‚Natürlichen Tochter', wie sie im Namenskatalog sichtbar
werden. Goethe selbst gibt hier eine Bezeichnung, die das Verfahren, die
Figuren nur mit Standesbezeichnungen auftreten zu lassen, in Gegensatz
zum Nennen durch Personennamen stellt. „Personen" und „Rubriken"
sind einander entgegengesetzt. Welches Einteilungsprinzip Goethe damit
meint, erläutert eine Stelle aus den ‚Noten und Abhandlungen zum Divan'
(Bd. 2, S. 256), wo zu lesen steht: „Betrachtet man obige *Rubriken,* (der
Dichtarten), so findet man, daß sie bald nach äußeren Kennzeichen, bald

nach dem Inhalt, wenige aber einer wesentlichen Form nach benamst sind." Rubriken sind mithin Einteilungsschemata, die von außen heran gebracht sind, zumindest aber das Zukennzeichnende nicht nach der „wesentlichen Form", d. h. nach dem Wesen der Form, nehmen. Für die Person wäre der Name der „lebendige Stellvertreter", nicht ein von außen herangebrachtes, generelles Schema, eine Rubrik.

Der Name wäre, um im Kontext der Divan-Stelle zu bleiben, im Gegensatz zu den rubrizierenden Einteilungen eine „echte Naturform", so wie den rubrizierenden Dichtarten drei „echte Naturformen der Poesie" entgegenstehen.

Als solche Naturform und Stellvertreter der Person ist der Name eine „Eigenheit", durch die das Individuum eigentlich erst konstituiert wird (vgl. Bd. 15, S. 1029).

So definiert der Name das Wesen der Person auch nicht. Die innere Unendlichkeit desselben bleibt gewahrt, ja erhält den ihr gemäßen Schutz nach außen. In diesem Verständnis sind die Verse zu nehmen, die unter ‚Sprichwörtlich‘ in den Gedichten stehen:

> „Ihr suchet die Menschen zu benennen
> Und glaubt, am Namen sie zu kennen.
> Wer tiefer sieht, gesteht sich frei:
> Es ist was Anonymes dabei." (Bd. I, S. 447)

Das Anonyme meint hier Namenloses, insofern es unnennbar ist, und weist einmal auf Goethes Brief an Lavater hin, in dem es heißt: „Hab ich Dir das Wort ‚individuum est ineffabile‘, woraus ich eine Welt ableite, schon geschrieben?" (20. 9. 1780). Zum anderen offenbart dies die Natur der Sprache, die nichts endgültig zu fassen vermag, da sie selbst eine Erscheinung in dieser Welt ist. „Alle Erscheinungen sind unaussprechlich, denn die Sprache ist auch eine Erscheinung für sich, die nur ein Verhältnis zu den übrigen, aber sie nicht herstellen (identisch ausdrücken) kann" (AGA, 17, S. 777). Was die Einteilung der Figuren der ‚Natürlichen Tochter‘ in Rubriken angeht – von Eugenie abgesehen –, vermag auch eine Stelle aus Hölderlins ‚Hyperion‘ zu deuten. Es heißt dort: „Ich kann kein Volk denken, das zerrissener wäre, wie die Deutschen. Handwerker siehst du, aber keine Menschen, Priester, aber keine Menschen, Herren und Knechte, Junge und gesetzte Leute, aber keine Menschen – ist das nicht wie ein Schlachtfeld, wo Hände und Arme und alle Glieder zerstückelt untereinander liegen, indessen das vergossene Lebensblut im Sande zerrinnt."[5] So weist die Art der Namengebung auf die Problematik der Figur in der ‚Natürlichen Tochter‘ hin, ja birgt diese in sich.

---

[5] Fr. Hölderlin, Werke (Kl. Stuttg. Ausg.) Bd. III, S. 160.

b) DER DIALOG

I

Erscheinen – so hatte die Interpretation erwiesen – ist „sichtbar werden".
Wenn es heißt:

> „Der Herzog, stolz auf seiner Tochter Wert,
> Läßt nach und nach sie öffentlich erscheinen,
> Sie zeigt sich reitend, fahrend ..." (V. 740),

so liegt im „erscheinen" wie im „sich zeigen" dieses „sichtbar werden", das ein „gesehen werden" ist. Erscheinend wird Eugenie von den Menschen gesehen, wie sie verborgen deren Blicken entzogen war und durch ihr Verschwinden wieder entzogen wird. Verschwinden bedeutet Heraustreten aus dieser Sichtbarkeit. Das Verschwundene wird nicht mehr gesehen.

Organ des Sehens ist das Auge: so wirkt „erscheinen" als „sichtbar werden" auf den „gewaltigsten Sinn, das Auge".[6] „Das Auge ist das letzte, höchste Resultat des Lichtes auf den organischen Körper. Das Auge als ein Geschöpf des Lichtes leistet alles, was das Licht selbst leisten kann. Das Licht überliefert das Sichtbare dem Auge. Das Auge überlieferts dem Menschen" (WA. II. 5b, S. 12). Die Natur ist es ganz, die sich durch Farbe und Licht dem Sinn des Auges offenbaren will (AGA, 16, S. 9). So kann Goethe das aus der Naturbetrachtung entstehende „subjektive Ganze" „die Welt des Auges" nennen, „die durch Farbe und Gestalt erschöpft wird".[7] Die Hilfsmittel der anderen Sinne – so sagt er an der gleichen Stelle – brauche er nur „sparsam".

Das Auge ist kein einseitig rezeptiver Sinn. Mag man das Ohr stumm nennen, den Mund taub, so ist doch das Auge zugleich vernehmend und sprechend. „In ihm spiegelt sich von außen eine Welt, von innen der Mensch. Die Totalität des Innern und Äußern wird durchs Auge vollendet" (WA. II. 5 b, S. 12).

So ist das Auge nicht nur das Organ, Erscheinendes aufzunehmen, sondern in ihm selbst vollzieht sich Erscheinen: indem der Blick das Innere offenbart. „Wenn das Auge licht ist, wird der ganze Körper licht seyn und vice versa" (an Fr. v. Stein, 11. 3. 1781). Dem Mönch erschließt der Blick Eugeniens ihr Innerstes:

> „Ein reines Herz, wovon dein Blick mir zeugt." (V. 2748)

---

[6] Goethe zu Eckermann, 7. 10. 1828.
[7] Goethe an Schiller, 15. 11. 1796. – Briefwechsel, Bd. I, S. 259.

Eugenie erkennt an dem Blick des Gerichtsrats seine Gedanken, die auf ihre Rettung sinnen:

> „Mir bekennt dein Blick,
> Dein tiefer, ernster, freundlich trüber Blick . . .“ (V. 2041)

Gerade die hier genannte Trübung des Blickes ist Zeichen der leidenschaftlichen Bewegtheit, der innigen Anteilnahme des Gerichtsrates. Aber: es gibt in der menschlichen Organisation des Lebens andere, weitere Sinne. Auch einem anderen Sinne „entdeckt sich die ganze Natur. Man schließe das Auge, man öffne, man schärfe das Ohr, und vom leisesten Hauch bis zum wildesten Geräusch, vom einfachsten Klang bis zur höchsten Zusammenstimmung, von dem heftigsten leidenschaftlichen Schrei bis zum sanftesten Wort der Vernunft ist es nur die Natur, die spricht, ihr Dasein, ihre Kraft, ihr Leben und ihre Verhältnisse offenbart, so daß ein Blinder, dem das unendlich Sichtbare versagt ist, im Hörbaren ein unendlich Lebendiges fassen kann“ (AGA, 16, S. 9).

Zwar heißt es in einem Gespräch mit Riemer, jedes Organ sei spezifisch und nur für das Spezifische,[8] aber insofern alle Manifestationen der Natur untereinander verwandt sind, vermögen sie sich wechselseitig zu erschließen und ein Ganzes zustandezubringen.

Wie sich dem Auge eine ganze Welt aufbaut, so auch dem Ohr: jedes Mal ist es die eine Natur, die auf verschiedene Weise erscheint. Es gibt eine Welt des Lichtes wie eine „Tonwelt“, die „hervortritt in der Stimme, zurückkehrt durchs Ohr, aufregend zur Begleitung den ganzen Körper und eine sinnlich-sittliche Begeisterung und eine Ausbildung des inneren und äußeren Sinnes bestimmend“ (Bd. 18, S. 179–80). Der Welt der tönenden Erscheinungen wollte Goethe eine Tonlehre widmen, die aber Fragment geblieben ist.

Dabei hat Goethe die *Beziehung* der beiden, durchs Auge und durchs Ohr sich konstituierenden Welten der Erscheinungen durch Zuordnung in seinen Arbeiten dokumentiert. In dem Aufsatz ‚Physikalische Wirkungen‘ (AGA, 16, S. 858) stehen „chromatische und sonore“ Wirkungen abgesondert von den übrigen zusammen, sie nehmen eine Sonderstellung unter den physikalischen Wirkungen ein: „Sie stehen um ein Unglaubliches höher, sowohl in der Mannigfaltigkeit ihrer Erscheinungen als in der Möglichkeit ihrer ästhetischen Anwendung, welches jedoch im Grunde eins gesagt ist. Sie haben den ungeheuren Vorteil, daß sie für bestimmte Sinne vorzüglich wirken“ (AGA, 16, S. 859+862).[9] Der Unterschied zwischen Auge und Ohr scheint dort zu liegen, daß „das Auge vernimmt *und* spricht“, das Ohr aber „stumm“ ist. So notiert Goethe im Schema

---

[8] am 14. 1. 1807 – Pollmer, S. 267.
[9] vgl. auch die beiden letzten Spalten des Schemas „physikalische Wirkungen“, AGA, 16, S. 861.

zur Tonlehre zuerst: „Empfänglichkeit des Ohres. Scheinbare Passivität und Adiaphorie desselben (Indifferenz) – Gegen das Auge betrachtet ist das Hören ein *stummer* Sinn. – Nur der *Teil eines Sinnes*." Die Besinnung auf das doppelte Wesen alles Organischen, auf die alles Leben durchwaltende Diastole und Systole in ihrer Einheit läßt Goethe dann hinzusetzen: „Dem Ohr müssen wir jedoch als einem hohen organischen Wesen *Gegenwirkung und Forderung* zuschreiben." Zum organischen Wesen gehört die Fähigkeit der Gegenwirkung als Wesenseigentümlichkeit. Durch diese Gegenwirkung wird der Sinn des Ohres „ganz allein fähig, das ihm von außen Gebrachte aufzunehmen und zu fassen. Doch ist bei dem Ohr die Leitung noch immer besonders zu betrachten, welche durchaus erregend und produktiv wirkt. Die Produktivität der Stimme wird dadurch geweckt, angeregt, erhöht und vermannigfaltigt. Der ganze Körper wird angeregt" (Bd. 18, S. 180–1).

Das Ohr regt die Produktivität der Stimme an; ist das Ohr für sich stumm, die Stimme für sich taub, so sind sie gewissermaßen Teile eines umfassenderen Sinnes, der Aktivität und Rezeptivität verbindet und damit ein volles organisches Wesen ausmacht.

In ,Dichtung und Wahrheit' spricht Goethe anläßlich der in Frankfurt gesehenen Stücke Racines davon, „wie sie das Organ meines Ohres und das ihm so *genau verwandte* Sprachorgan gefaßt hatte ..." (Bd. 8, S. 110).

Die Zusammenarbeit dieser „organischen Wesen", wie Goethe die Sinne nennt, geht weiter: Nicht ist Auge von Stimme und Ohr isoliert, sie schließen sich nicht wechselweise aus. Im Gegenteil: sie wirken eng zusammen. Eine Maxime drückt dieses Verhältnis so aus: „Wort und Bild sind Korrelate, die sich immerfort suchen, wie wir an Tropen und Gleichnissen genugsam gewahr werden. So von jeher, was dem Ohr nach innen gesagt oder gesungen war, sollte dem Auge gleichfalls entgegenkommen. Und so sehen wir in kindlicher Zeit in Gesetzbuch und Heilsordnung, in Bibel und Fibel sich Wort und Bild immerfort balanzieren" (M+R, 88).

Den zusammenwirkenden Sinnen Auge – Ohr – Stimme erschließt sich erst voll die mannigfaltige Welt der Erscheinungen. Wie sich die Welt dem Menschen in sichtbaren und hörbaren Erscheinungen zugleich offenbart, gibt als deutliches Beispiel eine Stelle aus der Helena-Dichtung zu wissen:

Helena: „Als ich des königlichen Hauses Tiefe nun,
Der nächsten Pflicht gedenkend, feierlich betrat,
Erstaunt ich ob dem öden weiten Hallenraum.
Kein *Schall* der emsig Wandelnden begegnete
Dem Ohr; kein Eilen des Geschäftigen dem *Blick*,
Und keine Magd und keine Schaffnerin *erschien*."

(Bd. 5, S. 594)

Erst getrennt als Schall dem Ohr, als Bewegung dem Auge, teilen sich die
Erscheinungen den verschiedenen Sinnen mit; im Wort „erscheinen" verbinden sich die Weisen, und es baut sich so eine einheitliche Welt der Erscheinungen für den Menschen auf.
Auge und Ohr offenbart sich die Gottnatur in ihrer ganzen Fülle.

> „Soweit das *Ohr*, soweit das *Auge* reicht,
> Du findest nur Bekanntes, das ihm gleicht."
> (Gedicht ‚Prooemium', Bd. 1, S. 527)

Mit „ihm" ist „deus sive natura" gemeint.
Wenn Eugenie im I. Akt mit ihren Gefährten auf der Höhe des Berges
sichtbar wird, heißt es:

> „Sie *hören, sehen* unten in dem Tal
> Den Jagdgebrauch vollendet." (V. 163–4)

Die Innigkeit der Verbindung von Sehen und Hören zu einem einzigen
Akt der Weltaufnahme wird durch das Komma noch erhöht. Kein „und"
hält die beiden Wörter auseinander.

Vorzüglich der Mensch erscheint dem Menschen in seinem vollen Wesen
in diesem Doppelwirken von Auge und Ohr (Stimme). Offenbarung des
Innersten geschieht durch diese Sinne, wie es die Hofmeisterin an Eugnie
erfährt:

> „Wie heiter glänzt dein Auge! Welch Entzücken
> Umschwebet Mund und Wange! Welches Glück
> Drängt aus bewegtem Busen sich hervor!" (V. 909–10)

Durch Auge und Mund gespiegelt erscheint das Glück dem Gegenüber.
Blick und Ton bewirken für die aus der Ohnmacht erwachende Eugenie
Aufstehen und Rückkehr ins Leben und in die Welt. Zum Gerichtsrat
spricht sie:

> „Ich fand
> In meines Vaters liebevollem Blick,
> An seinem Ton mein Leben wieder." (V. 1883–4)

Auch dem Vater bedeutet ihr Aufwachen, das Aufschlagen ihrer Augen,
ihr Sprechen und Hören neue Sinnerfüllung der Welt, die ihm – durch
den Verlust seiner Tochter – bereits zu entgleiten drohte.

> „Nicht so umher, mein liebes Kind, verschwende
> Die Blicke staunend ungewiß; auf mich,
> Auf deinen Vater wende sie zuerst!
> Erkenne mich, laß meine Stimme dir
> Zuerst das Ohr berühren, da du uns
> Aus jener stummen Nacht zurückekehrst." (V. 219 ff.)

Der Sturz hatte Eugenie in die „stumme Nacht" versenkt: ins Lichtlose, in dem nichts gesehen wird, in ein Stummes, aus dem nichts Hörbares tönt. Den völligen Entzug der beiden sinnlichen Möglichkeiten zu erscheinen und Erscheinendes zu gewahren, bedeutet „stumme Nacht", aus der Eugenie wieder ans Licht gerufen wird. Zurückgekehrt, wird sie – sehend und hörend – neu lebendig: Die Verschlingung und Gleichzeitigkeit von (vorwiegend) aktivem („sehen") und passivem („hören") Verhalten weisen darauf hin, wie sich hier in einem vollen Sinn das vollzieht, was Goethe eine „Metamorphose im höheren Sinn, durch Nehmen und Geben" (M+R, 96) nennt.[10]

Hinzu tritt zu diesem Verhältnis der König, von dem der Herzog sagt:

> „Und was noch übrig ist von Schreck und Weh,
> Nimmst du, o Herr, durch deinen milden Blick,
> Durch deiner Worte sanften Ton hinweg." (V. 248-9)

Die folgende Szene (I, 5) zeigt den Vorgang des Erscheinens: Durch das Wort des Königs als Tochter des Herzogs anerkannt, tritt Eugenie in einen neuen Lebensraum hinein:

> „Mein Vater nennt vor seinem Könige
> Mich seine Tochter. O, so bin ichs auch!" (V. 261-2)

Doch ein zweiter Sturz wird Eugenie von der noch nicht ganz errungenen Höhe wieder herunterschleudern: und wieder sind es Blick und Wort, die auch in der neuen Ohnmacht, die sie umfängt, ihr neue Hoffnung geben können: Der Gerichtsrat soll ihr ein „hohes *Wort, das* (sie) zu *heilen töne*", sprechen. Als er ihr gegenübertritt, findet sie in ihm den ersten, „dem aus tiefer Not / ich *Blick und Wort* entgegen wenden darf" (V. 1868-9).

II

> „Man ist nie so allein, so überzeugt von der Unauflösbarkeit einer Situation, als nachdem man sie durch Reden zu lösen versucht hat."
> (H. v. Hofmannsthal)

Ereignis des Stückes ist das Erscheinen. Durch einen Blick in die naturwissenschaftlichen Schriften wurde Sinn und Gehalt von „erscheinen" und „verschwinden" als von morphologischen Termini aufgehellt, durch weitere Interpretation der geschichtsmorphologische Sinn gedeutet.

---

[10] vgl. dazu Novalis „Sprechen und Hören heißt befruchten und empfangen" (Fragm. 1161, ed. Wasmuth).

Bei der Wortbetrachtung war auf die „sinnlich-sittliche" Wirkung einer jeden Erscheinung eingegangen, d. h. wie die Erscheinung – etwa die Farbe – „auf den Sinn des Auges, dem sie vorzüglich zugeeignet ist, und durch dessen Vermittlung auf das Gemüt" (AGA, 16, S. 206) wirkt.

Die vorangestellte Betrachtung vermochte zu zeigen, wie Auge und Ohr *gemeinsam* wirken: zu erscheinen und Erscheinendes aufzunehmen. Handelt es sich bei dem Erscheinenden um Menschen, so eignet diesen als vielleicht bedeutsamstes und charakteristisches Medium des Erscheinens die Sprache. „Der Mensch ist ein geselliges, gesprächiges Wesen" (Bd. 7, S. 793).

Ganz eigentlich in und durch Sprache stellen sich die Verhältnisse unter Menschen dar, die „modi", von denen es in den ‚Wanderjahren' heißt: „Ubi sunt homines, modi sunt, welches wir deutsch erklären, daß da, wo Menschen in Gesellschaft zusammentreten, sogleich die Art und Weise, wie sie zusammensein und bleiben mögen, sich ausbilde" (Bd. 7, S. 1064). Man mag sich diese Verhältnisse oder „modi" auf noch so verschiedene Weise zustandekommen und bestehend vorstellen, immer wird die Sprache bei Gründung und Aufrechterhaltung wirksam sein. Die Sprache hat so einen eminent *politischen* Sinn. Gibt man zu, daß der Mensch dem Menschen so vorzüglich in der Sprache als sprechendes Wesen erscheint, so ist der *Dialog* der bevorzugte Ort, an dem die sinnlich-sittliche Wirkung derartiger Erscheinung geschieht. Im dialogischen Reden vollzieht sich „dialogisches Leben" (M. Buber).

Da Leben – Bewegung, Wandlung, Metamorphose ist, so ist Sprache als Dialog Element wiederholter und sich wiederholender Metamorphose, „Metamorphose im höheren Sinn, durch Nehmen und Geben, durch Gewinnen und Verlieren ..." (M+R, 96). Es gilt für Goethe die „alte Naturmaxime, wornach der Mensch dem Menschen durch die Sprache verständlich wird" (An Zelter, 11. 3. 1832). „Verständlich" weist auf „erscheinen", indem das Verständliche das Offenbare ist, das, was in seiner Wesenswahrheit erscheint. In seiner Wesenswahrheit erscheint der Mensch dem andern in der Sprache. Dies geschieht vorzüglich in der *gesprochenen* Sprache.

Die gesprochene Sprache in der Aktualität des Vollzugs ist der Vorgang des Erscheinens selbst. Deshalb heißt es im ‚Divan':

> „Wie das Wort so wichtig dort war,
> Weil es ein *gesprochen* Wort war." (Bd. 2, S. 11)

In den Maximen findet sich die Bemerkung, „über die wichtigsten Angelegenheiten des Gefühls wie der Vernunft, der Erfahrung wie des Nachdenkens solle man nur mündlich verhandeln" (M+R, 891). Das geschriebene Wort hingegen tötet, zerstört die sich lebend bewegenden Verhältnisse durch seine Starrheit.

Als wesentlicher Modus des menschlichen Seins wird die Sprache als Dialog das Ereignis des Erscheinens und Verschwindens auf die ihr eigentümliche Weise symbolisch darstellen.

Der Dialog in seinem Gelingen oder Mißlingen, ist ein Ort, an dem sich das Erscheinen der Figur in seinem Gelingen oder Mißlingen offenbart. Dies besonders im Drama, „weil im Drama die Figuren sich nur durch Reden zeigen können, nicht durch stilles Dasein und lautloses Reflektieren der Welt in ihrem durchscheinenden Innern."[11] „Der Dichter hat doch nichts anderes um seine Figuren zur Existenz zu bringen als daß er sie reden läßt."[12] Mit dem „zur Existenz bringen" ist wieder das „Erscheinen" der Figur gemeint.

Das „In-der-Welt-Erscheinen" als „dialogisches Leben" zu beschreiben, ist nächste Aufgabe der Interpretation, die an den Akten IV und V gelöst werden soll.

Diese Akte bilden eine Einheit, geschehnismäßig wie räumlich. Für beide gilt die gleiche Ortsangabe: „Platz am Hafen. – Zur einen Seite ein Palast, auf der anderen eine Kirche, im Grunde eine Reihe Bäume, durch die man nach dem Hafen hinabsieht." Der Hafen ist allgemein der Ort der Ankunft wie der Abfahrt, zunächst der Ankunft: So gewinnt Odysseus Land und trifft Nausikaa,[13] aber auch der Abfahrt: so rufen Knabe und Böllerschüsse den bei seiner Dora zaudernden Alexis.[14] Ankunft wie Abfahrt versammeln Hoffnungen in mannigfaltigem Sinn am Ort des Hafens. Hier – in den Akten IV und V – steht das Treiben auf Abfahrt. Die Atmosphäre des Abschiedes als einer tragischen Situation beherrscht die Szene und wird immer wieder ins Gedächtnis zurückgerufen. Es ist zu bedenken, daß für Goethe der Abschied die tragische Situation schlechthin bedeutet. „In jeder Trennung liegt ein Keim von Wahnsinn; man muß sich hüten, ihn nachdenklich auszubrüten und zu pflegen" (M+R, 998). In den Erklärungen zu W. Tischbeins Idyllen heißt es: „Das Grundmotiv aller tragischen Situationen ist das Abscheiden, und da brauchts weder Gift noch Dolch; das Scheiden aus einem gewohnten, geliebten, rechtlichen Zustand, veranlaßt durch mehr oder minderen Notzwang, durch mehr oder weniger verhaßte Gewalt, ist auch eine Variation desselben Themas" (AGA, 13, S. 898). „Abscheiden" in diesem Sinne ist eine Art des „Verschwindens", dessen Tragisches und Schmerzliches eben darin liegt, daß mit den Gegenständen, von denen man (ab-)scheidet, auch die geistigen Organe, die Gegenstände zu sehen, sich verlieren. Indem Abscheiden und Verschwinden sich im Hafen ereignen, haben sie den ihnen gemäßen Raum erhalten

---

[11] Hofmannsthal, Gespräch über Goethes Tasso, Prosa II, S. 432.
[12] Hofmannsthal, Die Ägyptische Helena (Ausgew. Werke in zwei Bänden, ed. Hirsch), Bd. II, S. 768.
[13] vgl. das Nausikaa-Fragment, Bd. 4, S. 848 ff.
[14] vgl. die Elegie „Alexis und Dora", Bd. 1, S. 189 ff.

– Hoffnungslosigkeit legt Schatten auf das Bild. Kaum noch erscheint das Meer als Raum für das (zwar gefährliche, aber lockende) Sich-Entfalten, sondern es ist das schlechthin Elementare und Formlose, in das hinein sich Gestalthaftes verlieren soll. Dies um so eher und symbolisch bedeutender, als im I. Akt die geschichtliche Situation vom König in einem Gleichnis dem rasch zum Ozean sich ergießenden Strom verglichen wird. Die Gefahr, die alle bedroht, „von einem Strom vermischt dahingerissen, im Ozean sich unbemerkt zu verlieren" (V. 369–70), hat Eugenie bereits erreicht. So kann der Weltgeistliche ihr Schicksal beklagen und sagen:

> „O! dieses Mädchens trauriges Geschick
> Verschwindet wie ein Bach im Ozean." (V. 1253)

Keine innere Dynamik treibt das Geschehen voran. Vielmehr wird es von außen gesteuert: äußere Dinge treiben an und bringen ein Minimum von Bewegung in die Szenen hinein, wiederum vergleichbar der Elegie ‚Alexis und Dora': wie dort der erreichte höchste Augenblick durch Kanonenschießen und Botensenden beendet wird, so wird auch hier in der ‚Natürlichen Tochter' das gleiche im Gespräch Hofmeisterin – Gerichtsrat offenbar. Gerichtsrat:

> „Ist euer Schicksal ängstlich so gesteigert?"

Hofmeisterin:

> „Im Hafen regt sich emsig schon die Fahrt." (V. 1834)

Daß sich im Hafen „emsig schon die Fahrt" regt, ist schicksalbestimmend. Nicht Selbstzweck ist diese äußere Bewegung, sondern dramatisch-ökonomische Notwendigkeit: sie ermöglicht die notwendige psychologische Verkürzung der inneren Vorgänge.

Entsprechend der Einheit des Ortes ist das Geschehen der beiden Akte einheitlich: Oben wurde bereits gesagt, es sei die Gegenbewegung zu den Akten I. und II.: Das Erscheinen enthüllt sich als ein Verschwinden.

Die äußeren Vorgänge, eingeleitet durch den Dialog Hofmeisterin – Gerichtsrat, lassen sich zusammenfassen als eine Reihe von Versuchen, Eugeniens mit den ihr begegnenden Figuren zu einem Einverständnis zu gelangen, das für sie Lebensrettung bedeutet. Das Einverständnis soll sprachlich erreicht werden.

Während vor dem Gespräch Eugenie – Mönch die erste Begegnung Eugeniens mit dem Gerichtsrat durch Eugenie selbst zu keinem Resultat führt, zeigt der 2. und 3. Versuch entschieden die Wirksamkeit des Politischen im abstrakt-anonymen Verstande, hier in dem rätselhaften Papier konkretisiert. Zwei verschiedne Aggregatzustände der Sprache stehen gegeneinander: das *gesprochene* Wort und das *geschriebene*. Die Macht des verfestigten, vom Sprechenden bereits abgelösten, jetzt anonymen geschriebenen Wortes ist derart, daß das gesprochene Wort zum Verstummen gebracht wird. Die Wirkung des Papiers ist so, daß die möglichen menschlichen Beziehungen, die sich in der lebendigen Sprache herstellen wollen, durch das Vorweisen des Papiers zerstört werden. Dies ist Goethe ein Symbol für eine Zeit, „wo die leidige Politik und der unselige Parteigeist alle freundlichen Verhältnisse aufzuheben droht."

III

Als was erfahren die Figuren Sprache? – Was ist Sprache für Eugenie? – Zu Beginn des V. Aktes spricht sie zur Hofmeisterin:

> „Du warst es, der ich dieser Worte Sinn
> Zuerst verdanke, dieser Sprache Kraft
> Und künstliche Verknüpfung; diese Welt
> Hab ich aus deinem Munde, ja mein eignes Herz." (V. 2371–74)

Dadurch, daß Eugenie die Sprache, eine bestimmte Sprache, von der Hofmeisterin gelernt hat, hat sie von ihr „diese Welt" erhalten: die äußere Welt und auch die innere. Einführung in die Sprache bedeutet Einführung in die Welt. Sagen und Zeigen erschließt die Welt.

Es wird schon hier deutlich, wie sehr der Vorgang des menschlichen Erscheinens als eines Eintretens in die Welt sich in der Sprache vollzieht und an die Sprache gebunden ist.

In der Sprache geschieht die „Aufklärung" über die Welt:

> „O, dürft ich dich *erleuchten,* dürft ich dir
> Verborgne Winkel *öffnen* . . ." (V. 897–98)

Die Welt, in der der Mensch erscheint, ist eine sprachliche, eine von der Sprache geordnete. Das neu erscheinende Wesen wird in diese Ordnung durch die „Gewalt der Stimme" eingeführt, von der Eugenie sagt:

> „Die mich einst so glatt zur Folgsamkeit gewöhnte,
> Die meines ersten bildsamen Gefühls
> Im ganzen Umfang sich bemeisterte." (V. 2367–70)

Der einführenden Stimme entspricht das Hören des Einzuführenden. Sprechen und Hören bilden so den Raum des Erscheinens, das sich in der Sprache vollzieht. Wie sehr Heimischwerden in der Welt und Heimischwerden in der Sprache eins sind, offenbart als Gegenbild Mignon in den ‚Lehrjahren'. Mignon ist nicht in der Sprache zuhause – sie spricht nur „gebrochen" (WA. I. 52, S. 260), sie spricht überhaupt schlecht und ungern: am ehesten ist sie da im Gesang, der Ausdruck ihrer aus dieser Welt fortstrebenden Sehnsucht ist. Indem man sich in der Sprache heimisch fühlt, ist man es auch in der Welt. Eugenie findet so, aus der Ohnmacht des Sturzes erwachend, „an seinem (ihres Vaters) Ton (ihr) Leben wieder" (V. 1884). In hilfloser Situation erwartet sie vom Gerichtsrat ein rettendes Wort:

> „O, sprich es aus,
> Ein hohes Wort, das mich zu heilen töne." (V. 2041)

„Ein einzig Wort" enthält für Eugenie das „ganze Glück" (V. 2065). So vermag die Sprache ein doppeltes: noch unentfaltetes Leben erscheinen zu lassen und ihm die Welt vertraut zu machen. Wenn es heißt:

> „Den Schmuck der Fürstentochter bringt man dir,
> Weil dich der König bald *berufen* wird." (V. 1012–13),

so liegt gerade in dem „berufen" die welteröffnende Funktion der Sprache beschlossen. Durch „berufen" und „nennen" wird erscheinendes Leben erst das, was es ist.

> „Mein Vater *nennt* vor seinem König
> Mich seine Tochter; O, *so bin* ichs auch!" (V. 261)

Und auch „heilend zu tönen", verwundetes Leben wiederaufzurichten und neu in den Zusammenhang der Welt einzuführen, vermag die Sprache. In diesen Leistungen liegt der „Zauber" der Sprache.

Aber die Sprache kann auch anderes. Als fertig gefügte, starre vermag sie die Welt zu *verstellen*. Den Zauber der Sprache, die Welt erschließt und Menschen in ihr erscheinen läßt, braucht die Hofmeisterin nach Eugeniens Urteil „gegen sie":

> „Nun brauchst du diesen Zauber *gegen mich,*
> Du fesselst mich, du schleppst mich hin und wider.
> Mein Geist verwirrt sich, mein Gefühl ermattet,
> Und zu den Toten sehn ich mich hinab." (V. 2375 ff.)

Im „gegen" wird die Funktion der Sprache umgekehrt. Sie bringt nicht mehr das Erscheinen in den ihm zugehörigen Raum, sondern die Sprache verhindert das Erscheinen, „retardiert". Die Verben des nachfolgenden Verses offenbaren die Wandlung: Im ersten Falle „hatte" Eugenie durch die Sprache „Welt", durch Erziehung und Bildung aus dem Munde der Hofmeisterin. Eugenie wurde so zur Welt befreit. Jetzt heißt es: „Du fesselst mich, schleppst mich hin und wider." – Zuerst ordnete sich durch „dieser Sprache Kraft und künstliche Verknüpfung" eine Welt. Jetzt heißt es: „Mein Geist verwirrt sich, mein Gefühl ermattet . . ."

So wird der Zauber der Sprache, der Welt aufzuschließen vermag, zur „fluchwürdigen Gewalt der Stimme" (V. 2367). Anstatt Freiheit zu geben, bindet sie mit Ketten:

> „Mit welchen Ketten führst du mich zurück?" (V. 2365)

Der neue verderbliche Zauber der Sprache geht von dem unheimlichen
Papier aus, von dem wir zunächst nichts erfahren, als daß es da ist und
wirkt. Auch dieses Dokument ist Sprache. Als geschriebenes Wort ist es
verfestigt, und es tritt so unter die wirkenden Naturkräfte ein – ohne den
Ursprung von einem menschlichen Gemüt noch in sich zu bewahren. „Ein
gesprochenes Wort tritt in den Kreis der übrigen, notwendig wirkenden
Naturkräfte mit ein" (Bd. 2, S. 656). Die Wirkung des Persönlichen auf
das Persönliche ist ausgelöscht. Wir erfahren hier, wie sehr „Schreiben (in
diesem Sinn und Zusammenhang) ein Mißbrauch der Sprache ist. (Denn)
der Mensch wirkt alles, was er vermag, auf den Menschen durch seine Persönlichkeit" (Bd. 8, S. 523–4).

Dieser unheimliche und in der Verfestigung durch die Schrift entmensch-
lichte Zauber des Dokuments läßt das Sprechen unter Menschen verstummen. Das Sprechen *schweigt* im Verstummen nicht nur, sondern es wird
erstickt.

Die Hofmeisterin, der im Gegensatz zum Sekretär „des Herzens Winke"
noch etwas bedeuten, die sich aufgerufen fühlt, „die schreckliche Gefahr
vom holden Zögling kräftig abzuwenden", die „zu ihrem (Eugeniens)
Heil gewidmet" fest dasteht: auch sie kann dem Andrang der Gewalt
gegen Eugenie nichts mehr entgegensetzen, und es bleibt ihr allein zu
sagen:

> „O, dürft ich dich erleuchten! Dürft ich dir
> Verborgne Winkel öffnen, wo die Schar
> Verschworener Verfolger tückisch lauscht!
> Ach, *schweigen soll ich!* Leise kann ich nur
> Dich ahnungsvoll ermahnen." (V. 897–901)

Die weisende, zeigende („erleuchten", „öffnen"), auch wohl warnende
(„ermahnen") Funktion der Sprache wird gewaltsam unterdrückt. Die
herrschende Macht verformt die Sprache, in der Menschen miteinander
sein sollen und können. Das „erleuchtende, öffnende, ermahnende" Wort
ist in der neuen Situation ein *„verratendes"*. Man muß diese Verkehrung
der Sprachfunktion in aller Schärfe sehen:

> „Und wagtest du, was ich dir anvertraut,
> Aus guter Absicht irgend zu *verraten:*
> So liegt sie tot in deinen Armen! Was
> Ich selbst beweinen werde, muß geschehen." (V. 881–85)

Als ein „verratendes" Wort ermöglicht die Sprache nicht länger „Erscheinen" der Figur, sondern hat absolutes „Verschwinden" zur Folge:
„Die ausgesprochne Silbe trug den Tod" (V. 2386). Unter diesem Druck
steht der Dialog Eugenie – Hofmeisterin in den Szenen 3–5 des II. Aktes,
in dem sich der Anschein des Aneinander-Vorbeiredens ausbreitet und in

der scharfen Antithetik der Sätze spürbar ist bis hin zu dem pointierten Schluß des Aktes:

Eugenie:

> „Unwiderruflich, Freundin, bleibt mein Glück!"

Hofmeisterin:

> „Das Schicksal, das dich trifft, unwiderruflich!"
>
> (V. 1147–8)

In einem kleinen Abschnitt der ‚Noten zum Divan' steht unter der Überschrift ‚Nachtrag' zu lesen: „daß die persische Poesie kein Drama hat". Es heißt dann weiter: *„Der Despotismus befördert keine Wechselreden . . ."* (Bd. 2, S. 258).

Hier – in der ‚Natürlichen Tochter' – wird der Dialog zwischen den Figuren durch eine derartige despotische Macht nicht nur „nicht befördert", sondern zerstört. Bis zur völligen Verfremdung treten die Figuren, die im Dialog eigentlich zueinander kommen sollen und wollen, auseinander. Eugenie kennt ihre sonst so vertraute Hofmeisterin nicht mehr:

> „Bist du denn ganz verwandelt? Äußerlich
> Erscheinst du mir die Vielgeliebte selbst;
> Doch ausgewechselt ist, so scheints, dein Herz." (V. 2324–26)

Da – einer Goetheschen Maxime entsprechend – ohnehin jeder nur das versteht, „was ihm gemäß ist" (M+R, 893), kann Eugenie in ihrem Glück die leisen Warnungen, die die Hofmeisterin ihr allein noch zusprechen darf, nicht hören und verstehen. So kommt die merkwürdige Doppelbödigkeit des Dialogs gerade dieser glanzvollen Erscheinungs-Szene zustande. Die bange Frage der Hofmeisterin: „. . . wirst du wohl im Taumel deiner Freude mich verstehen?" (V. 901–2) war nur zu berechtigt: Eugenie versteht die Warnungen nicht. Erst im V. Akt, als sie ihr Geschick völlig erfahren hat, wird ihr die rettende Funktion der Sprache wieder bewußt:

> „Du ahnetest solch ungeheures Übel
> Und warntest nicht den allzu sichern Mut?" (V. 2383 f.)

Hofmeisterin:

> „Wohl durft ich warnen, aber leise nur;
> Die ausgesprochne Silbe trug den Tod." (V. 2385–6)

Die Funktion der Sprache ist hier gründlich verändert, ja in ihr Gegenteil verkehrt: das ausgesprochene Wort hätte nicht mehr Leben, sondern Tod bedeutet.

So muß Eugeniens Versuch, noch einmal (IV. 4) mit der Hofmeisterin ins Gespräch zu kommen, scheitern:

Eugenie:

„In deiner Hand, ich weiß es, ruht mein Heil,
So wie mein Elend. Laß dich überreden!
Laß dich erweichen! Schiffe mich nicht ein!" (V. 2270)

Ein Einverständnis ist unmöglich, weil die Hofmeisterin nicht mehr auf
Eugenie „hören" kann und darf. Sie entgegnet:

„Ich gehorche nur
Der starken Hand; sie stößt mich vor sich hin." (V. 2275)

Eine außerpersönliche Macht erzwingt sich Gehorsam von der Hofmeisterin, die Folge dieses Gehorchens ist die Unmöglichkeit, einem anderen
weiterhin zu gehorchen, ja auch nur auf ihn zu hören. Eugeniens Worte
können von vornherein die Hofmeisterin, die unter dem Diktat der „starken Hand" steht, nicht mehr erreichen.

Die Sprache als Dialog, der Menschen zueinander führen soll, ver-
schlingt sich in dieser Situation. Eugenie kann aus den Antworten der
Hofmeisterin nur „verwirrenden, verfälschten ... Sinn" entnehmen (V.
2293).

Damit wird in dieser Szene der Ausblick frei auf eine Doppelbewegung,
die sich zu den schon aufgewiesenen Bewegungen im Stück gesellt: Sprache
als Medium des Erscheinens und Erscheinenlassens, als Stifterin einer inneren und äußeren Welt auf der einen Seite und Sprache in bestimmter verfestigter Form als starres Wesen, das als Naturkraft unter anderen dem
Leben feindlich entgegensteht und zum „Verschwinden" zwingt, auf der
anderen Seite.

Was eines der prophetischen Worte der ‚Wanderjahre' – in das neue
Jahrhundert hinausblickend – sagt, scheint hier in der ‚Natürlichen Tochter' bereits vorweggenommen. Es heißt dort: „In der alten Welt ist alles
Schlendrian, wo man das Neue immer auf die alte, das Wachsende nach
starrer Weise behandeln will; dieser Konflikt, den ich ankündige zwischen
Lebendigem und Totem, er wird auf Leben und Tod gehen" (Bd. 7, S.
1088). In der besprochenen Szene konkretisiert sich dieser Kampf als Auseinandersetzung zwischen lebendiger, unmittelbar das Gegenüber an-
redender Sprache und toter, in der Schrift verfestigter Sprache: die lebendige Form unterliegt der starren, sie muß verschwinden, ersticken. Der
Dialog spiegelt so an dieser Stelle bereits das Ereignis des Stückes.

IV

Betrachten wir nun den folgenden Dialog Eugenie – Gouverneur, der so
beginnt:

„Schon regt sich am Palast des Gouverneurs
Die Wache; jener ist es, der die Stufen,

Von mehreren begleitet, niedersteigt.
Ich will ihn sprechen, ihm den Fall erzählen!
Und ist er wert, an meines Königs Platz
Den wichtigsten Geschäften vorzustehen,
So weist er mich nicht unerhört von hinnen." (V. 2406–12)

Die drei ersten Verse geben ein Gesehenes: der Gouverneur erscheint uns zuerst in den Worten Eugeniens. Dann heißt es unvermittelt: „Ich will ihn *sprechen!*"[15] Dieser Satz gewinnt auf dem Hintergrund, wie er oben gezeichnet wurde, Bedeutung und existentielle Notwendigkeit: Eugenie, die bei der ihr sonst vertrauten Hofmeisterin keine Hilfe mehr fand, desgleichen nicht bei der Menge, an die sie sich wandte, wendet sich jetzt an den Gouverneur. Sie ist von der Not getrieben:

„Entgegen treibt mich dir die höchste Not." (V. 2423)

Später wird Eugenie von der gleichen Not zur Äbtissin getrieben, um sich dieser mitzuteilen. Die Möglichkeit, sprachlich sich einem anderen zu offenbaren, erscheint hier als ein letztes Rettungsmittel. „Was hat der arme Mensch Besseres als Worte, wenn er das hingeben möchte, was ihm ganz gehört" (Bd. 3, S. 943). Einem solchen Sprechen, das ein äußerstes an Selbstoffenbarung bedeutet, muß ein aufnehmendes Hören entsprechen. Der so Sprechende darf nicht „unerhört" (V. 2412) bleiben; sonst ist sein Sagen ein unerfülltes, ein unvollkommnes. So getrieben, will Eugenie sich dem Gouverneur nähern und „ihn sprechen", „ihm den Fall erzählen", was nichts anderes bedeutet, als in der Sprache dem anderen erscheinen wollen.

Diesem Sagen und Bekennen stehen sogleich zwei Hindernisse im Wege: Die Hofmeisterin, von der Erzieherin zur Bewacherin Eugeniens geworden, verhindert äußerlich diesen Schritt nicht, aber:

„Doch nennst du keinen Namen, nur die Sache!" (2413)

Eugenie antwortet:

„Den Namen nicht, bis ich vertrauen darf." (2314)

Sie ahnt nicht, daß damit die Möglichkeit, dem Gegenüber in der Sprache zu erscheinen, schon vereitelt ist: denn der Name steht für die Person. Der Name steckt wie kaum etwas anderes sonst den Raum der Begegnung ab. Dadurch, daß sie gezwungen ist, den Namen zu verschweigen, wird die Sphäre des Persönlichen nicht erreicht. Indem der Name nicht genannt werden darf, sondern nur die Sache, darf das Individuum als Person nicht erscheinen.

---

[15] vgl. Gerichtsrat: „Ich will sie sprechen!" (V. 1860).

Ein zweites Hindernis deutet sich in den Versen der Hofmeisterin an:

„Es (Gouverneur) ist ein edler junger Mann und wird,
Was er vermag, *mit Anstand* gern gewähren." (V. 2415–16)

Was ist „Anstand"? – gesellschaftlich-konventionelles Verhalten: als solches ist es sowohl errungene Freiheit als auch anerkannte Begrenzung. Anstand begrenzt das Individuell-Mögliche auf das Gesellschaftlich-Erlaubte. „Jedermann – so sagt Goethe in einem Gespräch zu Eckermann (12. 3. 1828) – ist fein und *höflich,* aber niemand hat den Mut, *gemütlich* und *wahr* zu sein, so daß ein redlicher Mensch mit natürlicher Neigung und Gesinnung einen recht schweren Stand hat." Dieses Diktum trifft auf das Verhalten des Gouverneurs insofern zu, als er – wie die folgende Szene zeigt – zwar „höflich und fein" ist, aber sich keineswegs zu einem persönlichen, d. h. „gemütlichen und wahren" Handeln durchringen kann. Er hat sich an eine politische Situation angepaßt, „in der man ohne Verstellung und Flachheit nicht umhergehen kann" (Bd. 15, S. 973).

Es entfaltet sich der Dialog Eugenie – Gouverneur: Von den ersten Worten des Gouverneurs:

„Wer sich, wie du, dem ersten Blick empfiehlt,
Der ist gewiß des freundlichsten Empfangs." (V. 2420–21),

in denen sich Möglichkeiten freien Erscheinens anzudeuten scheinen, über die Einschränkung Eugeniens:

„Doch leider ohne Namen tritt sie auf." (V. 2427),

worauf der Gouverneur antwortet:

„Ein Name wird vergessen; dem Gedächtnis
Schreibt solch ein Bild sich unauslöschlich ein." (V. 2428),

bis hin zu den Schlußworten des Gouverneurs:

„So kann ich freilich nur beglückte Fahrt,
Ergebung ins Geschick und Hoffnung wünschen." (V. 2486–7)

geschieht eine fortschreitende *Verengung* der Dialogmöglichkeit. Es offenbart sich: Solange das schreckliche Geschick, von dem Eugenie dem Gouverneur als von dem ihrigen spricht, ohne Namen des Betroffnen, d. h. ohne Erkenntnis und Bestimmung der Person, erscheint, ist der Gouverneur allgemein menschlich teilnehmend. Sobald ihm aber das Dokument die Umstände, Person und die hier waltende Macht ankündigt, sucht er sich ins einfach Pflichtgemäße, Unpersönliche der starren, dienenden Funktion zurückzuziehen. Der begrenzende Aspekt des „Anstandes" wird wirksam. Die Hofmeisterin hält ihm das Papier hin. Der Gouverneur, „der es aufmerksam eine Weile angesehen", sagt – paralysiert durch das Gelesene:

„So kann ich freilich nur beglückte Fahrt,
Ergebung ins Geschick und Hoffnung wünschen." (V. 2487–8)

Auf diese Weise im Dialog nicht zur Erscheinung gelangend, „verschwindet Eugenie ins Nichts der Asche" (V. 1184–5).

„Jeder kehret schnell
Den Blick zum Leben und vergißt im Taumel
Der treibenden Begierden, daß auch sie
Im Reihen der Lebendigen geschwebt." (V. 1185 ff.)

So aus den menschlichen Verhältnissen verwiesen, benommen der Möglichkeiten einer „Metamorphose im höheren Sinn, durch Nehmen und Geben, Gewinnen und Verlieren" (M+R, 96), kommt Eugenie zur Einsicht in ihr eigenes Geschick:

„Seis, wie es will, ich bin verloren, bin
Aus allem Vorteil dieser Welt gestoßen." (V. 2503–4)

Eugenie darf – so wollen es die herrschenden Mächte – nicht als sie selbst erscheinen. Dazu bedürfte sie des (echten, gelungenen) Dialogs. Zwar lädt der Gouverneur Eugenie zu sich, daß sie vor ihm erscheine, ihm ihr Geschick vollends offenbare, aber die Hofmeisterin tritt – „ihm das Papier überreichend" – dazwischen:

„Wenn wir auf deine Ladung *nicht erscheinen,*
So ist dies *Blatt* Entschuldigung genug." (V. 2484)

Das Papier – so offenbart sich jetzt – ist das eigentliche „Todesblatt" (V. 2491), durch das Eugeniens Erscheinen zum Verschwinden wird.

„Ist dies der Talisman, mit dem du mich
Entführst, gefangen hältst, der alle Guten,
Die sich zu Hilfe mir bewegen, lähmt?" V. 2488)

Das Wort, das – wie eingangs aufgewiesen – freimacht, in eine bekannte Welt den Zugang freilegt, hat hier sein Wesen verkehrt: Es ist ein Talisman, der entführt, gefangen hält und teilnehmende Menschen lähmt: im tiefsten Sinn ein „Todesblatt".

V

Im nächsten Dialog-Versuch (Eugenie – Äbtissin, V. 4) hat sich die Intention der Bittenden geändert.

Ging Eugeniens Bestreben in den drei vorhergehenden Versuchen (Eugenie – Gerichtsrat, Eugenie – Volk, Eugenie – Gouverneur) auf *unbedingtes Erscheinen* in der Welt, hatte sie aus diesem Grunde das Eheangebot des Gerichtsrates wegen der Enge des zu erwartenden Zustandes abgelehnt, so richtet sich jetzt ihr Streben, nachdem sie durch die Macht des Papiers von der Absolutheit ihrer Gefährdung erfahren und einsehen gelernt hat, daß sie „aus allem Vorteil dieser Welt gestoßen" ist, auf ein *begrenztes Erscheinen*, ein Erscheinen im umzirkten Raum eines Klosters. Eugenie als sich entfaltendes Wesen ist nicht länger von jener „Spannung" erfüllt, die Goethe „einen indifferent scheinenden Zustand eines energischen Wesens in völliger Bereitschaft sich zu manifestieren, zu differenzieren, zu polarisieren" nennt (Bd. 18, S. 100). Nicht mehr das, was sie erwartet, soll sich erfüllen: sie unterwirft sich vielmehr dem Verhängten als ihrem „Los" und Geschick.

> „Laß diesen Schritt mich ins Verborgne tun!
> Was mich daselbst erwartet, sei mein Los." (V. 2513–14)

Die große Welt, so hat sie erfahren, ist nicht der ihr gegönnte Raum des Erscheinens: Darum:

> „Entsag ich denn auf ewig dieser Welt." (V. 2505)

So steht die Begegnung mit der Äbtissin unter leicht veränderten Zeichen. Aber: wieder geht es im Dialog um die Offenbarung des eigenen Wesens in und durch Sprache mit dem Ziel relativen, begrenzten Erscheinens. Zwar weiß Eugenie:

> „Unendlich ist mein Übel, schwerlich möcht'
> Es durch der *Worte göttliche Gewalt*
> Sogleich zu heilen sein …" (V. 2532–34)

Aber sie glaubt noch an die „göttliche Gewalt" der Sprache, die sie zu heilen vermag, selbst wenn das Übel groß ist, sie glaubt an die Möglichkeit, daß ihr Gegenüber ihr hörend entsprechen kann, und erhofft sich so Hilfe von der Äbtissin:

> „Verbirg mich vor der Welt im tiefsten Winkel!" (V. 2551)

Indem Eugenie so zur Äbtissin – ebenfalls wieder als namenloses Wesen – spricht, spricht sie sich – nach den Worten der Äbtissin – „an unser Herz" (V. 2554). Eugeniens Worte scheinen zum Zentrum der Person, zum Herzen der Äbtissin durchzudringen: Eugenie nimmt die Antwort, das antwortende Entsprechen vorweg und sagt: „Ich bin im Hafen!" (V. 2560). Ist ihr Wort angekommen, so glaubt sie sich selber in Schutz gebracht, denn Hören und dem Gehörten Entsprechen sind ihr eins.

So wie sie im I. Akt das Netzsymbol umdeutete, so jetzt das Motiv des Hafens: Sie nimmt ihn als Ort der Ankunft, als ein Bergendes, wo man geschützt erscheint: und doch ist es hier der Ort der Abfahrt, des Abschiedes, des Verschwindens. In der Ambiguität des Hafen-Motivs offenbart sich die Spannung des Ereignisses „erscheinen – verschwinden", wie es dieses Stück durchwaltet, und zugleich, wie unvollkommen noch Eugenie mit ihrem Geschick eins geworden ist.

Wieder ist es das Blatt Papier, das, von der Hofmeisterin vorgewiesen, alles zerstört:

> „... wenn nicht ein grausam Schicksal widerstünde." (V. 2561)

Das Papier ist Schicksal, durchgreifend wie dieses. Das als bergender Hafen Erkannte ist durch die Macht des Dokumentes kein Ort der Ankunft.

Es ist wichtig, sich die szenischen Bemerkungen zu vergegenwärtigen: Auf Eugeniens Erzählung antwortet die Äbtissin:

> „Geliebte Tochter! Komm an meine Brust!" (V. 2556)

Darauf Eugenie:

> „... Die letzte Welle
> Umspült mich weichend noch, *ich bin im Hafen*!" (V. 2559)

Endlich die Hofmeisterin: *„dazwischentretend"* (wie die Regieanweisung ankündigt):

> „... Wenn nicht ein grausam Schicksal widerstünde."

Durch das „Dazwischentreten" wird die schon geschlossene Verbindung Eugenie – Äbtissin wieder annulliert.

Desgleichen wird durch das Papier die Gültigkeit des bisher gesprochenen Wortes vernichtet: es war ein „vergeblich" Wort, das zwischen Eugenie und Äbtissin gewechselt wurde.

Die Äbtissin kann nur noch – wie der Gouverneur vorher – sagen:

> „Ich beuge vor der höhern Hand mich tief,
> Die hier zu walten scheint." (V. 2565 ff.)

Indem sie dies tut, verschließt sie sich dem Anspruch der Bittenden. Sie verstummt. „Ein edles Wesen" wie Eugenie vermag nicht länger „an ihr Herz zu sprechen". Auch die Äbtissin gehorcht einer „starken Hand" (V. 2275) und hört nicht mehr auf Eugenie: Deren Wort vermag ebenso wenig den Hafen zu finden, in dem es ankommen kann, wie Eugenie selbst. Ihre scheinbar erfüllte Hoffnung „ich bin im Hafen" erweist sich in doppeltem Sinne als eine Täuschung.

Resultat des vierten Dialog-Versuches ist:

> „So ist mir denn das schönste Königreich,
> Der Hafenplatz, von Tausenden belebt,
> *Zur Wüste worden*, und *ich bin allein*." (V. 2606–7)

Das in viermaligem Anlauf versuchte Erscheinen in der Sprache, durch Miteinandersein im Sagen und Hören, ist ins Verschwinden verkehrt.

Eugeniens Zustand entspricht dem eingangs zitierten Hofmannsthal-Wort: „Man ist nie so allein, so überzeugt von der Unauflösbarkeit einer Situation, als nachdem man sie durch Reden zu lösen versucht hat."[16] Die Sprache ist die große Möglichkeit, das Miteinandersein zu erreichen. Von dieser Möglichkeit getrennt, glaubt sich Eugenie verloren. Kann man dem anderen nicht erscheinen, so verschwindet man in der verhüllenden Einsamkeit. Die eigentliche Möglichkeit zu leben ist genommen.

VI

Zweimal wurde durch das Papier der Dialog, der eben in Gang kommen wollte, gestört, ja zerstört.

Gouverneur und Äbtissin beugten sich dem Dokument: sie waren von der dort symbolisierten Macht paralysiert.

Anders ist es in der ersten Begegnung Eugenie – Gerichtsrat. Gouverneur und Äbtissin lesen das Dokument jeweils *nach* ihrer Unterredung mit Eugenie; diese Rede wird dann durch das Papier zu einem *„vergeblichen"* Wort.

Allein der Gerichtsrat kennt das Dokument bereits *vor* seinem Zusammentreffen mit Eugenie. Die Hofmeisterin, für die der Gerichtsrat „als ein Leitstern wonniglich erscheint" (V. 1734), reicht ihm das Papier:

Gerichtsrat:

> „Sonderbar jedoch
> Will es mich dünken, daß du eben diesen,
> Den du gerecht und edel nennen willst,
> In solcher Sache fragen, ihm getrost
> Solch ein Papier vors Auge bringen magst,
> Worauf er nur mit Schauder blicken kann.
> Nicht ist von Recht, noch von Gericht die Rede;
> Hier ist Gewalt, entsetzliche Gewalt!" (V. 1741 ff.)

Gouverneur und Äbtissin beugten sich widerspruchslos der Macht, die hier waltet. Gouverneur:

> „So kann ich freilich nur beglückte Fahrt,
> Ergebung ins Geschick und Hoffnung wünschen." (V. 2486–7)

Äbtissin:

> „Ich beuge vor der höhern Hand mich tief,
> Die hier zu walten scheint." (V. 2565 ff.)

---

[16] H. v. Hofmannsthal, Ausg. Werke (ed. Hirsch), Bd. II, S. 768.

Wohl weiß der Gerichtsrat sich durch die Macht, durch die Hofmeisterin
und den Befehl in ihren Händen, gefährdet:

> „Entferne dich
> Aus meiner Enge reingezognem Kreis." (V. 1801–2)

Doch hat die Offenbarung von Eugeniens Situation und Schicksal für ihn
– den Gerichtsrat – eine andere Wirkung: Zur Hofmeisterin gewendet,
spricht er die Worte:

> „Ich weiß, ich fühle deinen Zustand, kann
> Und mag nicht mit mir selbst bedächtig erst,
> Wie Klugheit forderte, zu Rate gehen.
> *Ich will sie sprechen* . . .
> (dann für sich allein:)
> Was geschehen soll,
> Es wird geschehen! In ganz gemeinen Dingen
> Hängt viel von Wahl und Wollen ab; das Höchste,
> Was uns begegnet, kommt wer weiß woher." (V. 1857)

Das „Ich will sie sprechen" entspricht äußerlich genau Eugeniens Worten
vor der Begegnung mit dem Gouverneur: „Ich will ihn sprechen, ihm den
Fall erzählen!" (V. 2409). Und doch ist die Situation, aus der diese Worte
entstehen, eine völlig andere: Den Gerichtsrat treibt keine Not: er ist von
Eugeniens Erscheinung getroffen, diese zwingt ihn, sich zu ihr zu wenden.

> „Doch du erscheinest: ich empfinde nun,
> Was ich bedurfte. Dies ist mein Geschick!" (V. 2167–8)

Menschliche Begegnung wird hier als zwingendes Geschick erfahren. So
ist es nicht verwunderlich, daß der Gerichtsrat das Gespräch mit Eugenie
beginnt. Sie braucht ihm nicht erst „in den Weg zu treten" (V. 2418).

Sie braucht sich dem Gerichtsrat nicht in diesem Sinne zu offenbaren,
sie braucht aber auch nicht auf ihren Namen zu verzichten, wie bei den
anderen Begegnungen. Der Gerichtsrat weiß um sie: um ihr *persönliches*
Schicksal.

So ist er der erste, dem Eugenie „Blick und Wort entgegen wenden darf"
(V. 1869). Ihr Wort, das sie an ihn richten wird, findet einen Teilnehmenden. Es geht von ihm die sittliche Wirkung des Hörens aus, die das Wort
evoziert.

> „So mild und edel, als du mir erscheinst,
> Dies Angstgefühl, ich hoffe wird sich lösen." (V. 1870–1)

Auch Eugenie erscheint dem Gerichtsrat als eine, die, wohin sie geht und
kommt, Glück und Heil den ihr Begegnenden bringt. In der Rede erscheinen beide einander in ihrem sich offenbarenden und aufeinander wirkenden Wesen, und in solcher Begegnung machen beide eine „Metamor-

phose im höheren Sinne" mit, „durch Nehmen und Geben" (M+ R, 96),
oder eine „Regeneration"[17] durch. Der Gerichtsrat:

„Doch du erscheinest: ich empfinde nun,
Was ich bedurfte. Dies ist mein Geschick." (V. 2167–68)

Hierdurch ist der Dialog zwischen Eugenie und Gerichtsrat von vornherein auf eine andere Ebene gestellt als die eben besprochenen dialogischen Versuche. Er liegt jenseits der Möglichkeit, durch das verhängnis-
volle Papier zerstört zu werden.

VII

Jedes Verhältnis hat einen doppelten Aspekt. So fordert das gewonnene
Bild der Dialog-Verhältnisse eine Ergänzung, derart daß wir durch das
Papier nicht nur Eugeniens Erscheinen verhindert sehen dürfen, sondern
– da der Dialog als Ganzes gestört ist – auch das Erscheinen der Gesprächspartner Gouverneur und Äbtissin.

Es wurde gezeigt, wie der Gouverneur und die Äbtissin beim Anblick
des Papiers von diesem gelähmt, in eine allgemeine, unpersönliche Art des
Seins fallen, woraus der aufkommende Dialog sie eben hatte befreien
wollen.

Allgemeine Formeln beenden jeweils den Dialog. Gouverneur:

„So kann ich freilich nur beglückte Fahrt,
Ergebung ins Geschick und Hoffnung wünschen." (V. 2486–7)

Dies eine Formel, die angesichts der verzweifelten Lage Eugeniens wie
Hohn klingt. Die Äbtissin:

„Ich beuge vor der höhern Hand mich tief,
Die hier zu walten scheint." (V. 2565–66)

Auch die Hofmeisterin hatte sich durch eine vergleichbar formelhafte
Wendung dem Anspruch Eugeniens entzogen:

„Ich gehorche nur
Der starken Hand, sie stößt mich vor sich hin." (V. 2274–5)

In allen diesen Fällen – und das ist das Entscheidende – ist die „persönliche" Art des Handelns und Wirkens durch die Wirkung des Papiers unmöglich geworden. Das Wirken der Figuren wird „mechanisch": zur einfachen Reaktion auf den Anspruch eines Mächtigen, das kein Sittliches ist.
Das in den zitierten Wendungen auftretende „Ich" ist nicht die echte Persönlichkeit, der Kern des Individuums in seiner Freiheit, es ist hier viel

---

[17] H. v. Hofmannsthal, Aufzeichnungen, (1959), S. 27 ‚Buch der Freunde',
wo es heißt: „Jede neue Bekanntschaft zerlegt uns und setzt uns neu zusammen.
Ist sie von der größten Bedeutung, so machen wir eine *Regeneration* durch."

eher lediglich Ausdruck eines kollektiven „Man", der Sammelpunkt kollektiver Ansprüche. Indem das Persönliche der Gesprächspartner sich nicht mehr mitteilen kann und darf, erst recht nicht zu einem not-wendenden Tun gelangen darf, kommt das Wesen dieser Partner Eugeniens ebenfalls – aber auf andere Weise – nicht zur Erscheinung.

Damit ersteht eine Situation, auf die ein Wort aus den ‚Unterhaltungen' paßt: „Wie selten – so heißt es dort, – daß uns die reine Tugend irgend eines Menschen erscheint, der wirklich für andere zu leben, für andere sich aufzuopfern getrieben wird" (Bd. 6, S. 601). Was Gouverneur und Äbtissin tun, ist kein Aufgeben ihrer Person, um durch die Aufgabe erst recht zur Person zu werden. Ihnen geht dieses „Stirb und Werde" ab. Was ihnen eigentümlich ist, ist das Aufgeben der Person, das ein Verlieren derselben einschließt, durch selbstisches Festhalten an derselben.

So wird wieder – zwar auf anderer Ebene – der Doppelvers

> „Der Schein, was ist er, dem das Wesen fehlt?
> Das Wesen, wär es, wenn es nicht erschiene?" (1065–66)

zum Schlüssel auch für die Problematik des Dialogs.

Eugenie, die „natürliche Tochter", reines Wesen, kann nicht erscheinen, weil eine Macht, die sich in den Schlußakten in dem unheimlichen Dokument konkretisiert, ihr keinen Raum gibt. Sie ist – wie Molières ‚Misanthrop' – gezwungen, in einer sozialen Welt zu leben, „in der man ohne Verstellung (Schein) und Flachheit (Verlust des Wesens!) nicht umhergehen kann" (Bd. 15, S. 973). Der Gouverneur wie die Äbtissin, in dieser Welt einmal lebend, dringen nicht mehr zu ihrem Wesen und der eigenen Wahrheit durch.

Goethe selbst hat – einer Notiz des Kanzlers v. Müller zufolge – diese Durchdringung des öffentlichen Lebens mit dem wesentlichen Leben vermocht: „Ich wirke nun 50 Jahre in meinen öffentlichen Geschäften *nach meiner Weise, als Mensch, nicht kanzleimäßig*, nicht so direkt und folglich etwas minder platt. Ich suche jeden Untergebenen frei im gemeßnen Kreis sich bewegen zu lassen, damit er auch fühle, daß er ein Mensch sei. Es *kommt alles auf den Geist an*, den man einem öffentlichen Wesen einhaucht und auf Folge" (23. 8. 1827).

Gouverneur und Äbtissin vermögen es nicht, dem öffentlichen Wesen „Geist" einzuhauchen. An verschiedenen Stellen dieses Dramas wird deutlich, daß es gerade der Verlust dieses „Geistes" ist, der alles zur Auflösung in die Elemente treibt: zur Auflösung der menschlichen Verhältnisse wie der staatlichen.

> „Wo blieb des Ahnherrn
> Gewaltger *Geist*, der sie zu *einem* Zweck
> Vereinigte! ..."

„Er ist *entschwunden!* Was uns übrig bleibt,
Ist ein Gespenst, das mit vergebnem Streben
Verlorenen Besitz zu greifen wähnt." (2831 ff.)

Was bisher über Gouverneur und Äbtissin gesagt wurde, gilt in noch grö-
ßerem Maße für die Masse, auf die Eugenie zunächst so große Hoffnung
setzte (Schluß von Akt IV).

> „Aus roher Menge kündet
> Ein mächtger Ruf mir meine Freiheit an." (V. 2351–2)

Die Hofmeisterin warnt Eugenie:

> „Die rohe Menge hast du nie gekannt:
> Sie starrt und staunt und zaudert, läßt geschehn;
> Und regt sie sich, so endet ohne Glück,
> Was ohne Plan zufällig sie begonnen." (V. 2353–6)

Auch der Gerichtsrat will Eugenie – durch das Angebot der Ehe – vor
dem rohen Drang der Menge in Schutz nehmen. Aber Eugenie erhofft sich
ihre Rettung von diesem Gestaltlosen:

> „Dort unten hoff ich Leben aus dem Leben,
> Dort, wo die Masse tätig strömend wogt,
> Wo jedes Herz, mit wenigem befriedigt,
> Für holdes Mitleid gern sich öffnen mag." (V. 2358–61)

Goethe versuchte gar nicht, Eugeniens Begegnung mit der gestaltlosen
Menge zu gestalten. Wir erfahren nur den Reflex dieses erfolglosen Un-
ternehmens zu Beginn des V. Aktes. Können schon die aus der Menge
herausgehobenen Figuren wie Gouverneur und Äbtissin, aber auch Sekretär, Weltgeistlicher und König, nicht ihre volle Wesenswahrheit erreichen,
unterstehen sie schon alle dem Mächtigen, das sie regiert, so erst recht die
Menge des Volkes.

c) DER MONOLOG

I

Das Kapitel ist ‚Dialog' überschrieben: in ihm wurden bisher Probleme
des Miteinanderseins in der Sprache behandelt.

Dramatisches Sprechen bezieht den Monolog ein. Miteinandersein setzt
die Möglichkeit des Fürsichseins voraus, der Dialog die des Monologs.
Beides gehört – als Möglichkeiten der verlautenden Sprache – zusammen.

Wir können daher an den Monologen in der ‚Natürlichen Tochter' nicht
vorbeigehen.

Welche Funktion dem Monolog im Drama gegeben ist, ist eine Frage, die sich nicht ein für alle Mal beantworten läßt: Ein Monolog von Shakespeare ist etwas anderes als ein Schiller-Monolog, dieser wiederum grundsätzlich verschieden nach Wesen und Funktion von einem Monolog bei Kleist oder Büchner. Und auch Goethes Monologe gehorchen einer eigenen Gesetzlichkeit. Letztlich wird sich die Funktion eines Monologs nur aus der konkreten Situation eines Dramas interpretieren lassen.

Vergleichen wir Goethes drei „klassische Dramen" (‚Iphigenie' – ‚Torquato Tasso' – ‚Natürliche Tochter') hinsichtlich der Monologe, so fällt zunächst auf, daß den sieben Monologen der ‚Iphigenie' und den neun des ‚Tasso' in der ‚Natürlichen Tochter' nur deren vier gegenüberstehen.

Im ‚Tasso' fallen fünf Monologe auf den Titelhelden, zwei auf Leonore, einer auf die Prinzessin. Es ist bezeichnend, daß der Welt- und Hofmann Antonio sich nicht in einem Monolog ausspricht. In der ‚Iphigenie' spricht Iphigenie selbst fünf Monologe, Orest und Thoas je einen, d. h. die Hauptfiguren offenbaren ihr Wesen und Tun jeweils im monologischen Sprechen.

In der ‚Natürlichen Tochter' gibt es vier Monologe, von denen der erste von der Hofmeisterin gesprochen wird, die übrigen von Eugenie. Weder der Herzog, noch der König, noch die anderen Figuren äußern sich monologisch.

II

Betrachten wir den ersten Monolog (II, 2.): Die Hofmeisterin ist allein. Der Sekretär hat sie soeben verlassen. Ihrem entschiedenen Eintreten für ihren Zögling Eugenie, indem sie sich erklärt, die „schreckliche Gefahr vom holden Zögling abzuwenden" (V. 864–65), wird ein ebenso entschiedenes Machtwort des Sekretärs entgegengesetzt: Die Hofmeisterin könne Eugenie nur durch unbedingten Gehorsam gegen die Verschwörer schützen und retten:

> „Willst du zu diesem Plan nicht tätig wirken,
> Denkst du, dich ihm geheim zu widersetzen,
> Und wagtest du, was ich dir anvertraut,
> Aus guter Absicht irgend zu verraten:
> So liegt sie tot in deinen Armen! Was
> Ich selbst beweinen werde, muß geschehn." (V. 879–85)

Aus dieser Situation, in der der Sekretär die Hofmeisterin allein läßt, ergibt sich zwingend der Monolog der Hofmeisterin. Dieser schließt sich nicht lediglich zufällig an diese Szene an, aus einem Bedürfnis des Dichters, die Konfiguration zu variieren: Die Hofmeisterin, zum Schweigen und folgsamen Tun gezwungen, spricht monologisch, weil ihr keine andere Möglichkeit zu sprechen mehr bleibt. Im zweiten Teil kreist der Monolog um das Thema des Dialogs:

„O! dürft ich dich erleuchten! dürft ich dir
Verborgne Winkel öffnen, wo die Schar
Verschworener Verfolger tückisch lauscht.“ (V. 897 ff.)

Zweimal erscheint ein Konjunktiv („dürft ich“)! Zweimal der Versuch des Vordringens zu einem Du: mit dem Ziel zu warnen. Aber die Wunschform deutet zugleich auf die Unmöglichkeit der Erfüllung hin: Es kann diesen gewünschten Dialog nicht geben. Ein hartes „Soll“ steht dem entgegen:

„Ach! *Schweigen soll ich!* Leise kann ich nur
Dich ahnungsvoll ermahnen; wirst du wohl
Im Taumel deiner Freuden mich verstehen?“ (V. 900 ff.)

Die Hofmeisterin ist von einer höheren Macht zum Schweigen verurteilt, zu einem Schweigen, das ein Verstummen ist: Ein Nicht-mehr-sprechen-dürfen. Allein möglich bleiben leise Winke, von denen man nicht weiß, ob sie ankommen und richtig gedeutet werden.

„Wohl durft ich warnen, aber leise nur;
Die ausgesprochne Silbe trug den Tod.“ (V. 2384–5)

Das unter dem absoluten Verbot stehende Sprechen wurde zu einem gefährlichen. Nur das Schweigen kann Leben retten und erhalten, wenn es auch ein Entfalten des Lebens, wie es in der eigentlichen Funktion der Sprache liegt, nicht mehr ermöglichen kann. Hinter dem Schweigen steht Verbannung, hinter dem verbotenen Sprechen der sichre Tod.

„Ein *Todeswort*, willkommner wär es mir!“ (V. 2388)

sagt Eugenie im V. Akt. – Von der Verkehrung des Wesens der Sprache, die sich hier unter dem Einfluß einer außermenschlichen Macht vollzieht, war schon die Rede.

So ist der Monolog der Hofmeisterin ein Monolog, der nicht freiwillig übernommen ist, sondern der Hofmeisterin aufgezwungen wurde. Aus diesem Zwang entwickelt sich an dieser Stelle der Monolog logisch aus dem Vorhergehenden.

III

Gehen wir über zum zweiten Monolog Eugeniens (V. 6). Vorausgehen die verschiedenen Versuche Eugeniens, durch sprachliche Anrede und Offenbarung ihres Wesens und Zustandes zum Du durchzustoßen und sich dadurch zu retten. Die Menge steht sprachlos und verwundert, läßt Eugenie ohne Trost und Hilfe, ihre Rede ohne Echo.

Gouverneur und Äbtissin werden durch den Blick auf das Papier, auf jenen „mächtig ungeheuren Talisman" (V. 2003), betäubt und gelähmt. Daraus folgt der Monolog Eugeniens:

> „So ist mir denn das schönste Königreich,
> Der Hafenplatz, von Tausenden belebt,
> *Zur Wüste worden, und ich bin allein.*" (V. 2605)

Wieder erwächst das monologische Sprechen aus einer bestimmten Situation, in der und durch die Eugenie isoliert wurde: jetzt ist sie allein. Kein Wesen ist mehr da, das ihr zuhören darf und kann. Eugenie faßt diesen ihren einsamen Zustand als eine Art „Vortod" (V. 1987):

> „Verbannung! Ja, des Schreckensworts Gewicht
> Erdrückt mich schon mit allen seinen Lasten.
> Schon fühl ich mich ein abgestorbnes Glied;
> Der Körper, der gesunde, stößt mich los.
> Dem selbstbewußten Toten gleich ich, der,
> Ein Zeuge seiner eigenen Bestattung,
> Gelähmt, in halbem Traume, grausend liegt.
> Entsetzliche Notwendigkeit!..." (V. 2616–23)

Daß die anderen, selbst die sonst an ihrem Schicksal Teilnehmenden, sie nicht länger mehr hören können, wölbt eine Glocke über Eugenie, in der sie zu ersticken droht:

> „Ist denn der Himmel ehern über mir?
> Dringt meine Jammerstimme nicht hindurch?" (V. 2644–45)

Der Monolog erhebt sich aus einer Situation extremster Einsamkeit und Isoliertheit. Aber es ist dies keine selbstgewählte Einsamkeit, wie sie der Schöpferische braucht. Das regierende Mächtige hat Eugenie diese Isoliertheit aufgezwungen. Das Sprechen, das in verschiedenen Versuchen zum Dialog strebte, ist auf sich zurückverwiesen worden und kreist um sich. Kein Wort dringt von außen in diese Isoliertheit helfend ein.

Nicht weniger verzweifelnd, weil vergeblich nach Rettung und Heil flehend, klingen die letzten Worte dieses Monologes:

> „O, daß *ein einzig ahnungsvolles Wort*
> *Zufällig* aus der Menge mir ertönte!
> O, daß ein Friedensvogel mir vorbei
> Mit leisem Fittich leitend sich bewegte!
> Gern will ich hin, wohin das Schicksal ruft:
> Es deute nur! und ich will gläubig folgen.
> Es winke nur! ich will dem heilgen Winke
> Vertrauend, hoffend, ungesäumt mich fügen." (V. 2669 ff.)

Genau wie die Hofmeisterin ist Eugenie zu ohnmächtigem Wünschen gezwungen, das angesichts der waltenden Mächte sich nur auf den Zufall als
einzig bleibende Quelle eines Heiles beziehen kann.

IV

Der zweite Monolog, den Eugenie im V. Akt spricht, ist wieder überschrieben: „Eugenie, allein."

Der Mönch hat sie soeben verlassen, nachdem er ihr ein Bild der Welt
vor Augen gestellt hat, durch das Eugenie in den Stand versetzt wird,
ihr Schicksal in einem umgreifenden Weltgeschick und als Teil desselben
zu erfassen.

Die Situation ist – verglichen mit den bisher besprochenen beiden Monologen – eine andere.

Das um sich kreisende Denken und Sprechen hat sich aus sich selbst
befreien können und ist durch ein neues Gegenüber, das der Zufall herbei-
führte, durch den Mönch, von neuem auf die Welt der Gegenstände und
Menschen verwiesen, bezieht diese neu ins Denken und Sprechen ein. So
umfaßt dieser Monolog wieder die ungetrennte Einheit Ich-Welt. Zwar
heißt es zunächst noch:

> „Vom eignen Elend leitet man mich ab.
> Und fremden Jammer prophezeit man mir." (V. 2815–6)

Aber was in den Worten Eugeniens wie eine *störende* Ablenkung sich
ausnimmt, der man sich eigentlich widersetzen müßte, ist in Wirklichkeit
eine Ablenkung vom unglücklichen und unseligen Betrachten seiner selbst
auf die Schau des Objektiven hin. Das Goethesche Mißtrauen gegen die
alte Maxime vom „Erkenne dich selbst" ist bekannt. Sie ist Goethe immer
„als eine List geheim verbündeter Priester, die den Menschen durch unerreichbare Forderungen verwirren und von der Tätigkeit gegen die
Außenwelt zu einer inneren falschen Beschaulichkeit verleiten wollen",
vorgekommen. „Der Mensch kennt nur sich selbst, insofern er die Welt
kennt, die er nur in sich und sich nur in ihr gewahr wird" (AGA, 16, S.
879–80).

Der Beginn der Ablenkung auf das Objektive der Gegebenheiten bewirkt den Beginn der objektiven Begegnung mit sich selbst. So bildet die
Schilderung der Lebensumstände des Mönchs durch ihn selbst eine Spiegelung von Eugeniens Leben: sie lernt sich in ihm zu gewahren: das gleiche
und das andersartige zugleich.

Zunächst geht die Objektivierung der Welt für Eugenie soweit, daß sie
ein „Bild" dieser Welt, wie sie ihr erscheint, zu geben vermag:

> „Diesem Reiche droht ein jäher Umsturz ..." (V. 2825 ff.)

Ist das Bild der Welt zuende durchgestaltet und durchdacht, so hat sich das auf sich beschränkte und konzentrierte Denken Eugeniens das monologische „Ich" zu einem „Wir" erweitert:

> „Was *uns* übrig bleibt,
> Ist ein Gespenst . . ." (V. 2836)

In dem Plural vollzieht sich eine doppelte Welterweiterung: Einmal werden alle gleichzeitig Lebenden dieses bedrohten Volkes zu einem „Wir" verbunden, dann werden auch die Toten und das in die Gegenwart hineinragende Vergangene mit in diese Gemeinsamkeit des „Wir" einbezogen: Das Individuum tritt aus seiner Isolierung heraus: findet sich in einem mit Leben erfüllten Raum vor und ist zugleich Kettenglied einer fortschreitenden Lebensbewegung. Dieses Bewußtsein des Zusammengehörens mit Lebenden und Toten verändert das Welterleben Eugeniens:

> „Und solche Sorge nähm ich mit hinüber?
> Entzöge mich *gemeinsamer* Gefahr?
> Entflöhe der Gelegenheit, mich kühn
> Der hohen *Ahnen* würdig zu beweisen?" (V. 2839 ff.)

Sie ist durch die Not aus der Selbstigkeit befreit, unter der die Figuren der ‚Natürlichen Tochter' leiden. Die „zum großen Leben gefugten Elemente", die sich nicht länger „mit Liebeskraft wechselseitig zu stets erneuter Einigkeit umfangen" wollen (V. 2826 f.), sind Symbol dieses durchwaltenden Egoismus, den Eugenie erst jetzt überwindet und dadurch sich neues Leben erwirbt:

> „Nun bist du, Boden meines Vaterlands,
> Mir erst ein Heiligtum, nun fühl ich erst
> Den dringenden Beruf, mich anzuklammern.
> Ich lasse dich nicht los, und welches Band
> Mich dir erhalten kann, es ist nun heilig." (V. 2845 ff.)

Eine Verbindung mit dem Gerichtsrat, vorher aus Standesgründen noch verworfen, ist nicht länger verabscheuungswürdig. Der Monolog führt aus extremster Not und Verzweiflung, in der Sprechen sinnlos zu werden begann, zum neu erreichten Dialog. Die Wendung, die der Monolog nach dem Weggang des Mönchs nimmt, zwingt ein neues Gegenüber herbei, durch das Eugenie erlöst werden kann, weil sie sich schon selbst aus der Isolierung befreite.

> „Er kommt! Ich seh ihm freudiger entgegen
> Als ich ihn ließ. Er kommt! Er sucht mich auf!
> Zu scheiden denkt er – bleiben werd ich ihm!" (V. 2865 ff.)

Die innere Korrespondenz und Zusammengehörigkeit der beiden zuletzt besprochenen Monopole ist evident: Die Szenen 6–7–8 des V. Aktes ent-

halten einen Bewegungsablauf, der umgekehrt analog zum Bewegungsablauf des ganzen Stückes ist; wurden dort die Akte I und II vom Vorgang des Erscheinens bestimmt, die Akte IV und V vom Verschwinden,
während Akt III den Angelpunkt bildete, so bietet die Szene 6 den Monolog der verschwindenden, verzweifelten, aus der Welt der Lebendigen
ausgestoßenen Eugenie, die sich selbst den Elementen anvertrauen will;
Szene 7 bringt die Begegnung mit dem Mönch und Szene 8 die aus dem
Monolog herausführende Rede Eugeniens: sie mündet in den neu ermög-
lichten und errungenen Dialog Eugenie – Gerichtsrat, der das Stück be-
schließt und der relatives Erscheinen für Eugenie möglich werden läßt.
Die Begegnung mit dem Mönch eröffnet erst den Raum für den letzten
Monolog, dieser überwindet sich selbst, indem er sich zum Dialog transzendiert.

Der scheiternde Dialog erzwang unter der Gewalt des Mächtigen Einsamkeit und Isoliertheit monologischen Sprechens. Der Mönch verweist die
auf sich zurückgeworfene Eugenie wieder auf die Welt. Die beruhigenden
Bilder der Welt vermögen doch Eugenie zu heilen, dadurch daß sie sich
selbst neu gewahr wird inmitten dieser Welt und sich zur Tat aufgerufen
weiß.

d) DIE VERRÄTSELUNG DER FIGUREN

I

Die Problematik des Dialogs weiterdenkend, nähern wir uns einem
Komplex, den wir eingangs mit ‚Verrätselung der Figur‘ überschrieben.
Was damit gemeint ist, wird eine Interpretation von II. 1 zeigen.

II

Die Szene versetzt uns mitten in das Zwiegespräch Hofmeisterin – Sekretär.

Sekretär:

> „Verdien’ ich, daß du mich im Augenblick,
> Da ich erwünschte Nachricht bringe, *fliehst?*

Hofmeisterin:

> „O, laß mein *Auge* vom *bekannten Blick,*
> Mein *Ohr* sich von *bekannter Stimme wenden,*
> *Entfliehen* laß mich der Gewalt, die, sonst
> Durch Lieb und Freundschaft wirksam, fürchterlich
> Wie ein *Gespenst* mir nun zur Seite steht.“ (V. 649 ff.)

Auge und Ohr sind die Organe, mit denen die erscheinende Welt vorzüglich wahrgenommen wird.

10*

Die Hofmeisterin wendet diese beiden welterschließenden und zusammenwirkenden Organe „vom Bekannten" weg. Sie will dem „sonst durch Lieb und Freundschaft Wirksamen" entfliehen.

Gleich zweimal in den ersten zehn Versen erscheint das Wort „(ent-) fliehen", zu dem noch das „abwenden" hinzutritt. Die Hofmeisterin will entfliehen, weil sich das Bekannte „wie ein Gespenst" vor sie hinstellt. Momentane Erscheinung und bekanntes Wesen, im Augenblick Erfahrenes wie Gesehenes und dauernd Gewußtes und im Wissen so als wahr und wesentlich Befestigtes gleiten auseinander, geraten in gespenstische Verwirrung. Denn was ist Verwirrung anderes, als daß momentane Erfahrung und Erwartung auf Grund von Vorhergewußtem nicht übereinkommen können? Verwirrung ist „edelste Täuschung und zarteste Verwechslung des Subjektiven mit dem Objektiven" in der Erscheinung (Goethe an Schiller, 18. 3. 1795).

Folgendes kommt hier noch hinzu: Auge und Ohr widersprechen einander nicht, sondern das *jetzt* Gesehene und Gehörte widerspricht dem *ehemals* Gesehenen und Gehörten.

Zudem richten sich Auge und Ohr nicht auf einfach Zusehendes und Zuhörendes, also auf etwas nur Gegenständliches, sondern auf Blickendes und Sprechendes, auf „Blick" und „Stimme" des Sekretärs, also auf etwas, das sich in der Gegenwart *vollzieht*, auf solches, in dem der Mensch in actu erscheint.

Es handelt sich um visuelles wie akustisches Vernehmen der „moralischen" Gestalt. Die Gestalt – so wurde oben gezeigt – ist nichts Festes, sie ist dauernd in Bildung und Umbildung begriffen.[18] Aber bei aller Fähigkeit der Wandlung, so sehr auch die „vis zentrifuga" sichtbar wird, es hält sich ein bleibender Bezug auf ein Zentrum durch: die „vis zentripeta" ist nicht zu leugnen.

Wie ist aber das Verhältnis in II, 1? – Nicht länger kann sich hier der Hofmeisterin aus der durch Wiederholung unter verschiedenen Bedingungen zustandegekommenen Anschauung, die Anschauung des Bleibenden, des Wesens ist, der Begriff der Erscheinung formen, d. h. die Erkenntnis des Wesens als des „Fundamentes der Erscheinung", wie es Goethes eigentümliches Verfahren verlangt. Im Reisetagebuch der ‚Italienischen Reise' für Frau von Stein heißt es: „Heute Abend ging ich auf den Markusturm. Da ich neulich die Lagunen in ihrer Herrlichkeit, zu der Zeit der Flut, von oben gesehen hatte, wollt ich sie auch zur Zeit der Ebbe in ihrer Demut sehen. Und es ist *notwendig, diese beiden Bilder zu verbinden*, wenn man den *richtigen Begriff* haben will" (9. 10. 1786, Bd. 9, S. 135). Ein „richtiger Begriff" heißt bei Goethe auch wohl ein „lebendiger Be-

---

[18] vgl. dazu AGA, 17, S. 14: „... daß nirgends ein Bestehendes, nirgends ein Ruhendes, ein Abgeschlossenes vorkommt, sondern daß vielmehr alles in einer *steten* (!) Bewegung schwanke ..."

griff",[19] der auf der Anschauung einer lebendigen Folge von verwandten Erscheinungen beruht.[20] In der ‚Metamorphose der Pflanzen' charakterisiert Goethe dieses Verfahren so, „daß wir uns gewöhnen müssen, die Erscheinungen vorwärts und rückwärts gegeneinander zu halten" (§ 120, AGA, 17, S. 57). Durch ständiges wissendes Vergleichen und durch Inbezugsetzen der verwandten Erscheinungen wird im „lebendigen Begriff", d. h. auch im „anschauenden Begriff", das Wesen der Dinge sinnlich erfaßt, das in der Folge der Erscheinungen sichtbar wird als das Unveränderliche: Das Wesen, das Typische, das Bleibende ist somit das „Identische aller Teile".[21] Damit verläßt Goethe den Boden der einfachen Empirie. Er weiß, daß „die Erfahrung nur die halbe Erfahrung" ist (M+R, 1072) und lehnt es ab, „Erfahrungen ohne irgend ein theoretisches Band vorzutragen" (AGA, 16, S. 11).

Es ist ferner sein Wissen, daß das bloße Ansehen einer Sache uns nicht fördere. Jedes Ansehen gehe über in ein Betrachten, jedes Betrachten in ein Sinnen, jedes Sinnen in ein Verknüpfen, „und so kann man sagen, daß wir schon bei jedem aufmerksamen Blick in die Welt theoretisieren" (AGA, 16, S. 11).

Aber dies ist keine leere Theorie, sondern eine solche, die beständig durch Erfahrung rektifiziert wird: eine Theorie, die man auch eine Schau auf Grund akkumulierter Erfahrungen nennen könnte, d. h. eine Theorie, die *zugleich* apriori und aposteriori ist.

Die Hofmeisterin – um auf sie dieses Schema des Erfahrens anzuwenden – sieht sich außerstande, das Bleibende und Identische in den Erscheinungsformen des Sekretärs zu erblicken, so sehr sie auch sich bemühen mag, die „Erscheinungen vorwärts und rückwärts gegeneinander zu halten". Das schon Bekannte, als lieb und freundlich Erfahrene, und das momentan ihr Begegnende, Fürchterliche, stehen wie fremd und unverträglich nebeneinander: werden so zum „Gespenst".[22]

Dieses Phänomen gleicht jenem, von dem Goethe in ‚Dichtung und Wahrheit' berichtet: Beim Besuch des Jabach-Hauses in Köln habe bei ihm ein Gefühl überhand genommen, „die Empfindung der Vergangen-

---

[19] Ital. Reise. 27. 6. 1787, Bd. 9, S. 596.
[20] „In solchem Verbinden von Bildern besteht die geistige Leistung, die Goethe (seit der Ital. Reise) fordert und vollbringt. Die einzelnen Bilder desselben Gegenstandes werden verbunden und in ein einziges Bild zusammengelegt, indem die Besinnung Veränderliches von Unveränderlichem unterscheidet. Erst damit ist es möglich, Identisches wirklich als solches anzuerkennen, und rechtfertigt sich der Gebrauch des *einen* Namens und Wortes für das, was gestern war und morgen sein wird" (E. Staiger, Goethe, Bd. II, S. 15).
[21] E. Staiger, Goethe, Bd. II, S. 117.
[22] vgl. dazu John Hennig, Zu Goethes Gebrauch des Wortes Gespenst, DVJS 28/1954, S. 487 ff.

heit und Gegenwart in eins: eine Anschauung, die etwas *Gespenster-mäßiges* in die Gegenwart brachte" (Bd. 8, S. 729). Das Gespenstische kommt durch das unvermittelte Nebeneinanderstehen von Vergangenem und Gegenwärtigem zustande.

Der Charakter – so lehrt Goethe – eines anderen Menschen erschließt sich nur aus den Handlungen, die Erscheinungsweisen seines Wesens sind, d. h. der Charakter ist die *Geschichte des Menschen*.[23] Die Handlungen und Erscheinungsweisen eines Menschen sollen durch ihren inneren Zusammenhang auf das geheime, „eigene" Zentrum verweisen und sich untereinander so als zum Ganzen gehörig erweisen und verbinden.[24]

Der Sekretär scheint in diesem Sinne keinen Charakter zu haben. Wie Tag und Nacht klaffen die Erscheinungen auseinander. Deutlich sprechen dies die Metaphern aus:

> „Du zeigst mir nur die eine Seite dar;
> Sie glänzt und leuchtet, wie im Sonnenschein
> Die Welt erfreulich daliegt; aber hinten.
> Droht schwarzer Nächte Graus, ich ahn ihn schon." (V. 665 ff.)

Oder ähnlich an anderer Stelle desselben Auftritts, ebenfalls die Hofmeisterin:

> „In trübe Wolken hüllt sich jenes Bild,
> So heiter du es malst, vor meinen Augen." (V. 684 ff.)

Verlockung durch den Sekretär und ihre Liebe zu ihm auf der einen Seite, Abstoßung, Abscheu, Ekel und Entsetzen vor ihm und seinen Machenschaften auf der anderen Seite: die Hofmeisterin findet sich nicht mehr durch, indem sie sich nicht mehr im Sekretär findet.

Ein doppeltes Verhältnis gilt es jetzt zu sehen: Einmal wird der Sekretär der Hofmeisterin zum „Rätsel".

> „Wenn das Waltende
> Verbrechen zu begünstgen scheinen mag,
> So nennen wir es Zufall; doch der Mensch,
> Der ganz besonnen solche Tat erwählt,
> Er ist ein *Rätsel*." (V. 715 ff.)

Das Du wird, weil Wesen und momentane Erscheinung auseinanderfallen, zum „Rätsel" oder – wie es oben hieß – zum „Gespenst". Ein Rätsel

---

[23] Bd. 7, S. 515.

[24] vgl. dazu: „Eigentlich unternehmen wir umsonst, das Wesen eines Dinges auszudrücken, Wirkungen werden wir gewahr und eine vollständige Geschichte dieser Wirkungen umfaßte wohl allenfalls das Wesen jenes Dinges. Vergebens bemühen wir uns, den Charakter eines Menschen zu schildern; man stelle dagegen seine Handlungen, seine Taten zusammen, und ein Bild des Charakters wird uns entgegentreten" (Bd. 21, S. 13).

ist – nach einer Bestimmung Goethes – „*ein Widerspruch in der Erscheinung*" (Bd. 15, S. 861). Wem widerspricht die Erscheinung? – Sich selbst,
d. h. dem Wesen, dem Bleibenden, dem Charakter, der – nach einer Ge-
sprächsnotiz Riemers (27. 8. 1808) – für Goethe „eine psychische Gewohnheit ist, eine Gewohnheit der Seele". Goethe fährt an dieser Stelle
fort: „Seinem Charakter gemäß handeln, heißt, seinen psychischen und
geistigen Gewohnheiten gemäß handeln, denn diese sind ihm allein bequem, und nur das Bequeme gehört uns eigentlich an."[25]
    Was bedeutet in diesem Zusammenhang „Rätsel"? – „Widerspruch der
Erscheinung" wurde bereits gesagt. Ein Vergleich soll uns das Verständnis
weiter klären helfen.
    Im Vorwort zu ‚Dichtung und Wahrheit' wird der Dichter in einem
(fingierten?) Brief aufgefordert, sein Leben zu beschreiben. Zwar hätten
die Freunde seine Werke in der Hand; aber „im ganzen bleiben diese
Produktionen immer *unzusammenhängend*; ja oft sollte man kaum glauben, daß sie von demselben Schriftsteller entsprungen seien."
    „Ihre Freunde – so heißt es in dem Brief weiter – haben indessen die
Nachforschung nicht aufgegeben und suchen, als näher bekannt mit Ihrer
Lebens- und Denkweise, manches *Rätsel* zu erraten, manches Problem
aufzulösen" (Bd. 8, S. 11–12).
    Mag sich „Rätsel" hier zunächst etwa auf Umstände und Data zu ein-
zelnen Gedichten und Dichtungen beziehen, so liegt das Rätselhafte nicht
weniger in dem scheinbaren Nicht-Zusammengehörens der Dichtungen.
Als einzelne literarische „Erscheinungen" stehen sie unabhängig nebeneinander. „Rätselhaft" bleibt ihr Bezug aufeinander und auf den gemeinsamen Urheber, den Dichter. Sie stehen unvermittelt nebeneinander, wie
Gegenwart und Vergangenheit im Jabach-Haus in Köln. Eine „Anschauung, die etwas Gespenstermäßiges in die Gegenwart bringt", herrscht
auch hier vor.
    Durch eine Darstellung der Lebensumstände in ihrer geschichtlichen
Folge als Stufen der Bildung sollen die Nicht-Eingeweihten die geheimnisvollen Bezüge der Erscheinungen untereinander und zum Wesen vermittelt
erhalten.
    Nach Goethes Worten an Zelter (15. 2. 1830) war es bei der Konzeption
von ‚Dichtung und Wahrheit' sein „ernstestes Bestreben, das eigentliche
Grundwahre, das insofern ich es einsah, in meinem Leben gewaltet hatte,
möglichst darzustellen und auszudrücken."
    Leitende Frage an Freund und Leser ist für Goethe, „ob das Vorge-
tragene *kongruent* sei, ob man daraus *den Begriff stufenweiser Ausbildung* einer durch ihre Arbeiten schon bekannten Persönlichkeit zu bilden
vermöge" (ebenda).

---

[25] Riemers Unterhaltungen mit Goethe, ed. Pollmer, S. 293 ff.

„Kongruent" ist in diesem Zusammenhang der positive Gegenbegriff zu *„rätselhaft"*. Die konsequente Darstellung, die die aufeinanderfolgenden „Stufen der Ausbildung" und deren Bezug zum „obwaltenden Grundwahren" meint, verbindet die Einzelerscheinungen des Lebens zu einer lebendigen Folge, in der zwar das „offenbare Geheimnis" des Lebens beständig da ist, aber keine „Rätsel" – als „Widersprüche der Erscheinung" – bestehen bleiben. Im Bezug auf das gemeinsame Wesen erweist sich die „Kongruenz" der verschiedenen Lebenserscheinungen und -stufen. Goethe weist hier entschieden auf die Lehre von der Metamorphose hin. Durch das Sichtbarwerden der vorhandenen Stufen der Ausbildung nach dem und durch das Gesetz der gesteigerten Metamorphose und durch ständigen Bezug dieser Stufen auf das verborgene Zentrum des Lebens, werden die „Rätsel" um die unzusammenhängend erscheinenden Produktionen als Weisen individuellen Lebens gesetzlich begriffen, d. h. enträtselt und als Stufen in einer Folge erkannt.

Durch diese Art Schau ist eine „empirische Verwirrung einer nicht genug durchdachten Erfahrung" (AGA, 13, S. 150) ausgeschlossen.

Die Erfahrung, der sich die Rätsel lösen, ist eine solche, die auf die *Folge* zwischen den Erscheinungen achtgibt.[26] Das Wort „Folge" ist von der höchsten Bedeutsamkeit, und Goethe weiß, „daß des Menschen Leben nur insofern etwas wert ist, als es eine *Folge hat*" (Bd. 10, S. 593). Folge ist unentbehrlich für den Vorgang der Erscheinung, nicht weniger aber auch für den Vorgang des Erkennens, das ja ein Sehen des Erschienenen ist. So heißt es denn in einem Brief an Schiller: „Ich bin mehr als jemals überzeugt, daß man durch den Begriff der *Stetigkeit* den organischen Naturen beikommen kann." Läßt man dagegen den Begriff der Stetigkeit außer acht, so versteht man die organischen Naturen nicht.

Die Hofmeisterin, vor die Aufgabe gestellt, zwei Erscheinungsweisen des von ihr geliebten Sekretärs zu verbinden und auf die eine Gestalt desselben zu beziehen, versagt hier. Der Sekretär wird ihr zum „Gespenst" und zum „Rätsel". Sie ist nicht vermögend, den „Begriff eines . . . Ganzen", auf das sie die verschiedenen Weisen des Erscheinens beziehen soll, zu fassen.

Es gibt Wechselerscheinungen, Doppelerscheinungen, die einander derart widersprechen, daß kein Betrachter sie verbinden, vermitteln kann.

Vergleichbares geschieht der Hofmeisterin durch den Sektretär: Auf

---

[26] „Das Wort ‚Folge' ist der prägnante Ausdruck für den Begriff des steten Wachstums, der schrittweise, folgerechten Entwicklung und ist einer der häufigsten Idiotismen . . ." (Boucke, Wort und Sprache . . . S. 138). Vgl. dazu etwa: „Wenn ich eine entstandene Sache vor mir sehe, nach der Entstehung frage und den Gang zurückmesse, soweit ich ihn verfolgen kann, so werde ich eine *Reihe von Stufen* gewahr, die ich zwar nicht nebeneinander sehen kann, sondern mir in der Erinnerung zu einem gewissen idealen Ganzen vergegenwärtigen muß" (AGA, 17, S. 122).

zweifache Weise begegnet er ihr: einmal als Liebender und Geliebter, dann als der befremdliche, rücksichtslose und nüchtern kalkulierende Abgesandte politischer Gewalt. So hört er auf, für die Hofmeisterin *ein* Wesen zu sein.

Die genetische Methode, die die Erscheinungen aus ihrem Nebeneinander in ein folgerechtes, stetiges Nacheinander bringt und sie so zu begreifen vermag, kann in der Hofmeisterin im Hinblick auf den Sekretär nicht erfolgreich sein: Es gibt keine sicht- oder erschließbare Filiation der einen Erscheinungsweise des Sekretärs aus der anderen, des Liebhabers aus dem Politiker oder umgekehrt, sondern nur das unauflösliche Rätsel des „Widerspruchs in der Erscheinung" (Bd. 15, S. 861).

Das Erstaunlichste ist, daß dies geschehen kann, obwohl die Hofmeisterin den Sekretär, dieser wiederum diese liebt. Wir dürfen gerade die dramatische Funktion des Liebesmotivs hier darin sehen, daß es Goethe darauf ankommt zu zeigen, wie selbst die stärkste menschenverbindende Kraft im Gefüge politischer Wirklichkeit die Sicherheit der Wirkung und des Erfolges einbüßen kann, ja muß.

„*Die Synthese der Neigung*", d. h. die Synthese der Erscheinungsweisen, ihre Integration durch und in Liebe, die eigentlich das ist, „was lebendig macht",[27] kann von der Hofmeisterin nicht mehr vollzogen werden.

Wie aber ist dieses Phänomen morphologisch zu deuten: das Phänomen der Doppelerscheinung, die zum Rätsel wird? – Unter dem Stichwort „Metamorphose" heißt es in Goethes Tagebuch am 18. 5. 1810: „Der Grund von allem ist physiologisch. Es gibt ein *Physiologisch-Pathologisches*, z. E. in allen *Übergängen* der organischen Natur, die aus einer Stufe der Metamorphose in die andere tritt. Diese wohl zu unterscheiden vom eigentlichen *morbosen Zustand*. *Wirkung des Äußeren* bringt *Retardationen* hervor, welche oft pathologisch im ersten Sinne sind. Sie können aber auch einen *morbosen Zustand* hervorbringen und durch eine *umgekehrte Reihe von Metamorphosen das Wesen umbringen*."

Die „umgekehrte Reihe von Metamorphosen" nennt Goethe auch „rückschreitende" Metamorphose (AGA, 17, S. 23), sie ist gekennzeichnet durch den „innerlich unkräftigen und unwirksamen Zustand". Der Sekretär hat sich in dem Kampf der zwei Welten, die ihn bedrängen und formen – der inneren wie der äußeren Welt –, dem Mächtigen, „das uns regiert" (V. 706), unterworfen und so den „geheimen Tempel" (V. 705) seines Wesens geopfert.

So wandelt er für die Hofmeisterin mit einem Male – wenn er als Funktionär der politischen Macht sich zu erkennen gibt – „in völlig fremder Welt" (V. 711).

---

[27] Goethe an den Grafen Reinhard, 28. 8. 1807.

Des Sekretärs Erscheinung nähert sich so – morphologisch gesprochen – dem Abnormen, indem sich in ihm eine „Ausbildung gegen oder ohne das Gleichgewicht" vollzieht (AGA, 17, S. 105). Von dem Abnormen sagt Goethe, „abnorm seien Erscheinungen dann, wenn die Einzelheiten obsiegen und auf eine willkürlich, ja zufällig scheinende Weise sich hervortun".[28]

Die Wörter „willkürlich" und „zufällig" weisen auf den Komplex des Rätselhaften zurück, der sich durch das Fehlen der Folge und durch den dadurch manifesten „Widerspruch in der Erscheinung" (Bd. 15, S. 861) auszeichnet.

Der Kompromiß, den der Sekretär mit der Welt schließt, beraubt ihn des eigenen Wesens: so wird er zum „Gespenst". Denn „das Individuum kann nur schemenhaft bestehen bleiben, wo ein Kompromiß zwischen dem Gemeinen und dem Individuellen geschlossen wird".[29]

Es zeigt sich, wie auch die Rätselhaftigkeit einer Erscheinung wie der des Sekretärs auf das alles Organische durchwaltende Gesetz der Metamorphose, die den Maßstab abgibt, „woran die organischen Wesen gehalten, wonach sie gemessen werden sollen" (AGA, 17, S. 103), bezogen und so verstehbar gemacht werden kann. Hatten wir schon in dem Werner der ,Lehrjahre' einen Fall „rückschreitender Metamorphose" kennengelernt",[30] bedingt durch die Enge der bürgerlichen Lebenswelt, so geschieht beim Sekretär – und ähnlich beim Weltgeistlichen – die rückschreitende Metamorphose der moralischen Gestalt, des Charakters, durch die Unterwerfung unter das Mächtige.

Auch das Mächtige ist ein Äußeres, das im Sekretär wie im Weltgeistlichen „einen morbosen Zustand" hervorbringt „und durch eine umgekehrte Reihe von Metamorphosen das Wesen umbringt" (Bd. 11, S. 951).

Ist das Wesen so zerstört, wenigstens verschüttet, so werden die Rätsel der unzusammenhängenden Erscheinungsweisen, die sich nicht mehr auf ein Zentrum beziehen lassen, unauflöslich bleiben. Die Einheit des Charakters scheint aufgehoben. Das „offenbare Geheimnis" des Wesens – offenbar durch die beständig auf das Zentrum verweisenden Erscheinungsweisen – wird so verrätselt, verliert seine Transparenz.

Was Goethe in dem kurzen Aufsatz ,Geistesepochen' von der dritten und letzten Weltepoche allgemein sagt, gilt für das Individuum in dieser Epoche nicht minder: „Eigenschaften, die sich vorher naturgemäß (d. h. nach dem Gesetz der fortschreitenden Metamorphose) auseinanderentwickelten, arbeiten wie streitende Elemente gegeneinander, und so ist das Tohuwabohu wieder da, aber nicht das erste, befruchtete, gebärende, son-

---

[28] WA. II, Bd. 6, S. 173.
[29] H. v. Hofmannsthal, Aufzeichnungen, in: Corona, IV, S. 767.
[30] vgl. dazu Bd. 7, S. 580.

dern ein absterbendes, aus dem der Geist Gottes kaum selbst eine ihm würdige Welt abermals erschaffen könnte" (Bd. 15, S. 367).

III

Eine weitere Seite des Verhältnisses Hofmeisterin – Sekretär gilt es zu betrachten:

Es ist nicht nur der Sekretär, der für die Hofmeisterin zum Rätsel und Gespenst in dem soeben erläuterten Sinne wird: Vielmehr gerät die Hofmeisterin selbst in der Kontrastbewegung des Angezogen- und Abgestoßenwerdens durch diese rätselhafte Doppelerscheinung des Sekretärs in das Rätsel hinein dergestalt, daß sie sich selbst zum Rätsel wird.

Hier offenbart sich – um ein Hofmannsthal-Wort zu verwenden – das „Allomatische" einer jeden menschlichen Begegnung. „Jede neue Bekanntschaft zerlegt uns und setzt uns neu zusammen."[31] Nach Goethes eigener Meinung sind „die Existenzen fremder Menschen ... die besten Spiegel, worin wir die unsrige erkennen können ..."[32]

Die Hofmeisterin blickt jedoch in einen Zerrspiegel, in das in unvereinbare Erscheinungsweisen aufgespaltene Ich des Sekretärs, und entgleitet dem eigenen Selbstbewußtsein in Verwirrung, sie verliert sich als das entschieden begrenzte, eine und einige Individuum. So wird sie durch die Erscheinung des Sekretärs derart irritiert, „irr'geführt" (V. 4), daß sie gestehen muß:

„Doch – und *bin ich nicht*
Mir auch ein Rätsel, daß ich noch an dir
Mit solcher Neigung hänge, da du mich
Zum jähen Abgrund hinzureißen strebst?" (V. 719 ff.)

Die Hofmeisterin bringt ihre eigenen, widersprüchlichen Erscheinungsweisen im reflektierenden Selbstbewußtsein nicht mehr überein. Ihre Neigung und Anhänglichkeit an den Sekretär ist ihr rätselhaft und durch diese sie sich selbst, indem die Anhänglichkeit wie die Furcht aus ihr als Erscheinungsformen des Wesens entspringen. Sie möchte den Sekretär fliehen, aber die Neigung hält sie gebannt. Sie möchte sich ihm in Liebe nahen, aber die Angst vor seinen politischen Machenschaften hält sie zurück. Sie kann an der Neigung des Sekretärs nicht zweifeln, weil sie sich selbst – könnte sie es – dadurch vernichtete (V. 727–8).

Je intensiver beide Empfindungen sind, um so ausrangloser wird die Verrätselung des fremden wie des eigenen Wesens. Es bleibt der Hofmeisterin in dieser Situation nichts als ohnmächtige Klage:

---

[31] H. v. Hofmannsthal, Aufzeichnungen (1959) S. 218 + 27.
[32] Goethe an Ch. von Stein 9. 9. 83.

„Warum, O! schuf dich die Natur *von außen*
Gefällig, liebenswert, unwiderstehlich,
Wenn sie ein kaltes Herz *in deinen Busen,*
Ein glückzerstörendes, zu pflanzen dachte?" (V. 723–6)

„Glückzerstörend" ist das Tun des Sekretärs in mehrfacher Hinsicht: einmal wird das Glück Eugeniens durch seine Machenschaften bedroht. Die Hofmeisterin soll „das Glück des holden Zöglings morden helfen" (V. 688–89).

Auch der Hofmeisterin Glück wird durch den Sekretär zerstört: Denn „der Mensch erlangt die Gewißheit seines Wesens (nur) dadurch, daß er das Wesen außer ihm als seinesgleichen, als gesetzliche anerkennt" (AGA, 16, S. 912).

Die Hofmeisterin wird am vollen Erscheinen durch das waltende Mächtige, dem sich der Sekretär unterworfen hat, gehindert: sie erlangt nicht die Gewißheit des eigenen Wesens, weil sie nicht den Sekretär als „gesetzlich", als einheitliches Wesen begreifen kann, sondern in ihm ein Rätsel sehen muß. Der Widerspruch in der Erscheinung des Sekretärs überträgt sich auf die Hofmeisterin.

Schließlich wendet sich das Tun und Treiben des Sekretärs gegen ihn selbst: zerstört auch sein mögliches Glück, d. h. die volle Entfaltung seines Wesens in der Erscheinung zur moralischen Gestalt, durch den Verrat des „geheimen Tempels" (V. 705). Dieser Verrat wird augenfällig darin, daß die alte physiognomische Wahrheit, die am Beginn von Goethes Weg in die Natur steht und die besagt, daß das Innere sich im Äußeren stets anzeige, andeute, erscheine, nicht länger gilt.[33] So ist der Sekretär der Hofmeisterin „von außen gefällig, liebenswert, unwiderstehlich", doch „ein kaltes Herz" trägt er „in seinem Busen" (V. 724–6).

Man muß bedenken, daß Goethes ganze auf Gestalten und Gestalthaftes gerichtete Naturschau im Grunde von Anfang bis zum Ende Physiognomie war: aus der Gestalt das Wesen zu erkennen sich bemühte,[34] erst dann vermag man die Bedeutung dieser Verse recht einzuschätzen: die Physiognomie ist an ihre Grenzen gekommen und versagt hier.

In den naturwissenschaftlichen Schriften Goethes lesen wir: „Auch wir ... sind überzeugt, daß alles, was innen ist, auch außen sei und daß nur ein Zusammentreffen beider Wesenheiten als Wahrheit gelten dürfe" (AGA, 16, S. 895). Der Sekretär besitzt diese Wahrheit, die aus der Über-

---

[33] Die Physiognomie ist eine Wissenschaft, die „vom Äußeren aufs Innere schließt" (AGA, 17, S. 439). – „Physiognomik betrachtet die Gestalt, insofern sie gewisse Eigenschaften andeutet; man könnte sie in die Semiotik, welche den physischen Teil behandelte, und die eigentliche Physiognomik, welche sich des geistigen und sittlichen Teils annähme, einteilen" (AGA, 17, S. 416).
[34] vgl. K. Hildebrandt, Goethes Naturerkenntnis, S. 92.

einstimmung von Wesen und Erscheinungsweise erwächst, nicht mehr. Die Hofmeisterin kann das Rätsel seiner Gestalt nicht lösen. Die Rätselhaftigkeit des Gegenübers bleibt – trotz Liebesbeziehung – bestehen. Aber die Hofmeisterin wird nicht nur sich selbst rätselhaft, sie wird es im Verlaufe des Stückes zunehmend auch für Eugenie.

Verliert die Hofmeisterin durch den Verlust ihres Geliebten gewissermaßen sich selbst, insofern sie die Harmonie der Erscheinung verliert, wird diese Disharmonie ihres Wesens mit ihrer Erscheinung durch die zerstörte Einheit und Wahrheit des Sekretärs verursacht, so wird auch sie gezwungen, dem herrschenden Mächtigen ihren „geheimen Tempel" (V. 705) zu opfern.

Dies vollzieht sich in drei Schritten: Zunächst – in Akt II, Szene I – verleugnet die Hofmeisterin nicht „des Herzens Winke" (V. 863), sie will für Eugenie eintreten und sie retten:

> „Mich ruft es auf, die schreckliche Gefahr
> Vom holden Zögling kräftig abzuwenden,
> Mich gegen dich und gegen Macht und List
> Beherzt zu waffnen. Kein Versprechen soll,
> Kein Drohn mich von der Stelle drängen. Hier,
> Zu ihrem Heil gewidmet, steh ich fest." (V. 864 ff.)

Durch die Einrede des Sekretärs wird sie zum Schweigen verurteilt:

> „Ach, schweigen soll ich!" (V. 900)

Das Mächtige legt ihr dieses Gebot auf, dessen Nichtbefolgung erst recht den Tod Eugeniens verursachen wird.

Im IV. Akt, 4. Szene bittet Eugenie die Hofmeisterin um Hilfe:

> „In deiner Hand, ich weiß es, ruht mein Heil
> So wie mein Elend. Laß dich überreden,
> Laß dich erweichen! . . ." (V. 2270 ff.)

Die Hofmeisterin antwortet nichts als:

> „Ich gehorche nur der starken Hand,
> Sie stößt mich vor sich hin." (V. 2274–5)

Sie spricht von der „eisernen Notwendigkeit" (V. 2603), durch die sie zu solchem Tun verurteilt. Es ist aber deutlich, daß die ehemals Mutige sich dem Mächtigen ebenso unterworfen hat wie der Sekretär. Und wie dieser der Hofmeisterin so zum unauflöslichen Rätsel wurde, so wird diese es für Eugenie, der sie „Freundin des Herzens, an Mutters Statt Geliebte" (V. 903–4) gewesen:

> „Bist du denn ganz *verwandelt*? Äußerlich
> Erscheinst du mir die Vielgeliebte selber;
> Doch *ausgewechselt* ist, so scheints, dein Herz." (V. 2324 ff.)

Dieselbe Verrätselung der Figur haben wir eingangs (Teil I. 1.) auch beim König und beim Herzog aufzeigen können. Gleiches gilt für die Gestalt des Weltgeistlichen, der in seiner Lebensbeschreibung zu erkennen gibt, wann und wie er dem Mächtigen sein Wesen opferte. Es gibt bei all diesen Figuren – auch bei Gouverneur und Äbtissin – keine Wesenswahrheit, die aus dem Zusammentreffen von Innen und Außen in Harmonie hervorginge.

Es steht so die gesamte Konfiguration der ‚Natürlichen Tochter' unter dem Gesetz der Verrätselung der Figur, welches wir durch das morphologische Grundgesetz der Metamorphose als eine „umgekehrte Reihe von Metamorphosen" erkannten, die einen „morbosen Zustand" hervorbringt und das Wesen schließlich „umbringt" (vgl. Bd. 11, S. 951).

VIERTER TEIL

DER RAUM – ERSCHEINEN IN DER WELT

a) DIE REGIEANWEISUNGEN

„Nun drängt das Wirkliche mit dichten Massen
An mich heran und droht, mich zu erdrücken."
(Goethe, Die Natürliche Tochter)

I

Als erstes Staunen erregendes Phänomen dieses Dramas war eingangs
deutlich geworden, wie der Raum, der Ort, an dem eine Szene spielt, in
einem außergewöhnlichen Maße bestimmend ist für das, was an ihm
vorgeht.

Dies in einem spezifischen Sinne: So steuert der Raum, die Atmosphäre,
den Gang des Gespräches zwischen König und Herzog, bestimmt die
Offenheit der Figuren füreinander.

Gehen wir im Folgenden auf diesen Umstand näher ein: Oben wurde
vom Reflex auf dieses Wirkende geschaut; jetzt soll der Raum und seine
Darstellung, seine Wirksamkeit auf Geschehen wie Figuren ausdrückliches
Thema werden.

II

Wie sich zeigen wird, ist damit nichts Neues in den Blick genommen,
vielmehr schauen wir lediglich von einem anderen Gesichtspunkt aus auf
ein bleibendes Verhältnis: die erste Ansicht dieses Verhältnisses gab das
Kapitel über die Figur. Das bleibende Verhältnis, das hier in Rede steht,
ist die Lebenseinheit von Ich und Welt.

„Sie wissen", – schreibt Goethe an Schiller (6. 1. 98) – „wie sehr ich am
Begriff der Zweckmäßigkeit der organischen Naturen nach *innen hänge*,
und doch läßt sich ja eine *Bestimmung von außen* und ein *Verhältnis nach
außen* nicht leugnen." Scheint in der ersten Hälfte dieses Satzes die
Autarkie und Autonomie, das absolute Fürsichsein eines jeden Lebendigen
ausgesprochen, so ist im folgenden Teil um so entschiedener die dynamische Einheit von Innen und Außen, das wechselseitige Bestimmen und
Bestimmtwerden gefaßt, wie es für Goethes Naturanschauung maßgebend
ist. Die Monade ist in den größeren Rahmen der Welt verwoben.

Welt ist immer mit Leben gegeben. Welt ist der Raum, in dem Seiendes erst erscheinen kann. Erscheinen geht – wie oben gezeigt wurde – ins Offene, d. h. in einen Raum, in dem es ankommen kann. Leben bedeutet immer verflechten und sich verknüpfen mit anderen und allem in einer Welt. Unter solcher Hinsicht ist der Ort des Erscheinens für Goethe immer von Bedeutung. Erscheinendes ist, indem es an einem bestimmten Ort vorkommt. Es füllt Raum, und alles, „was Raum füllt, nimmt, insofern es solidesziert, sogleich eine Gestalt an; diese regelt sich mehr oder weniger und hat gegen die Umgebung gleiche Bezüge mit anderen gleichgestalteten Wesen" (AGA, 17, S. 419). Der Ort bestimmt nicht unwesentlich die Seinsweise der Erscheinenden. „Das Lokal bestimmt die Lebensart." So ist zum Beispiel „die Existenz eines Geschöpfes, das wir Fisch nennen, nur unter der Bedingung eines Elementes, das wir Wasser nennen, möglich, nicht allein, um darin zu *sein*, sondern auch um darin zu *werden*. Eben dies gilt von allen übrigen Geschöpfen. Dieses wäre also die erste und allgemeine Betrachtung von innen nach außen und von außen nach innen. Die entschiedene Gestalt ist gleichsam der innere Kern, welcher durch die Determination des äußeren Elementes sich verschieden bildet" (AGA, 17, S. 229).[1] Im Hinblick auf die Pflanze formuliert Goethe: „Das Gesetz der *inneren Natur* konstituiert die Pflanze, durch das Gesetz der *äußeren Umstände* wird sie *modifiziert*" (WA. II. 6, S. 286). Erscheinen ist so an einen Ort gebunden. „Wenn man erscheinen will, so muß man *mit seiner ganzen Umgebung* erscheinen. Man muß sich *in ihr* und *durch sie* ankündigen."[2]

III

Diese ontologische Einheit von Ich und Welt findet ihre Gestaltung in der Dichtung. Auf Grund dieser Einheit gibt es nicht eigentlich „weltlose" Dichtung. „Wir wissen von keiner Welt als im Bezug auf den Menschen; wir wollen keine Kunst, als die ein Abdruck dieses Bezugs ist" (M+R, 1077). Doch gibt es Unterschiede in der Welthaltigkeit.

„Das epische Geschehen – so schreibt Ernst Robert Curtius[3] – *muß* an Wende- und Höhepunkten durch summarische Bezeichnung der Lokalität verdeutlicht werden, wie dramatische Vorgänge eine – noch so primitive – Dekoration *verlangen*." Das „Muß" dieser Lokalitätsbezeichnung fließt aus der aufgewiesenen Einheit von Welt und Ich.

Curtius findet diese von ihm sogenannte „epische Markierung der Landschaft" schon in der Ilias. „Die Ilias kennt . . . die Verwendung von Bäu-

---

[1] vgl. dazu Hegel: „Die Individualität ist, was ihre Welt als die ihrige ist" (Phänomenologie des Geistes, J. A. Bd. II, S. 239).
[2] Goethe zu Riemer, 26. 5. 1807 Ed. Pollmer, S. 274.
[3] In: Europ. Literatur und Lat. Mittelalter, 2. Aufl. 1953, S. 207.

men zur Markierung epischer Schauplätze."[4] Den Unterschied zwischen epischen und dramatischen Schauplätzen darf man mit Hofmannsthal darin sehen, daß „Theaterdekorationen allegorisch sind, epische Schauplätze real und symbolisch."[5] Was das Drama angeht, so ist es in seiner Geschichte nicht bei der einfachen Markierung durch Dekoration und Kulisse stehen geblieben.

Die Veränderung von Struktur und Funktion des Raumes im Drama hat Georg Lukács in seinem Aufsatz ‚Soziologie des modernen Dramas'[6] zum Gegenstand seiner Überlegungen gemacht. Als Hauptentwicklungstendenz stellt Lukács heraus: „Der Hintergrund löst sich ab von dem sich im Vordergrund abspielenden Aktionen der Menschen. Er hört auf, lediglich Kulisse zu sein und bekommt *ein von dem Menschen unabhängiges Leben.*"[7] Dabei setzt Lukács voraus, daß „der Hintergrund nur dem Boden eines Weltgefühls entspringen kann, welches die besondere vom Menschen unabhängige Kraft der Dinge als eine Wirklichkeit inne hat".[8]

Hat sich – immer Lukács folgend – die Umgestaltung von „Kulisse" zu lebensmächtigem „Hintergrund" vollzogen, so eröffnet sich damit ein Stilproblem, wie es u. a. im Goethe-Schiller Aufsatz über epische und dramatische Dichtung indirekt behandelt wird: „Das Stilproblem ist eben, – so schreibt Lukács[9] – daß er (der Hintergrund) nur Hintergrund sei, daß er nicht – wie im Leben – das erdrücke, zu dessen Heraushebung er gezeichnet worden ist." Das Herauszuhebende, dem der Hintergrund dient, das Thema, ist im Drama – wie für Goethe in der Kunst überhaupt – der Mensch. So heißt es in dem Aufsatz ‚Über epische und dramatische Dichtung': „Die Gegenstände des Epos und der Tragödie sollten rein *menschlich*, bedeutend und pathetisch sein: die Personen stehen am besten auf einem gewissen Grade der Kultur, wo die Selbsttätigkeit noch auf sich angewiesen ist, wo man nicht moralisch, politisch, mechanisch, sondern persönlich wirkt. Die Sagen aus der heroischen Zeit der Griechen waren in diesem Sinne den Dichtern besonders günstig" (Bd. 15, S. 115).

Von dieser leitenden Vorstellung und Zielsetzung her werden auch die Welten, „welche zum Anschauen gebracht werden sollen" und notwendig sichtbar gemacht werden müssen, beschrieben. Drei verschiedene Aspekte der Welt werden herausgestellt: „1. Die physische (Welt), und zwar erstlich die nächste, wozu die dargestellten Personen gehören und die sie umgibt . . . zweitens die entferntere Welt, wozu ich die ganze Natur rechne."

---

[4] Ebenda, S. 194, vgl. dazu E. R. Curtius, Rhetorische Landschaftsschilderung im MA, Rom. Forsch. 56, 1942.
[5] H. v. Hofmannsthal, Aufzeichnungen (1959), S. 188.
[6] in: Archiv für Sozialwiss. und Sozialpolitik, Bd. 38, 1914, S. 324 ff.
[7] Lukács, a. a. O. S. 324.
[8] ebenda, S. 324.
[9] ebenda, S. 325.

Im Drama wird besonders die erstere gegeben, die zweite eher im Epos. „2. Die sittliche (Welt), ... (sie) wird am glücklichsten in ihrer physiologischen und pathologischen Einfalt (= Einheit) dargestellt ... 3. Die Welt der Phantasien, Ahnungen, Erscheinungen, Zufälle und Schicksale" (Bd. 15, S. 115–116). Uns interessieren vornehmlich die beiden ersten Weltaspekte: physischmoralisch (sittlich) und ihre wechselseitige Durchdringung.

IV

Die Darstellung der „physischen" wie auch der „sittlichen" Welt konkretisiert sich im Text des Dramas – als Abbreviatur und Andeutung – in den Regieanweisungen des Dichters, soweit diese auf die räumliche Fassung der Szene eingehen.

Als solche Abbreviatur einer Welt sind sie nicht gleichgültig und verdienen ernsthafte Betrachtung.

Dabei mag die Struktur und die Bedeutung am ehesten durch einen Vergleich der drei sogenannten „klassischen" Dramen Goethes erläutert werden

1. ‚Iphigenie': In der ‚Iphigenie' ist der Schauplatz ein für allemal festgelegt: „Schauplatz: Hain vor Dianens Tempel." Dies gilt für alle Akte des ganzen Stückes. Kein Wechsel tritt ein. Die Einheit des Ortes ist aufs strengste gewahrt. Dementsprechend ist der Raum dem wechselvollen Geschehen des Stückes gegenüber neutral und ohne Einwirkung auf dieses.

2. ‚Tasso': Im ‚Tasso' spielen die Akte I. und V. im Garten oder auf einem Gartenplatz, die mittleren Akte (II. + III. + IV.) im Saale, alle Akte wiederum auf Belriguardo. Mit dieser unterschiedlichen Ortsangabe ist zumindest ein Pendeln zwischen einem Drinnen und einem Draußen gegeben, und es wäre zu untersuchen, wieweit der Ortswechsel das Geschehen des Stückes bestimmt.

3. ‚Die Natürliche Tochter': In der ‚Natürlichen Tochter' sind – ganz äußerlich gesehen – die Bestimmungen des Ortes, verglichen mit denen der ‚Iphigenie' und des ‚Tasso', ausführlicher:

I. Akt:	„Dichter Wald."
II. Akt:	„Zimmer Eugeniens, im gotischen Stil."
III. Akt:	„Vorzimmer des Herzogs, prächtig und modern."
IV. Akt:	
+ V. Akt:	„Platz am Hafen. Zur einen Seite ein Palast, auf der anderen eine Reihe Bäume, durch die man nach dem Hafen hinabsieht."

So äußerlich dieser Vergleich sein mag, so offenbart er doch gewisse stilistische Tendenzen recht eindringlich:

Jeder Akt wird in seinem Schauplatz genauestens bestimmt. Dabei begnügt sich Goethe nicht mehr mit solchen relativ allgemeinen Bestimmungen wie „Wald" oder „Zimmer", um so ein Drinnen gegen ein Draußen zu stellen, sondern die Anweisungen erhalten noch präzisierende Zusätze: Der Wald ist „dicht", das Zimmer gehört Eugenien und ist im „gotischen Stil" erbaut und eingerichtet. Die Struktur des betreffenden Raumes ist damit näher bestimmt. Man könnte vermuten, daß sich hier Goethes langjährige Theatererfahrung niedergeschlagen habe, indem er theatermäßigere, genauere Regieanweisungen bringt. Es erheben sich jedoch hier die gleichen Bedenken, wie sie weiter oben gegen V. Bänninger erhoben wurden, das Wesen der ‚Natürlichen Tochter' im Theatralischen sehen zu wollen.

Es ist nämlich keineswegs nur ein Gewinn an Genauigkeit, Genauigkeit im Sinne von Definiertheit, Begrenztheit und Einengung der Interpretationsmöglichkeiten durch den Theaterregisseur, der durch die Präzisierung der Raumbemerkungen erreicht wird und der sich aus dem Vergleich der drei klassischen Dramen ersehen läßt. Vielmehr gilt es zu bedenken, wie jede sachliche Äußerung – wie etwa „gotisch" – zugleich Kennzeichnung *und* Bewertung (bes. durch die Adjektive) ist, eine Technik, wie sie Goethe in seinen Dichtungen nach der Jahrhundertwende immer mehr pflegt, wofür die ‚Wahlverwandtschaften' ein eindrucksvolles Beispiel sind. Man darf sagen: die konkretere Ausgestaltung der Raumszene durch die Regieanmerkungen bewirkt vornehmlich eine Potenzierung ihres *Bedeutungsgehalts*. Was besagen nun diese näheren Bestimmungen des Ortes für die dramatische Struktur des Stückes?

V

Gerade die Bestimmungen zu Akt II. vermögen die steigende Bedeutung der Regieanweisungen, soweit sie sich auf den Raum beziehen, zu veranschaulichen: „Zimmer Eugeniens, im gotischen Stil."

Zwei Aussagen sind in dieser Bemerkung zusammengefaßt: einmal ist das Zimmer als zu Eugenie gehörig gekennzeichnet, zum anderen wird seine Einrichtung „gotisch" genannt. Beide Aussagen verweisen aufeinander, vor allem trägt – wie sich zeigen wird – das Wort „gotisch" zur Bestimmung von Eugeniens Lage viel bei.

Vergleicht man diese Bestimmung etwa mit der, wie sie über der ersten Szene des ‚Faust' steht: „In einem hochgewölbten, engen, gotischen Zimmer" (Bd. 5, S. 170), so findet man keinen wesentlichen Unterschied. Was aber *bedeuten* diese Bestimmungen?

Eine Stelle Goethes sei angeführt, aus der die Bedeutung des Wortes „gotisch" klarer wird: „Wer fühlte wohl je in einem *barbarischen*, Gebäude, in *düsteren* Gängen einer *gotischen* Kirche, eines Schlosses jener

Zeit, sein Gemüt zu einer freien tätigen Heiterkeit gestimmt?" (AGA, 13, S. 320). Es ist nicht unwichtig hinzuzufügen, daß diese Stelle aus dem Jahre 1799 stammt, also in die Zeit der ersten Konzeption der ‚Natürlichen Tochter‘ fällt.

„Barbarisch" und „düster": das sind die Bestimmungen, die einem gotischen Gebäude von Goethe *zu dieser Zeit* als charakteristisch zugewiesen werden. Keine Heiterkeit kann in solchen Räumen entstehen. Die Räume *sind* nicht nur düster, sondern sie *stimmen* düster, wodurch sich der Einfluß des Raumes auf die Figur schon verdeutlicht.

Diese Bestimmungen des „Gotischen" bleiben, wenn Goethe den Eindruck eines Besuches im Dom zu Halberstadt wiedergibt: „Dergleichen Gebäude – heißt es in den Annalen zum Jahre 1805 – haben etwas eigen Anziehendes: sie vergegenwärtigen uns *tüchtige,* aber *düstere* Zustände, und weil wir uns manchmal gern ins *Halbdunkel* der Vergangenheit einhüllen, so finden wir es willkommen, wenn eine ahnungsvolle *Beschränkung* uns mit gewissen *Schauern* ergreift, körperlich, physisch, geistig auf Gefühl, Einbildungskraft und Gemüt *wirkt* und somit sittliche, poetische und religiöse *Stimmung anregt"* (Bd. 8, S. 1144–45). Beide Stellen sagen ausdrücklich, wie sehr der Raum den Menschen zu stimmen vermag, vergleichbar den Faust-Versen:

> „Und fragst du noch, warum dein Herz
> Sich inn in deinem Busen *klemmt?* ...
> Verfluchtes, dumpfes Mauerloch!" (V. 57 ff.)

In diesem Faust-Monolog wird „gegenständlich ... die Studierstube erfaßt, Stück für Stück wird sie erkannt als *Mittel zur Einschränkung* dessen, der nicht die Macht besitzt, sich zu befreien".[10]

Auch in Fausts Worten formt sich eine Reaktion gegen die Beengung durch den Raum, sie – die Worte – scheinen aus einer Stimmung hervorzugehen, die eben nur in diesem Raum entstehen konnte. Kehren wir zurück zur szenischen Bemerkung „Zimmer Eugeniens, im gotischen Stil": Parallelstellen aus der Zeit der Abfassung der ‚Natürlichen Tochter‘ zu „gotisch" haben folgende, nicht wertungsfreie inhaltliche Bestimmungen erbracht:

gotisch = barbarisch – düster
= tüchtig, düster, Halbdunkel, Schauer
= dumpf, beklemmend.

Bis auf „dumpf" und „tüchtig" sind diese inhaltlichen Bestimmungen eher negativ; „tüchtig" und „dumpf" sind ambivalente Begriffe in Goethes Wortschatz.[11]

[10] Hildegard Emmel, Weltklage und Bild der Welt in Goethes Werk, Weimar 1957, S. 44.
[11] vgl. dazu E. A. Boucke, Wort u. Bedeutung in Goethes Sprache, (1901), S. 156 ff.

Allein hieraus geht aber schon hervor, daß der Regieanmerkung ein hoher Gehalt an symbolischer Bedeutsamkeit zukommt. In den Stellen über „gotisch" ist in jedem Falle eine Beziehung zwischen Gemüt und Welt, in der man lebt, erfahren und gestaltet.

In der Regieanweisung des Dramas hat der Dichter Platz gefunden, diese Beziehung Welt-Gemüt in sparsamen Worten – „lakonisch" würde Goethe sagen – auszudrücken, um sie so anschaulich werden zu lassen. In diesem Sinne sind sie durchaus dichterisch, poetisch, weil Welt evozierend.

Wie wichtig die Regieanweisungen Goethe selbst waren, kann man auf folgendem Weg erschließen: Für das ‚Morgenblatt der gebildeten Stände' vom 29. und 30. März 1815 schreibt er eine umfangreiche Selbstanzeige zu ‚Epimenides Erwachen, ein Festspiel' (vgl. Bd. 15, S. 474 ff.), in der er die Regieanweisungen zu umfänglichen Kommentaren entfaltet.

Es bleibt noch hervorzuheben, daß zwischen Welt und Gemüt keinerlei oberflächliche Kausalität besteht. Vielmehr geschieht die Spiegelung von Gemüt in Welt und Welt in Gemüt, wie sie sich hier vollzieht, auf dem Grunde der ontologischen Einheit von Mensch und Welt.[12]

Gerade für Goethes Naturansicht gilt dies, insofern in ihr jedes Lebendige die ihm gemäße Welt um sich hat.

Die Welt wirkt – als „Umwelt" aufgefächert in die verschiedenen möglichen Sphären wie Dingwelt, Menschenwelt, Natur und Milieu u. s. w. – auf den Menschen, dieser wird von jener bestimmt, der Mensch verändert wiederum diese Welt. Auf diesem Hintergrund wird die symbolische Bedeutung der Regieanweisungen „Zimmer Eugeniens, im gotischen Stil" sichtbar. Es ist für die noch nicht erschienene Eugenie der gemäße Ort des Aufenthalts: Dunkel und Verborgenheit.

Wir hatten schon Gelegenheit, darauf hinzuweisen, daß „Dunkel" hier keineswegs ein einseitig negativer Begriff ist. Vielmehr ist das Dunkel als das Verbergende zugleich auch das Bergende, Schützende.

Ähnliches gilt für die Regiebemerkung zum I. Akt „Dichter Wald". In dieser Szene ist der Dialog besonders in der Richtung des Austausches der Personen, der Mitteilung, entschieden abhängig von dem Ort, an dem der Dialog stattfindet.

Hier läßt sich nun auch noch etwas andres zeigen: daß nämlich auch die Wirkung des Raumes von der Verfassung der Figuren nicht abgelöst gedacht werden darf. Für König und Herzog ist in den ersten Szenen des Stückes der Ort ein solcher des Irrens, für Eugenie der ihr gemäße Aufenthalt *vor* dem Erscheinen.

Wie sehr sich im Altersstil Goethes die Einfügung der Figuren jeweils in ein Weltganzes vollzieht, das mag ein Beispiel aus den ‚Wanderjahren'

---

[12] Vgl. dazu auch M. Heidegger, Sein und Zeit, II+III+IV. Kapitel. – Ferner: L. Binswanger, Das Raumproblem in der Psychopathologie (Ausg. Vorträge, Bd. II, S. 174 ff.).

beleuchten: „Gewiß – so spricht Sankt Joseph der Zweite zu Wilhelm –
Ihr bewundert die *Übereinstimmung dieses Gebäudes mit seinen Bewoh-
nern*, die Ihr gestern kennenlerntet. Sie ist aber vielleicht noch sonder-
barer, als man vermuten sollte: *Das Gebäude hat eigentlich die Bewohner
gemacht"* (Bd. 7, S. 780). Das Wort „Übereinstimmung" verdient Aufmerksamkeit: Es meint die Gleichgestimmtheit auf Grund von Stimmung
durch den Raum; insofern hat der Raum eigentlich die Personen gemacht.
„Machen" bedeutet hier kein „Herstellen", eher ein Bedingen, ein Deter-
minieren, ein bedingendes Formen, eine Metamorphose von außen: Durch
das Gesetz der äußeren Umstände wird die Gestalt „modifiziert" (WA.
II. 6, S. 286).

So ist die eigentliche Gestalt „gleichsam der innere Kern, welcher durch
die Determination des äußeren Elementes sich verschieden bildet" (AGA,
17, S. 229).

Was die Gestalt mit in die Welt bringt, nennt Goethe „Disposition".
Es entsteht so ein „pulsierendes Wechselverhältnis zwischen Disposition
und Determination".[13]

Ähnlich wirkt die Präsenz des Hafens in den beiden letzten Akten. In
jedem Falle ist die häufigere und bestimmtere Anwendung der Regieanweisungen in diesem Drama Anzeichen dafür, daß die Figuren in einem
stärkeren Maße von einem Außerhalb bestimmt werden, daß die szenische Bemerkung über den Raum dichterisch, nicht theatralisch ist, d. h.
daß sie symbolisch ist: „die Sache, ohne die Sache zu sein", und doch
„identisch" mit ihr (AGA, 13, S. 868).

Es geschieht in der Folge der drei klassischen Dramen Goethes das, was
Lukács für größere historische Zeiträume der Dramenentwicklung beschreibt: „Der Hintergrund löst sich von dem im Vordergrund sich abspielenden Aktionen der Menschen. Er hört auf, lediglich Kulisse zu sein
und bekommt ein von den Menschen loslösbares Leben."[14] Goethe hat das
sich hier herausbildende, schon von Lukács beschriebene Stilproblem klar
gesehen, wie aus einer Bemerkung zu Eckermann hervorgeht. Dort äußert
sich Goethe über Manzonis Roman ‚Die Verlobten', vor allem über die
Darstellung einer Hungersnot, die ihm (Goethe) zu historisch gegeben ist.
Der Verfasser – so kritisiert Goethe – habe verabsäumt, den Wust der
Realitäten auf ein bestimmtes Maß zu reduzieren, „so daß nur soviel
übrigbleibt, um die handelnden Personen darein zu verflechten" (23. 7.
1827).

An anderer Stelle fragt Goethe Eckermann:„Denn was soll das Reale
an sich?" (18. 1. 1827). Die Darstellung des Menschen ist für Goethe das
bleibende Thema aller Kunst: „die höchste Absicht der Kunst".[15] Das

---

[13] Goethe an Reinhard, 24. 12. 1819.
[14] Lukács, a. a. O., S. 324.
[15] Vgl. an Meyer, 27. 4. 89.

Menschliche ist ihm gewissermaßen „das Idealbild, die Blume. Und das grüne Blätterwerk ist nur dieserwegen da und nur dieserwegen etwas wert".[16] Das Reale der Welt ist in diesem Verständnis nur zugelassen als Bedingung der Gestalt, der menschlichen Formen.

Ganz in diesem Sinne hatten Goethe und Schiller sich in dem Aufsatz ‚Über epische und dramatische Dichtung' (1797) geäußert. Allerdings – so darf man feststellen – hat die Theorie Goethes von hier bis zu dem erwähnten Wort zu Eckermann über Manzoni, einen ähnlichen Weg zurückgelegt, wie er sich schon in der gehobenen Bedeutsamkeit der Regieanmerkungen über den Raum von der ‚Iphigenie' über ‚Tasso' zur ‚Natürlichen Tochter' gezeigt hatte, wie sie sich auch an der Entfaltung der wissenschaftlichen Morphologie in den neunziger Jahren zeigen ließe: Es hat eine Akzentverschiebung stattgefunden, die der Mächtigkeit der Welt mehr Rechnung trägt und ihr einen größeren Einfluß auf die Figuren zugesteht.

Vergleicht man etwa die ‚Lehrjahre' mit den ‚Wanderjahren', so wird Ähnliches offenbar: „Die dargestellte Welt (in den ‚Wanderjahren') ist nicht mehr Atmosphäre, nicht mehr poetischer Raum, sondern reale Arbeitswelt als Gegenstand wissenschaftlicher Erfahrung."[17]

b) NETZ-SYMBOLIK

I

„Aus stillem Kreise trittst du nun heraus
In weite Räume, wo dich Sorgendrang,
Vielfach geknüpfte Netze, Tod vielleicht
Von meuchelmörderischer Hand erwartet." (V. 1123–26)

Diese Verse, die die Hofmeisterin warnend zu Eugenie spricht, sind für unsere, hier zu erörternden Zusammenhänge aus einem doppelten Grunde bedenkenswert:

Einmal umschreiben sie (nochmals) das (oben bereits explizierte) Wesen von „erscheinen" als ein „In-die-Welt-hineintreten", zum anderen sagen sie Entscheidendes aus über die Struktur der Welt, in die hinein „erscheinen" geschieht. Auf das Zweite gilt es jetzt einzugehen:

„Aus *stillem Kreise* trittst du nun heraus ..." – die schützende, bergende Dunkelheit, die „wie jene Hülle ist, die eine Knospe einschließt und nährt" (Bd. 6, S. 1205), und Stille, in der keimendes Leben aufgehen darf, werden verlassen und gegen die „weiten Räume" eingetauscht. „Erschei-

---

[16] zu Eckermann, 18. 1. 1827.
[17] H. Schrimpf, Das Weltbild des alten Goethe, Stuttgart 1956, S. 110.

nen" – so war oben ausgeführt – geht ins Offene, d. h. in „weite Räume". Aber: die „weiten Räume" sind von gefahrbringenden, „vielfach geknüpften Netzen" durchwirkt.

„Sorgendrang", ja Tod „von meuchelmörderischer Hand" sind die Elemente dieser Welt. – „Sorgendrang" löst jene Sorge aus, die sich schon gleich in den ersten Worten des Herzogs über Eugenie ankündigt:

> „Und nicht zum erstenmal empfand ich heute,
> Wie Stolz und *Sorge,* Vaterglück und Angst
> Zu übermenschlichem Gefühl sich mischen." (V. 132–34)

Die Welt bietet sich glückverheißend, glänzend, dann wieder gefahrbringend und gefährlich in ihrer Doppelgesichtigkeit: Entsprechend wechseln Stolz und Sorge, Glück und Angst im Gemüte des Herzogs.

Es sei schon hier vorausverwiesen auf das folgende Kapitel – „Gold-Symbolik" –, in dem der verlockende Aspekt der Welt dargestellt wird.

Für den, der den bergenden „stillen Kreis" verläßt, erhält die Welt als „die weiten Räume" den Charakter des *Netzes,* in das sich erscheinendes Leben verflicht. Der „stille Kreis" – als Ausgangspunkt des „Erscheinens" – steht so im polaren Gegensatz zur Welt als Netz. Dies gibt uns die Berechtigung, noch ausführlich die Netz-Symbolik und ihre Funktion in der ‚Natürlichen Tochter' zu behandeln.

II

Der Netz-Charakter der Welt ist kein derivater Modus der Weltlichkeit von Welt, im Gegenteil: Goethe sieht darin den Grundzug alles Weltlebens. Die in der ‚Natürlichen Tochter' ausgebildete Netz-Struktur der Welt stellt nur eine *Verschärfung* dar.

Leben, gefaßt als dieser ewige Austausch von Ich und Welt, als dieses „pulsierende Wechselverhältnis zwischen Disposition und Determination",[18] ist immer zugleich „Sich-Verknüpfen" und „Verknüpft-Werden", „Sich-Binden" und „Gebunden-werden" oder – um es mit einer Formel aus Goethes ‚Ganymed' zu belegen: Leben heißt „umfangend umfangen" sein.

In diesem doppelten Partizip sind zwei Bewegungen gegensätzlicher Richtungen, von welchen die eine von innen nach außen, die andere von außen nach innen zielt, auf kürzestem Raume konzentriert, das Wesen welthaften Lebens ist hier zur kurzen Formel verdichtet. In den Schriften zur Morphologie heißt es entsprechend: „Dieses wäre also die erste und allgemeine Betrachtung von innen nach außen und von außen nach innen. Die entschiedene Gestalt ist gleichsam der *innere Kern,* welcher durch die Determination des äußeren Elementes sich verschieden bildet" (AGA, 17,

---

[18] Goethe an Reinhard, 24. 12. 1819.

S. 229). Für diesen Grundzug des Lebens, „daß alles, was ist oder erscheint ... nicht isoliert ist" (AGA, 17, S. 640), hat Goethe das Webergleichnis, eine seiner Lieblingsvorstellungen – „ein Gleichnis, das ich so gerne brauche" (an W. v. Humboldt, 17. 3. 1932), ausgebildet und immer wieder verwandt.

Am umfassendsten tritt der Sinn dieses Gleichnisses vielleicht in dem Gedicht ‚Antepirrhema' in Erscheinung:

> „So schauet mit bescheidnem Blick
> Der ewigen Weberin Meisterstück!
> Wie ein Tritt tausend Fäden regt,
> Die Schifflein hinüber herüber schießen,
> Die Fäden sich begegnend fließen,
> Ein Schlag tausend Verbindungen schlägt.
> Das hat sie nicht zusammengebettelt,
> Sie hats von Ewigkeit angezettelt,
> Damit der ewige Meistermann
> Getrost den Einschlag werfen kann." (Bd. I, S. 540)

Ebenso deutet das Fragment ‚Natur' das alles verwebende Leben der Natur: „Natur! Wir sind von ihr *umgeben* und *umschlungen,* unvermögend aus ihr herauszutreten, und unvermögend tiefer in sie hineinzukommen. Ungebeten und ungewarnt nimmt sie uns in *den Kreislauf ihres Tanzes* auf und treibt sich mit uns fort, bis wir ermüdet sind und ihren Armen entfallen" (AGA, 16, S. 922).

Ein anderes aber ist es, das Leben der Allnatur zu besingen, ein anderes, die Stellung des Menschen in und zu diesem ewig pulsierenden, webenden, verwebenden Leben auszumessen. Das erste mag eigenstes Bereich der Lyrik sein, das zweite gestaltet sich in der Epik, im Roman vorzüglich, oder auch im Drama. Goethe sah es verwirklicht vor allem in den Dramen Shakespeares, von denen er sagt: „Seine (Shakespeares) Stücke drehen sich alle um den geheimen Punkt, den noch kein Philosoph gesehen und bestimmt hat: in dem das Eigentümliche unseres Ichs, die prätendierte Freiheit unsres Wollens, mit dem notwendigen Gang des Ganzen zusammenstößt" (Bd. 15, S. 31).

In Goethes eigenen Schriften tritt dieses Verhältnis besonders in den ‚Lehrjahren' zutage, in denen nicht von ungefähr die folgenden Sätze stehen, die in der Urfassung des ‚Meisters' noch fehlen: *Das Gewebe dieser Welt* ist aus Notwendigkeit und Zufall gebildet; die Vernunft des Menschen stellt sich zwischen beide und weiß sie zu beherrschen; sie behandelt das Notwendige als den Grund ihres Daseins, das Zufällige weiß sie zu leiten und zu nutzen, und nur, indem sie fest und unerschütterlich steht, verdient der Mensch ein Gott der Erde genannt zu werden" (Bd. 7, S. 81).

Nur insofern die Vernunft des Menschen herrschend bleibt, wird die Welt als Gewebe durchschaut und das Netz gemeistert. Sonst ist der Mensch in seiner Stellung erschüttert und gefährdet, er verfängt sich in den Schlingen und Verstrickungen der Welt, wie es in den ‚Chinesisch-Deutschen Jahres- und Tageszeiten‘ heißt:

> „Mich ängstigt das Verfängliche
> Im widrigen Geschwätz,
> Wo nichts verharret, alles flieht,
> Wo schon verschwunden, was man sieht,
> Und mich umfängt das bängliche,
> Das graugestrickte Netz.“ (Bd. 1, S. 870)

Im Wort „bänglich“ wird der Bezug zur Sorge wiederhergestellt, die die als Netz erfahrene Welt durchwaltet. Die Sorge rührt aus der Verwirrung her, die wiederum Resultat der Verflechtung ist. „Die Vermischung macht irre“ (M+R, 489). In einem Brief an Zelter heißt es: daß „alle Menschen, die ich einzeln spreche, vernünftig und wie ich sie in Bezug betrachte, verrückt erscheinen. Das geht so weit, daß ich mir manchmal selbst zweischürig vorkomme“ (29. 5. 1817). Auch der Blick in die Geschichte – so lehrt der Abschnitt ‚Lücke‘ in den ‚Materialien zur Geschichte der Farbenlehre‘ (AGA, 16, S. 344) – ist der Verwirrung ausgesetzt; denn der Hintergrund der Geschichte ist erfüllt von „beweglichen, ineinanderfließenden und sich dort nicht vereinigenden Gespenstern, die den Blick dergestalt verwirren, daß man die hervortretenden wahrhaft würdigen Gestalten kaum recht scharf ins Auge fassen kann.“

Entsprechend äußerte sich Goethe einmal zum Kanzler von Müller, die Geschichte sei nichts als ein „Gewebe von Unsinn für den höheren Denker, wenig aus ihr zu lernen“ (11. 10. 1824).

Daher entsteht dann die Notwendigkeit für den Forschenden und Betrachtenden, die Erscheinungen zunächst gewaltsam zu isolieren (vgl. M+R, 561). Sonst droht die Macht der Verflechtung das eindeutige Selbstbewußtsein ebenso aufzulösen wie das Weltbewußtsein.

> „Unselige Gespenster! So behandelt ihr
> Das menschliche Geschlecht zu tausend Malen;
> Gleichgültige Tage selbst verwandelt ihr
> In garstigen *Wirrwarr netzumstrickter Qualen.*“
> („Faust II‘, V. 11489 ff.)

Diese Worte des greisen Faust weisen auf den dämonischen Grundzug der als Netz und Labyrinth erfahrenen Welt, auf das Dämonische, insofern es sich dadurch auszeichnet, weder gut noch böse zu sein.

Es ist in diesen Versen das scheinbar Paradoxe zu beachten, daß das
Feste, Gestaltete sich ins Gespenstische verliert und eben als solches Gespenst die Verwirrung im Betrachtenden erzielt und nicht als Gestalt. Der
eigentliche Gegenbegriff zum Schemenhaften, Gespenstischen – denn dieses,
nicht die Gestalt, ist das Bedrohliche – ist der Begriff des Soliden, wie
Goethe ihn in Italien begreifen lernte: „Wer sich hier mit Ernst umsieht
und Augen hat zu sehen, muß solid werden, er muß einen Begriff von
Solidität fassen, der ihm nie so lebendig ward" (Bd. 9, S. 337).

Im zweiten ‚Faust' taucht das Wort „Gespenstergespinst" auf: in der
klanglichen Entsprechung offenbart sich hier die Entsprechung der Bedeutung: Die Gespinst- oder Netz-Struktur der Welt hat gespenstische
Wirkung auf den sie Erlebenden: er wird durch den Anblick verwirrt,
während die Betrachtung der Gestalt in ihrer Vollendetheit, d. h. ihrer
Begrenztheit auch, das Selbstgefühl des Betrachtenden zugleich erhöht.

III

Von der ersten Szene des ersten Aktes an durchziehen Netz- und
Labyrinth-Bilder das Stück und bilden durch inneren Zusammenhang eine
feste, durchgehende Bildstruktur, die das Wesen der Welt, wie sie in der
‚Natürlichen Tochter' erscheint, deutet.

Es wird schon bei oberflächlicher Betrachtung bald deutlich, daß das
allgemeine Gewebegleichnis, das Goethe so gerne verwendet, hier einen
durchaus gefährlichen Zug angenommen hat: Der gebotene Aspekt der
Welt ist gefährlich. Jedes erscheinende Leben ist in solcher Welt in Gefahr. Der „Tagesgeist" (M+R, 481) bedroht einen jeden. Und die Zeit
ist so, daß „jetzt eigentlich niemand geboren werden kann, der dem Tag
und der Stunde gewachsen wäre" (an Zelter, 12. 3. 1830).

Erst recht der netzdurchwirkten Welt nicht gewachsen ist ein Wesen
wie Eugenie, die „nicht entfernterweise vorbereitet" ist (V. 288), in „weite
Räume" zu treten.

Das *reine* Wesen, das zur Erscheinung drängt, verfällt am ehesten der
Verflechtung: so etwa Euphorion, von dem der Chor singt:

> „Doch du ranntest unaufhaltsam
> Frei ins willenlose Netz,
> So entzweitest du gewaltsam
> Dich mit Sitte, mit Gesetz." (‚Faust II', V. 9923 ff.)

Dies gilt auch für Eugenie: zwar ist „ihr Geist gebildet, doch nicht zur
Tat" (V. 828). Eugenie ist bei ihrem Eintritt in die Wirklichkeit reine
Möglichkeit, nur von innen her konstituiert durch das Gesetz ihres Wesens, nicht von außen durch das Gesetz der Umstände determiniert, d. h.
sie ist ein Ideelles.

Will aber dieses Ideelle, dieses Mögliche, in die Wirklichkeit eintreten,
„so entsteht . . . eine Krise. Die Außenwelt ist durchaus unbarmherzig,
und sie hat recht, denn sie muß sich ein für allemal selbst behaupten; die
Zuversicht der Leidenschaft ist groß, aber wir sehen sie doch gar oft an
dem ihr *entgegenstehenden Wirklichen scheitern*" (Bd. 8, S. 820).
Eugenie, die „Wohlgeborene", ist das Wesenhafte, das Ideelle, wie
Goethe es vornehmlich in Frauengestalten zu verkörpern pflegte. Waren
ihm doch die Frauen „das einzige Gefäß, was uns neueren geblieben, um
unsere Idealität hineinzugießen. Mit den Männern ist nichts zu tun. Im
Achill und Odysseus, dem Tapfersten und dem Klügsten, hat der Homer
alles vorweggenommen" (Zu Eckermann, 20. 6. 1827). „Die Frauen sind
silberne Gefäße, in die wir goldene Äpfel legen" (ebenda, 22. 10. 1828).
Dieser reine Mensch gerät unausweichlich in Gefahr, denn „leider weiß
man nur zu sehr, wie die Alltagswelt dergleichen, in ihre Sphäre zieht,
ja zu vernichten pflegt" (An Knebel, 5. 2. 1817). Die „Alltagswelt" ist
nichts anderes als die vom verstrickenden Netz durchwaltete Welt, in der
sich zur Not der „Zeitling", der „Tagesmensch" (an Zelter, 13. 3. und
17. 10. 1827) aufhalten kann, nicht aber der „natürliche" Mensch: Es
kommt zwischen ihm und der Welt alsbald zum Konflikt, den Goethe in
Molières „Misanthrop" exemplarisch gestaltet sieht: „Wir sehen ihn (den
Misanthrop) im Konflikt mit der sozialen Welt, in der man ohne Verstellung und Flachheit nicht umhergehen kann" (Bd. 15, S. 972).

IV

Die Welt, in die Eugenie hinein erscheint, hat die Struktur des Netzes.
Im Kapitel ‚Erscheinung' hatte der symbolische Sturz der Heldin eine
Umwertung, eine entscheidende Verschiebung der Bewertung der Welt ins
Negative, Bedrohliche zur Folge. Sie – die Welt – war nicht – wie eingangs ausgeführt – das Offene, in dem erscheinendes Leben ankommen
kann, nicht der Ort der wechselseitigen Bindung, sondern der Ort, wo
man das Leben als ein wesentliches, aus dem Wesen heraus gelebtes und
gestaltetes, in der Verstrickung durch die Welt verlieren kann. „Wirkung
des Äußeren – so hieß es im Tagebuch (18. 5. 1810) – bringt Retardationen
hervor, welche oft pathologisch . . . sind. Sie können aber auch einen morbosen Zustand hervorbringen und durch eine umgekehrte Reihe von Metamorphosen *das Wesen umbringen.*"
Alle Figuren des Dramas stehen unter dem Andrang dieses Wirklichen
und sind in ihrem Wesen bedroht. Der Herzog spricht – nach dem Verlust Eugeniens – diese Situation für alle verbindlich aus:

„Nun *drängt das Wirkliche* mit dichten Massen
An mich heran und droht, mich zu *erdrücken.*" (V. 1679–80)

Von dem zentralen Geschehen des ersten Aktes, dem Sturz Eugeniens, fallen Lichter auf die einleitenden Szenen des Stückes, und man findet, daß das Umstrickende – wenngleich in anderer Form – sich bereits in den Versen des Königs ankündigt:

> „Laß dieser Lüfte liebliches *Geweb'*
> Uns leis umstricken, daß an Sturm und Streben
> Der Jagdlust auch der Ruhe Lust sich füge." (V. 16–18)

Wohl ist es noch ein „*liebliches* Geweb'", das „leis' umstrickt", wohl ist der König durch das „Bollwerk der Natur" von der Welt, „die immer fordert" (V. 28–9), abgeschirmt: Aber es bedeutet dies keinen wesentlichen Unterschied zu der Verstrickung in die politische Welt. Der König läßt sich hier willenlos in das ihn Umgebende verstricken, seine Willensschwäche und die Übermacht der Umstände in dieser Szene offenbaren sich hier, deutlicher als es in der politischen Welt geschehen könnte.

Der König ist „... durch die fortstürzenden schwankenden Wogen der Leidenschaft, Velleitäten und Intrigen seiner Umgebungen ... irre gemacht" (Bd. 15, S. 974).

Indem der König sagt:

> „Soll ich vergessen, was mich sonst bedrängt,
> So muß kein Wort erinnernd mich berühren,
> Entfernten Weltgetöses Widerhall
> Verklinge ...", (V. 30 ff.),

verfällt er um so eher und mehr der ihn umgebenden Natur, die ihn nun ganz umfangen kann.

Bedeutsam wird das Thema der Verflechtung dann, wenn es darum geht, Eugenie in der Welt erscheinen zu lassen. Stufenweise offenbart sich der Netz- und Labyrinth-Charakter der Welt immer entschiedener – entsprechend und parallel zu den Stufen des Erscheinens, die Eugenie zurücklegt.

Der Herzog bittet den König, seine Tochter in die große Welt eintreten zu lassen:

> „Ich darf ihn bitten, sie zu mir herauf,
> Zu sich *herauf zu heben*, ihr das Recht
> Der fürstlichen Geburt vor seinem Hofe,
> Vor seinem Reiche, vor der ganzen Welt
> Aus seiner Gnadenfülle zub ewähren." (V. 97 ff.)

Noch ist hier alles licht und hell. Eugeniens Erscheinen wird allgemeine Freude bereiten. Erscheinen ist einzig als Weg ins Helle, Weite, Offene, Hohe gefaßt.

Dann erfolgt das symbolische Ereignis: Eugeniens Sturz, der alles umwertet: Wohl hat sie, als sie erwacht, „dem Tage wieder ihr Auge geöffnet" (V. 218–9), aber es ist ein anderer Tag, der sie umgibt, als den sie erwartet: Ihre Überraschung und Fassungslosigkeit spricht sie aus in den Versen zum König:

> „O, verzeihe mir
> Die Majestät, wenn aus geheimnisvollem,
> Verborgnem Zustand ich, ans Licht auf einmal
> Hervorgerissen und geblendet, mich,
> Unsicher, schwankend, nicht zu fassen weiß." (V. 265 ff.)

„Unsicher, schwankend" nur kann sie in die sie neu umgebende Welt hineintreten: als sie aus der Ohnmacht erwacht, „blickt sie *verirrt* umher" (V. 117), den König anzureden ist sie „nicht entfernterweise vorbereitet" (V. 288).

Eugenie gerät in eine Welt, die ihr durchaus fremd ist, in der sie fremd ist, nicht nur weil sie noch nicht in ihr lebte, sondern weil sie diese in der Antizipation entschieden verkennt (vgl. bes. II. Akt, Szenen 3–5); die Gefahren zu sehen ist sie in keiner Weise bereit: sie steht geblendet, ist blind. Keiner vermag es, ihren Blick auf das Reale zu lenken. So ist sie kaum imstande, die Worte des Königs zu fassen, wenn dieser ein Bild der gegenwärtigen Welt entwirft:

> „O, diese Zeit hat fürchterliche Zeichen . . ." (V. 361 ff.)

Die latente Spannung zwischen König und Herzog, die der König ausspricht, kann sie nicht begreifen:

> „Wie unverständlich sind mir diese Worte!" (V. 320)

Die Welt, die Eugenie betreten soll, – so wird immer deutlicher – ist eine solche voll von Gefahren.

Der König gibt ihr die erste Einführung in diesen gefährlichen Zustand, einmal durch seine Version der Welt (V. 361 ff.), zum anderen durch die folgenden Verse:

> „Ich führe
> Auf *glatten Marmorboden* dich hinein
> Noch staunst du dich, noch staunst du alles an,
> Und in den innern Tiefen ahnest du
> Nur sichre Würde mit Zufriedenheit.
> *Du wirst es anders finden!* Ja du bist
> In eine Zeit gekommen, wo dein König
> Dich nicht zum heitren, frohen Feste ruft." (V. 325 ff.)

Die Erwartung, die Eugenie an die Welt stellt, kann in bestimmter geschichtlicher Stunde nicht mehr erfüllt werden. Zwischen Antizipation und

Wirklichkeit der Welt besteht ein starkes Gefälle, das im Stück zu gewaltsamem Ausgleich drängt. „Du wirst es anders finden." Das „anders" ist unveränderlich und hart als Wirklichkeit. An ihm zerbricht jede wunschmäßige Antizipation. Gleichwohl hofft der König noch auf die Möglichkeit, daß Eugenie überhaupt erscheinen kann. Aber diese Möglichkeit steht schon in einem Gegensatz zur Weltwirklichkeit. Das „Doch", das die folgenden Verse einleiten, kündet dies an:

> „Dich geb ich, edles Kind, an diesem Tage
> Der großen Welt, dem Hofe, deinem Vater
> Und mir. Am Throne glänze dein Geschick." (V. 402 ff.)

Der Hofmeisterin Worte aus dem II. Akt scheinen wie zur Fortsetzung dieses Gedankens gesprochen:

> „Verbirgt sich je der Gnade Sonnenblick,
> Sogleich ermattet solch ein Widerglanz." (V. 1049–50)

Eugeniens glänzende Stellung am Hofe wäre nur ein erborgter Schein, der zerfällt, wenn sich die Gefährdetheit und Hohlheit des Hofes offenbart. Die Gefährlichkeit ihres Erscheinens in solcher Umwelt ist deutlich. Zwar erfährt der König die Welt noch als „große Welt", als Hof, noch hat sich die Welt nicht in ihrem Wesen enthüllt: als Netz und Labyrinth.

Der Herzog, obgleich er derjenige ist, der Eugeniens vorzeitiges Erscheinen, d. h. ihre Anerkennung durch den König geschickt und mit Energie betreibt, blickt schärfer. Er erkennt die Gefahren ungleich besser als der König:

> „Wo sind wir hingeraten?" (V. 449)

fragt er und nimmt damit eine Frage auf, die schon gleich zu Beginn des Stückes der König an ihn stellte:

> „Wo sind wir?" (V. 6)

und die dann Eugenie in der leicht abgewandelten Form:

> „Was ist aus uns geworden?" (V. 227)

nach ihrem Erwachen aus der Ohnmacht zunächst stellt.

Die Frage offenbart in der Absolutheit, mit der sie das Sein der Figuren wie das Wesen der Welt in Frage stellt, die Fremdheit des Menschen in dieser Welt, die ihn gefährdet und mit dem Untergang droht.

Der Herzog fährt fort:

> „So mußte dir der Jugend heitres Glück
> Beim ersten Eintritt in die Welt verschwinden." (V. 454–6)

Hier scheint die Konsequenz aus den oben angeführten Worten der Hofmeisterin gezogen zu sein: Kein glänzendes Geschick am Hofe erwartet
Eugenie. Das heitre Glück ihrer beschützten Jugend, aller Glanz ist mit
einem Schlag durch den Eintritt in die Welt verschwunden. Der Glanz des
gefährdeten Hofes ist falsch.

Man sieht, wie der Eintritt in die Welt nicht unbedingt reiner Gewinn
zu sein hat. Für Eugenie scheint es zunächst so zu sein. Nach des Herzogs
Worten schätzt sie das, was sie erwartet, zu sehr, das, was sie aufgibt, zu
gering (V. 499–501). Aus der Konstellation geht hervor, wie der Eintritt
in die Welt für sie eher einen Verlust bedeutet, von dem sich mit Sicherheit ausmachen läßt, worin er besteht: im Glück der Jugend, das sie verliert (V. 454–55).

Die folgenden Verse offenbaren, wodurch dieser Verlust geschieht:

„Das Ziel erreichst du, doch des falschen Kranzes
Verborgne Dornen ritzen deine Hand." (V. 458–9)

Im Symbol des Dornenkranzes – vgl. auch V. 1720 „Dornenlabyrinth"
– verbindet sich lockender, aber falscher Glanz mit der drohenden Gefahr, genau wie in den „goldenen Ketten" in ‚Epimenides Erwachen':
Zwar erreicht das Streben ein Ziel, aber in einer fremden Welt. Eugenie
greift nach schmückendem Glanz und findet Dornen, Gefahr, Not.

Herzog und Hofmeisterin fassen die Situation, in die hinein Eugenie
gerät, in derselben Weise: Herzog:

„... Auf einmal, wie der jähe Sturz
Dir vorgedeutet, bist du in den *Kreis*
Der Sorgen, der Gefahr herabgestürzt ..." (V. 465 ff.)

Hofmeisterin:

„Aus stillem Kreise trittst du nun heraus
In weite Räume, wo dich *Sorgendrang*,
Vielfach geknüpfte *Netze, Tod* vielleicht
Von meuchelmörderischer Hand erwartet." (V. 1123–26)

Die Bedeutung dieser beiden Stellen liegt in der Umwertung, die der
Raum des Erscheinens hier erfährt: Es ist nicht mehr die freudig be-
grüßte „große Welt", der Hof, die Helle, das Lichte, sondern ein Raum
voll lauernder und todbringender Gefahr, die der symbolische Sturz offenbarte. Dieser Ort soll die neue Welt für Eugenie sein. Die Welt enthüllt
ihr Wesen: sie ist eine vom Netz durchwaltete Welt.

„Du wirst fortan, mit mir ins Netz verstrickt,
Gelähmt, verworren, dich und mich betrauern." (V. 479 ff.)

Zwar versucht Eugenie von ihrer antizipierten Welt her diesen Netz-
Charakter der Welt umzudeuten, in eine andre Welterfahrung zurück-

zutransponieren, indem sie sich zur Idee des „Weltgewebes" (M+R, 230)
im positiven Sinn bekennt.

> „Wie soll die Tochter erst, in dein Geschick
> Verflochten, im Gewebe deines Lebens
> Als heitrer, bunter Faden künftig glänzen." (V. 482 ff.)

Aber ihr Tun bleibt sonderbar blind und hilflos. Die Diskrepanz zwischen
antizipierter Welt und Wirklichkeit derselben bricht auf:

> „Gebildet ist ihr Geist, doch nicht zur Tat!" (V. 828)

sagt der Sekretär von ihr.

Die Tödlichkeit und Absolutheit der Verstrickung drückt sich selbst noch
in der fingierten Todesnachricht aus, die dem Herzog vom Weltgeistlichen
überbracht wird: Der Sekretär trägt ihm – dem Weltgeistlichen – die Bot-
schaft auf:

> „An eurem Orte sei sie beigesetzt,
> Als an dem nächsten Platz, wohin man sie
> Aus jenem *Felsendickicht* bringen können,
> Wo sie verwegen sich den Tod erstürmt." (V. 1162 ff.)

Selbst wenn es sich hier – der Fabel nach – um eine Lüge handelt, so deuten diese Worte – auf der Symbolebene – das Geschehen: daß alles dies
wahr, symbolisch wahr sei: Verwegen war Eugeniens Erstürmen der Welt,
ihr Wagemut hat sie zu Fall gebracht, und so ist es ihr Geschick, in der
Netzstruktur der Welt umzukommen. Ihr Erscheinen wird jäh zum Verschwinden.

Der erste Akt bietet – parallel zu den Stufen des Erscheinens – ein
stufenweises Hervortreten der gefährlichen Netzstruktur der Welt, in der
„erscheinen" notwendigerweise zu einem „verschwinden" werden muß:
Selbst wenn „erscheinen" als Vorgang den ersten Akt noch beherrscht, die
Gefährlichkeit der Welt, in die dieses „Erscheinen" gehen soll, ist offenbar geworden.

V

Die Antinomie der Welt als normative und faktische tritt mit aller Schärfe
im Dialog Hofmeisterin – Sekretär zutage:

> „Gar manchen Schatz bewahrt von Jugend auf
> Ein edles, gutes Herz und bildet ihn
> Nur immer schöner, liebenswürdger aus
> Zur holden Gottheit des geheimen Tempels;
> *Doch* wenn das Mächtige, das uns regiert,
> Ein großes Opfer heischt, wir bringens doch,

Mit blutendem Gefühl, der Not zuletzt.
Zwei Welten sind es, meine Liebe, die,
Gewaltsam sich bekämpfend, uns bedrängen." (V. 702–710)

Wie unversöhnlich stehen die beiden Welten des Innen und des Außen, des Sollens und des Seins, einander gegenüber. Von beiden ist der Mensch als (moraliter) gestaltetes Wesen geformt und abhängig: „Das Gesetz der *inneren* Natur *konstituiert*" die Gestalt, „durch das Gesetz der *äußeren* Umstände wird sie *modifiziert*" (WA. II, Bd. 6, S. 286). So ist die entschiedene Gestalt . . . gleichsam der innere *Kern*, welcher durch die *Determination des äußeren Elementes* sich verschieden bildet" (AGA, 17, S. 229).

In diesem Konflikt der beiden auf ihn wirkenden Forderungen (des inneren und des äußeren Gesetzes) gibt der Sekretär den „geheimen Tempel" seines Wesens auf und unterwirft sich dem Gesetz der äußeren Umstände: Er bringt das Opfer, welches das Mächtige, „das uns regiert", verlangt. So herrscht über den Sekretär allein das Gesetz der Welt politischer Verstrickung und Intrige.

Der Sekretär, wie auch der Weltgeistliche, übergeben sich an die Welt des Netzes: sie sind – so wie sie erscheinen – völlig hineingenommen in diese Welt, ganz geformt durch die äußeren Umstände und haben gewissermaßen ihre Individualität als Person, die „ruling passions" oder „Eigenheiten", „die falsch nach außen, richtig nach innen" sind (Bd. 15, S. 1029), aufgeopfert.

Dagegen muß Eugenie „auf einmal aus der Welt verschwinden" (V. 794), weil sie ihren „geheimen Tempel", ihr Wesen, *nicht* den äußeren Umständen opfern will, weil es ihr bei ihrem Erscheinen um Sein und Wesen, nicht um bloßen Schein zu tun ist.

„Doch deinem Herzen, deinem Geist genügt
Nur eigner, innrer Wert und nicht der Schein." (V. 1064–5)

Die Welt verhält sich unbarmherzig gegen Eugeniens Verlangen, wesentlich zu erscheinen: sie soll verschwinden. An der Unbarmherzigkeit der Welt soll ihre Leidenschaft zu erscheinen scheitern.

Sekretär und Weltgeistlicher sprechen diese weltliche, „nützlich ungerechte" (V. 1800) Notwendigkeit aus.

Dagegen ist die Hofmeisterin von dem Glauben erfüllt, die Reinheit und innere Energie Eugeniens werden über die schrecklichen Gewalten obsiegen.

„Dieser Geist,
Der mutvoll sie beseelt, ererbte Kraft,
Begleiten sie, wohin sie geht, zerreißen
Das falsche Netz, womit ihr sie umgabt." (V. 819 ff.)

Allein wie soll – bei aller Leidenschaft des Erscheinen-Wollens – das unerprobte, unerfahrene Leben solche Widerstände überwinden? – Zwar heißt es:

> „Gebildet ist ihr Geist, *doch* nicht zur Tat!" (V. 828)

und:

> „Des Unerfahrnen hoher, freier Mut
> Verliert sich leicht in Feigheit und Verzweiflung,
> Wenn sich die Not ihm gegenüberstellt." (V. 831–33)

Zum Leben in einer Welt, deren Wesenszug Verstrickung ist, bedarf es anderer Organe als nur eines „hohen, freien Mutes" und reiner Gesinnung. Goethe hatte dies an Molières ‚Misanthrop' erkannt: „Hier stellt sich der *reine Mensch* dar, welcher bei gewonnener großer Bildung noch *natürlich geblieben* ist und wie mit sich, so auch mit anderen nur zu gern *wahr und gründlich* sein möchte; wir sehen ihn aber im Konflikt mit einer sozialen Welt, in der man ohne Verstellung und Flachheit nicht umhergehen kann" (Bd. 15, S. 973). Ähnlich heißt es in einem Gespräch, das uns Eckermann aufgeschrieben hat: „Wo kommt uns noch eine *originelle Natur unverhüllt* entgegen! Und wo hat einer die *Kraft wahr zu sein* und sich *zu zeigen, wie er ist!*" (2. 1. 1824).

Der Sekretär braucht und nennt das Organ, das, um sich in der Welt einzurichten, herrschen muß: den *Verstand*.

> „*Verstand* empfingen wir, uns mündig selbst
> *Im irdschen Element zurechtzufinden;*
> Und was uns nützt, ist unser höchstes Recht!" (V. 859–61)

Verstand – nicht Vernunft – ist das charakteristische Organ dieser Weltepoche: Es ist die Epoche des „Benutzens, Kriegens, Verzehrens, der Technik, des Wissens, des *Verstandes*". Dieser geht voran die Epoche „des Werdens, des Friedens, des Nährens, der Künste, der Wissenschaften, der Gemütlichkeit, der *Vernunft*" (M+R, IV – Bd. 2, S. 655–56).[19] Unbedingtes, egoistisches, rücksichtsloses Durchsetzen der eigenen empirischen Existenz, Agnostizismus in Bezug auf höhere leitende Werte und Wesenheiten –

> „Wer wagt ein Herrschendes zu leugnen, . . .? –
> Doch wer hat sich seinem hohen Rat
> Gesellen dürfen?" (V. 853 ff.) –

---

[19] Es zeigt sich hier, wie sehr – bei augenscheinlicher Zeitlosigkeit und historischer Unfixiertheit des Geschehens der ‚Natürlichen Tochter' – es sich um eine geschichts- und geistesmorphologisch genau bestimmbare Epoche handelt, in die Goethe die Vorgänge hineinstellt. – vgl. dazu M+R, IV – Bd. 2, S. 655–656 und Bd. 15, S. 365 ff., ‚Geistesepochen, nach Herrmann neuesten Mitteilungen, 1817'.

kennzeichnet die Gesinnungsart der „Tagesmenschen" und „Zeitlinge", die in der Netz- und Labyrinth-Struktur der Welt zu leben verstehen: es gibt hier keinerlei „Weltfrömmigkeit", die auf der Lehre von den drei Formen der Ehrfurcht aufbaut.[20] Ihnen – den Tagesmenschen – ist eine Resignation auf den Verstand eigen. Sie glauben, „zu einer gewissen, gleichen, fortdauernden Gegenwart" bräuchten sie „nur Verstand" und bedenken nicht, daß ein „verständiger Mann ... viel für sich, aber fürs Ganze ... wenig ist" (Bd. 7, S. 501).

Die Erscheinungsformen dieser Art von Weltlichkeit sind in der ‚Natürlicher Tochter' gradweise verschieden: Im Weltgeistlichen tritt sie anders zutage als im Sekretär, wieder anders in der Hofmeisterin und im König. Auch der Herzog ist nicht frei davon und so nicht der Gouverneur und die Äbtissin.

Beim Sekretär darf man von einer absoluten Ausprägung dieses Zuges sprechen, was noch dadurch verstärkt wird, daß es keine Genese oder Begründung dieser seiner Einstellung gibt. Lediglich aus dem Munde der Hofmeisterin erfahren wir, daß ihr der Sekretär früher anders erschien.

Beim Weltgeistlichen offenbart sich prozeßhaft im erzählten Lebensschicksal sein Weg aus dem bezirkten Kreis, in dem er zufrieden lebte, hinein in die große Welt, wo er in der Netzstruktur sein Selbst verlor. Er wurde zum „Genossen" der Verschwörer, zu ihrem „Gesellen", schließlich zu ihrem „Sklaven". Aus dem sonst „so freien" wurde ein „bedrängter Mann" (V. 1224 ff.). Dem (erzwungenen oder durch Verlockung erwirkten) Erscheinen des Weltgeistlichen in der großen Welt folgt unmittelbar der Verlust des eigenen Wesens, das er in der Netz durchwirkten Welt nicht zu bewahren weiß. Es tritt unter dem „modifizierenden Gesetz der äußeren Umstände" eine „Reihe umgekehrter Metamorphosen" ein, die schließlich das Wesen – als aktuell wirkendes – zerstört.

Auch die Hofmeisterin gehört zu dieser Gruppe, besonders wie sie in den beiden letzten Akten erscheint. Zwar ist sie vom Willen zum rechten Handeln erfüllt, sie hört im Gegensatz zum Sekretär noch „des Herzens Winke" (V. 863), d. h. sie entspricht im Handeln zunächst der inneren Form ihres Wesens.

> „Mich ruft *es* auf, die schreckliche Gefahr
> Vom holden Zögling kräftig abzuwenden." (V. 864 ff.)

Das „Es" weist auf das innere Gesetz, dem sie entsprechen will.

Aber: ihre Absicht moralischen Handelns, indem sie dem inneren Ge-

---

[20] Wie oft wird nicht das Fehlen oder Verlorengegangensein des „oberen Leitenden", des Geistes (vgl. Noten und Abhandlungen zum Diwan, Bd. 2, S. 233) im Verlauf der ‚Natürlichen Tochter' betont! Vgl. etwa die Verse: 1288; 1535; 1697 ff.; 2831 ff.

setz, das sie als Mensch konstituiert, folgen will, kommt an die absolute
Grenze: den Tod.

Will sie sich gegen die herrschende „Macht und List beherzt wappnen",
gegen das „Gesetz der äußeren Umstände", so muß sie selbst listig, d. h.
weltlich, werden: d. h. sich durch das Gesetz der äußren Umstände „modifizieren lassen". So ist auch die Hofmeisterin – besonders in den beiden
letzten Akten – dazu gezwungen, weltlich zu handeln, und nimmt damit
die Gefahr auf sich, sich (das eigene Wesen) in dem und durch das auf-
gezwungene Tun zu verlieren. Denn nichts formt den Menschen mehr als
das Tun, nirgends hat er sich so zu engagieren wie dort. So handelnd,
wird die Hofmeisterin für Eugenie zum Rätsel:

> „Bist du denn ganz verwandelt? Äußerlich
> Erscheinst du mir die Vielgeliebte selber;
> Doch ausgewechselt ist, so scheints, dein Herz." (V. 2324 ff.)

Anders Eugenie: Es heißt wiederholt von ihr:

> „Aus edlem Blut entsproß die Treffliche;
> Von jeder Gabe, jeder Tugend schenkt
> Ihr die *Natur* den allerschönsten Teil,
> Wenn[21] *das Gesetz* ihr andre Rechte weigert." (V. 1760 ff.)

Ein Gegensatz Natur – Gesetz offenbart sich hier, von dem oben schon
ausführlich gehandelt wurde. Hier ist das Verhältnis Natur-Gesetz von
der Weltstruktur her zu betrachten und zur Deutung der Welt zu verwenden.

Augenscheinlich ist es so, daß das von Natur Gegebene und Erhaltene,
was dem inneren Gesetz gleichkommt und ihm entspricht, die Kraft der
Monas, keinen Entfaltungsraum in der von Netz und Labyrinth durchwalteten Welt finden kann: die Blüte vermag unter solch ungünstigen
„klimatischen" Bedingungen, unter diesem Gesetz der äußeren Umstände,
die sie modifizieren, nicht aufzugehen und zu erscheinen.

Warum kommt das angelegte Wesen Eugeniens nicht zur Entfaltung?
– Eine persönliche Schuld – so hatten wir gesehen – liegt nicht vor:

> „Sie (Eugenie), als des Haders Apfel, warf ein Gott,
> Erzürnt, ins Mittel zwischen zwei Parteien,
> Die sich, auf ewig nun getrennt, bekämpfen.
> Sie will der eine Teil zum höchsten Glück
> Berechtigt wissen, wenn der andre sie
> Hinabzudrängen strebt. Entschieden beide!
> Und so *umschlang ein heimlich Labyrinth*
> Verschmitzten Wirkens doppelt ihr Geschick ..." (V. 1776 ff.)

---

[21] Zum adversativen Gebrauch von „wenn" bei Goethe vgl. P. Fischer, Goethe-Wortschatz (1929), S. 735.

Das Labyrinth, in das Eugenie hineingerät, das Netz, in das sie sich verstrickt, ist die politische Welt. In sie ist Eugenie hinein-„geworfen". Weil
es die Parteien so wollen, soll Eugenie verschwinden. Das Auseinandertreten der staatlichen Elemente in einen absoluten, unüberbrückbaren Gegensatz ist Ursache ihrer Not:

> „Der innre Zwist unsicherer Parteien,
> Der nur in düstern Höhlen sich geneckt,
> Er bricht vielleicht ins Freie bald hervor;
> Und was mich erst als Furcht und Sorg' umgeben,
> Entscheidet sich, indem es mich vernichtet,
> Und droht Vernichtung aller Welt umher." (V. 1935 ff.)

Die Welt, die ehemals so weiten Räume, – so stellt sich heraus – läßt
keinen Platz für Ankunft und Entfalten erscheinenden Lebens. Das Meer
selbst, an das Eugenie geführt wird, sonst das Offene schlechthin, erweist
sich hier als das einfach Elementare in seiner Willkürlichkeit und grenzt
die Freiheit Eugeniens absolut ein:

> „Ans Meer versprach er (Herzog) mich zu führen, hoffte
> Sich meines ersten Blicks ins *Unbegrenzte*
> Mit liebevollem Anteil zu erfreun. –
> Da steh' ich nun und schaue weit hinaus,
> Und *enger* scheint mich's, *enger zu umschließen.*
> O Gott! Wie schränkt sich Welt und Himmel ein,
> Wenn unser Herz in seinen Schranken banget!" (V. 1963 ff.)

Und auch jenseits des Meeres, wohin Verbannung sie führen soll, ist „mit
Not und Jammer ihr Pfad umstrickt" (V. 1980). Das Land jenseits des
Meeres ist von dem gleichen Netz durchwirkt wie die übrige Welt, die
sich so als ein Ganzes immer und überall dem Erscheinen-Wollen Eugeniens
hindernd entgegenstellt (vgl. V. 1963 ff.).

In solcher Situation sucht Eugenie verzweifelt nach Rettung, sie wendet
sich zunächst an den Gerichtsrat.
Eugenie:

> „Um Rettung aus des *Todes Nachtgewalt,*
> Um dieses *Lichts erquickenden Genuß,*
> *Um Sicherheit des Daseins* ruft zuerst
> *Aus tiefer Not* ein *Halbverlorner* noch." (V. 2056 ff.)

Der Gerichtsrat will sie durch die Ehe vor dem „Ungestüm des rohen An-
dranges der Menge" (2177) retten. Doch die Ehe erscheint Eugenie nur als
eine andere Art der sie umstrickenden Gewalt der Welt.

> „Nun kann ich seine (des Wortes „Ehe") Nähe nicht ertragen;
> Die Sorge, die Beklemmung mehrt sich nur." (V. 2105–6)

Denn durch die Ehe ziehe der Gatte sein Weib „unwiderstehlich in seines Kreises abgeschlossne Bahn".

„Verschwunden ist die frühere Gestalt,
Verloschen jede Spur vergangner Tage." (V. 2301 ff.)

Um dieser neuen Bedrohung zu entgehen, wendet sich Eugenie hilfesuchend an die Volksmenge:

„Aus roher Menge kündet
Ein mächtger Ruf mir meine Freiheit an." (V. 2350 ff.)

Wieder antizipiert sie eine Wirklichkeit, die es nicht gibt. So folgt der Wendung ans Volk unmittelbar die Enttäuschung. Das Volk wendet sich von ihr ab, ohne sie anzuhören. Eugeniens hochgestimmte Hoffnungen brechen zusammen. Die Menge – selbst in das Netz der Tageswelt verstrickt – vermag nicht, Eugenien daraus zu befreien.

Niedergeschlagen und von der Hofmeisterin geführt, tritt Eugenie zu Beginn des V. Aktes wieder auf.

„Mit welchen *Ketten* führst du mich zurück . . ." (V. 2365 ff.)

Die zerstörten Hoffnungen hängen sich als Ketten an sie, die in der Hofmeisterin die Urheberin alles Unglücks sieht:

„Du fesselst mich, du schleppst mich hin und wider;
Mein Geist verwirrt sich, mein Gefühl ermattet,
Und zu den Toten sehn ich mich hinab." (V. 2376 ff.)

Dabei bedenkt sie nicht, daß die Hofmeisterin ebenso wie sie im Netz der Welt gefangen ist:

„Dies Unglück, vorgesehen oder nicht,
Hat mich und dich in gleiches Netz verschlungen." (V. 2388 ff.)

Unmöglichkeit persönlicher Verschuldung und Objektivität der Netzstruktur als eines willkürlich Elementaren werden offenbar: eine Situation, deren Auswegslosigkeit – bei noch immer gleichgerichtetem Streben Eugeniens – sich auch in den folgenden Begegnungen mit Gouverneur und Äbtissin darstellt.

Äußerste Bedrohung und das Wissen, daß „das Schiff in seine Kerker" sie noch nicht aufgenommen hat (V. 2384), treiben sie den ihr Begegnenden entgegen, zwingen sie dazu, jene um Rettung flehentlich anzugehen.

Beide Versuche, sich aus der Netz-Verstrickung zu befreien, mißlingen, weil – wie im Kapitel ‚Dialog' gezeigt wurde – einmal Eugenie die Möglichkeit, den Begegnenden *persönlich* zu erscheinen und sich ihnen so zu offenbaren, den Begegnenden zum anderen die Möglichkeit *persönlicher Reaktion* auf Eugeniens Erscheinen genommen ist.

Resultat ihrer Bemühung ist das Offenbarwerden ihrer vollkommenen Isoliertheit in der labyrinthischen Welt.

> *„Verbannung, Tod, Entwürdigung umschließen*
> *Mich fest und ängstgen mich einander zu.* (V. 2663 ff.)
>
> . . . . . .
>
> *„Ist denn der Himmel ehern über mir?*
> Dringt meine Jammerstimme nicht hindurch?"* (V. 2644–45)

Der IV. und V. Akt – so wird deutlich – bieten eine konsequente Enttäuschung der Heldin, eine fortschreitende und gründliche Zerstörung der antizipierten Welt bei gleichzeitiger, immer intensiver werdender Deutlichkeit des Netz-Charakters der Welt, in der erscheinendes Leben verstrickt wird.

Alle Möglichkeiten des Begegnens und Erscheinens werden vom Dichter mit Strenge und Härte durchgeführt, in allen unter dem „Gesetz der äußeren, herrschenden Umstände" die Unmöglichkeit der Verwirklichung aufgewiesen.

Nur ein Umdenken des Menschen, nur eine Änderung seines auf unbedingtes Erscheinen gerichtetes Streben kann hier vor dem Letzten bewahren.

c) GOLD-SYMBOLIK

I

Der II. Akt, 3. bis 5. Szene, bringt durchaus den Höhepunkt des Vorgangs des Erscheinens.

Beziehungsreich läßt Goethe dieser Szenenfolge das Gespräch Hofmeisterin – Sekretär vorausgehen: Szenen, in denen sich die Gegenbewegung zum „Erscheinen", das „Verschwinden", mit aller Entschiedenheit ankündigt.

Die darauf folgenden Szenen höchsten Glücks Eugeniens erhalten dadurch die weltliche Folie,[22] mit der Goethe idyllische Szenen stets zu umgeben gesonnen ist, um auf diese Weise das Widerspiel von Ruhe und Bewegung, Frieden und Gefahr, erfülltem Augenblick und fließender Zeit, zeitloser Enthobenheit und Verfallensein an die Zeit, die Geschichte darzustellen.

Fürs erste gilt es, das Geschehen der Szenen 3 bis 5 zu beschreiben: Es scheint in einer Doppelbewegung zu liegen: Die erste Bewegung kündet sich in den Worten der Hofmeisterin an Eugenie an:

---

[22] vgl. die Verse aus der ‚Natürlichen Tochter':
> „Der Neider steht als *Folie* des Glücks,
> Der Hasser lehrt uns immer wehrhaft bleiben." (V. 1093–4)

„Mit Wonne drück ich dich an dieses Herz,
Geliebtes Kind, und freue mich der Freude,
Die reich aus Lebensfülle dir entquillt.
Wie heiter glänzt dein Auge! Welch Entzücken
Umschwebet Mund und Wange! Welches Glück
Drängt aus bewegtem Busen sich hervor!" (V. 905 ff.)

Eugenie ist von der königlichen Verheißung, sie bald am Hofe öffentlich
erscheinen zu lassen, berauscht und erfüllt, so sehr erfüllt, daß sie allein
„ins eigene Gefühl sich finden lernen muß" (V. 923), so sehr erfüllt, daß
sie ihren momentanen Zustand vergißt und die drohenden Gefahren
mißachtet:

„Beflügelt drängt sich Phantasie voraus,
Sie trägt mich vor den Thron und stellt mich vor." (V. 971–2)

Dichterisch antizipiert Eugenie in der Einbildungskraft die Welt, wie schon
der Herzog von ihr zum König bekannte:

„Mit welcher Leichtigkeit, mit welchem Sinn
Erfreut sie sich des Gegenwärtigen,
Indes ihr Phantasie das künftge Glück
Mit schmeichelhaften Dichterfarben malt." (V. 116 ff.)

Die Aussicht, durch den König „neugeboren ... ins Leben" einzutreten,
reißt ihre Einbildungskraft über alle Grenzen hinaus, und das sie beherrschende Gefühl des Hinaufgehobenseins vermag sich nur noch im
Gedicht zu formen:

„Wie glücklich, den Gefühlen unsrer Brust,
Für ewge Zeit den Stempel aufzudrücken." (V. 963 ff.)

Hier offenbart sich das Paradoxe des Gedichtes darin, daß es ihm gelingt,
Unendliches zu verendlichen, zu formen, zu begrenzen, vergleichbar Mig-
nons Sehnsuchtslied „Kennst du das Land ..." in dem Sehnsucht Gebilde,
Gestalt wird.

II

Dieser inneren, maßlos hervorbrechenden Lebensfülle und vorausgreifen-
den Einbildungskraft antwortet eine andere Bewegung. Das Erscheinen
des bedeutenden, geheimnisvollen Schreins. An dieser Stelle spricht die
Hofmeisterin die Einheit von Eugeniens wunderbaren, aber gefährlichen
Träumen und Wünschen mit dem Geheimnis, das das Kästchen birgt, aus:

„Der prächtgen Stoffe Gold und Farbenglanz,
Der Perlen Milde, der Juwelen Strahl,

> Bleib im Verborgnen! Ach! Sie reizen dich
> Zu jenem Ziel unwiderstehlich auf." (V. 1033 ff.)

Worauf Eugenie entgegnet:

> „Was sie *bedeuten, ist das Reizende*." (V. 1037)

Nicht was sie *sind*! Das Gold ist hier nicht der schlicht schmückende Stoff, der an sich und aus sich wirkt, sondern er deutet auf eine unter der dramatischen Oberfläche liegende Schicht von Sinn- und Motivverbindungen hin, die noch aufzuhellen ist. Inhaltlich betrachtet, steht Gold und Schmuck in engster Beziehung zum Ereignis des Stückes, das wir als „Erscheinen" erkannt haben.

Als Metapher in Bezug auf Eugenie finden sich Schmuck- und Goldbilder schon zu Beginn der ‚Natürlichen Tochter'. Sie ist wie ein „Karfunkelstein", ein „Wundergut", von dem der Herzog sagt:

> „. . . wie in dunklen Grüften,
> Das Märchen sagts, *Karfunkelsteine leuchten*,
> Mit herrlich mildem Schein der öden Nacht
> Geheimnisvolle Schauer hold beleben,
> So ward auch mir ein *Wundergut* beschert,
> Mir Glücklichem!" (V. 63 ff.)

Eine Stelle im Anhang zur Cellini-Übersetzung klärt über den Symbolcharakter des Wortes „Karfunkelstein" auf. Dort steht zu lesen: „Daß einige Steine im Dunkeln leuchteten, hatte man bemerkt. Man schrieb es nicht dem Sonnenlicht zu, dem sie dieses Licht abgewonnen hatten, sondern einer eigenen innwohnenden Kraft und nannte sie Karfunkel." Eugeniens „innwohnende" Kraft geht aufs leuchtende Erscheinen. Dem Herzog war sie solch ein „Wundergut", das als Karfunkelstein wohltätiges Licht auch im Verborgenen ausbreitet. Für den König ist sie der „wonnevoll geheim verwahrte Schatz" (V. 77). Und später bekennt der Herzog seiner Tochter:

> „Zu wissen glaub ich, welch ein edler Schatz
> In dir, o Tochter, mir beschieden ist." (V. 241 ff.)

Als ein „edler, geheim verwahrter Schatz" hat Eugenie im Verborgenen gelebt; vom Vater als Tochter bekannt, vom König als diese anerkannt, beginnt sie den Weg des Erscheinens, auf dem sie von Schatz- und Goldsymbolen begleitet wird.

Als Eugnie für den Herzog in Tod und Finsternis verschwindet, klagt er:

> „In welchen Händen ließ ich solchen Schatz?" (V. 1365)

Die tiefere Einheit von Gold-Symbolik und dem sich ereignenden Erscheinen wird offenbar, wenn Eugenie sagt:

„... so wünscht ein Weib noch jedem zu gefallen
Durch ausgesuchte Tracht, vollkommnen Schmuck
Beneidenswert vor andern zu erscheinen." (V. 520 ff.)

Durch diese leichte psychologische Motivierung und Verknüpfung sind
vom Dichter hier zwei Gestaltungsebenen der Dichtung miteinander verbunden, die das Stück durchziehen und sich wechselweise ergänzen: die
Handlungs- oder Spielebene und die Symbolebene.

Erscheinen ist Aufgehen: glanzvolles Aufgehen, der „Aufgang eines
neuen Sternes" (V. 107), der Licht und Glanz um sich verbreitet. Schmuck
und leuchtendes Gold und prächtige Gewänder, wie sie der Schrein enthält, gehören wie selbstverständlich zum Vorgang des Erscheinens.

In der Verwirklichung dieser Einheit liegt der Sinn der Szenen 3 bis 5
des II. Aktes.

Als der König Eugenie verheißt, sie bald vor der Öffentlichkeit anzuerkennen, sagt er:

> „Dort werd ich dich im offnen Kreise sehn,
> Und aller Augen werden auf dir haften.
> Die schönste Zierde gab dir die Natur;
> Und daß der Schmuck der Fürstin würdig sei,
> Die Sorge laß dem Vater, laß dem König!" (V. 334–38)

Einer so geschmückten, kann der König verheißen:

> „Am Throne glänze dein Geschick!" (V. 411)

Auf ihr Bitten, das „mädchenhafter Schwachheit" (V. 526) entspringt, erhält Eugenie vom Vater und Herzog einen kostbaren Schrein:

> „Und heute noch, verwahrt im edlen Schrein,
> Erhältst du Gaben, die du nicht erwartest." (V. 537–8)

Wie sich hier Schmuckbilder und Vorgang des Erscheinens wechselweise
spiegeln, so bleibt zugleich jedoch sichtbar, in welch gefährlichen Raum
Erscheinen hinein geschieht. Die Bedeutung des Goldes ist durchaus ambi-
valent. So sagt der König:

> „Ich führe
> Auf glatten Marmorboden dich hinein." (V. 323–4)

Glanz und Gefahr des Goldes verbinden sich hier. Daß Gefahren lauern,
geht indirekt aus der aufgebotenen Vorsicht hervor, mit der das beschlossne
Erscheinen Eugeniens umgeben wird: Ihr Geschick soll zwar einmal am
Throne glänzen: „Doch bis dahin verlang ich von euch beiden Ver-
schwiegenheit!" (V. 411 ff.).

Eugenie erhält zwar den Schmuck, aber dieser ist verwahrt im Schrein,
d. h. verborgen, eingeschlossen, und wird begleitet von dem Verbot:

„Doch leichte Prüfung leg ich dir dabei
Zum Vorbild mancher künftig schweren auf ...
Öffne nicht,
Eh ich dich wiedersehe, jenen Schatz!", (V. 542 ff.)

Eugenie, der verwahrte Schatz, und der im Schrein verwahrte Schmuck:
beide müssen verborgen bleiben, d. h. dürfen nicht zu früh erscheinen,
eine Vorsicht, die nochmals in der Warnung der Hofmeisterin wiederholt
wird:

„Der prächtgen Stoffe Gold und Farbenglanz,
Der Perlen Milde, der Juwelen Strahl
Bleib im Verborgnen! Ach! sie reizen dich
Zu jenem Ziel unwiderstehlich auf." (V. 1033 ff.)

So wirkt in die Welt des still aufgehenden Glanzes und Scheines eine ge-
fahrenreiche Welt hinein, die das Erscheinen hemmt und unterbindet, es
in seinem Bestand gefährdet. Geheimhaltung soll Schutz gewähren. Aber
der Verrat ist bereits am Werke:

„Geheimnisse der Großen sind belauscht." (V. 1015)

Wie sehr die Warnung der Hofmeisterin zurecht besteht, wird offensichtlich aus den Worten des Sekretärs:

„Der Augenblick des Handelns drängt uns schon.
Der Herzog scheint gewiß, daß ihm der König
Am nächsten Fest die hohe Gunst gewähren
Und seine Tochter anerkennen wolle:
Denn Kleider und Juwelen stehn bereit,
Im prächtgen Kasten sämtlich eingeschlossen,
Wozu er selbst die Schlüssel wohl verwahrt,
Und ein Geheimnis zu verwahren glaubt.
Wir aber wissens wohl und sind gerüstet." (V. 837 ff.)

Die Welt, in die hinein Erscheinen geschehen soll, steht diesem feindlich
gegenüber. Es gilt hier jene, von Goethe oft wiederholte Erfahrung, daß
„die Idee, wenn sie in die Erscheinung tritt, es sei auf welche Art es auch
wolle ..., immer Apprehension erregt, eine Art Scheu, Verlegenheit,
Widerwillen, wogegen der Mensch sich auf irgendeine Weise in Positur
setzt" (Bd. 15, S. 1141).
      Denn sobald etwas Ideelles in die Wirklichkeit eintrete, entstehe eine
„Krise". „Die Außenwelt ist durchaus unbarmherzig, und sie hat recht,
denn sie muß sich ein für allemal selbst behaupten; die Zuversicht der
Leidenschaft ist groß, aber wir sehen sie doch gar zu oft an dem ihr entgegenstehenden Wirklichen scheitern" (Bd. 8, S. 820).

Eugeniens Streben achtet auch das Gebot des Herzogs gering: sie öffnet den Schrein, der „auf nächste Hoheit deutet" (V. 1011). Die Regieanweisung (nach V. 1037) sagt: „Sie öffnet den Schrank; an der Tür zeigen sich Spiegel". Goethe verwendet Regieanweisungen selten; desto sorgfältiger wollen sie bedacht sein: „An der Tür zeigen sich Spiegel." Daß es sich hier um keine bloße Theaterweisung handelt, sondern um eine Anmerkung von dichterischer Bedeutung, offenbaren die folgenden Verse Eugeniens:

> „Und diese Spiegel! fordern sie nicht gleich,
> Das *Mädchen und den Schmuck vereint zu schildern?*" (V. 1040–41)

Die beiden erkannten Bewegungen, die in dieser Szene aufeinander zustreben, finden im Spiegel den Punkt, an dem sie einander begegnen und sich gegeneinander austauschen.
Die Spiegel fordern, „das Mädchen und den Schmuck vereint zu schildern". Lebensfülle, Energie, Einbildungskraft Eugeniens, ihr Bewußtsein von ihrem Erscheinen-Müssen, das sich zu den Versen verdichtet:

> „Gefaltet kann die Knospe sich genügen,
> Solange sie des Winters Frost umgibt;
> Nun schwillt, vom Frühlingshauche, Lebenskraft,
> In Blüten bricht sie auf an Licht und Lüfte." (V. 1072 ff.)

begegnet der Verlockung durch den Schrein, das Gold, die Gewänder, die er birgt, das Symbol des Glanzes dieser Welt.
Andere im II. Akt vorkommende Gold-Bilder haben eine weitere Objektivierung derselben zur Folge dergestalt, daß es sich bei ihnen nicht länger um eine Reihe von Eugeniens Wesen zugesellten Metaphern handeln kann. So gießt der Sekretär der Hofmeisterin „des Glückes Füllhorn auf einmal ... vor die Füße" (V. 658), sieht die Hofmeisterin den „Gott des Überflusses" sich herannahen. Aber – nicht wie Eugenie – verfällt die Hofmeisterin gleich der Versuchung. Das Nahen des „Gottes der Welt" ist ihr nicht „wünschenswert", sondern „abscheulich" (V. 687), denn er verlangt große Opfer.
Zunehmend werden Schmuck, Fülle, Reichtum, kurz alle Goldsymbole in diesem Stück Ausdruck, Symbol für eine dämonisch herrschende Weltmacht, „Gold – so heißt es in der ‚Farbenlehre' (AGA, 16, S. 391) – ist so unbedingt mächtig auf der Erde, wie wir uns Gott im Weltall denken." Daher zieht es die Mächtigen und zur Macht Strebenden an: Der Bruder Eugeniens und ihr ärgster Feind ist ihm untertan: Obgleich reich, strebt er nach immer mehr Reichtum und Macht. Ein objektiver, streng gefaßter Aspekt der Welt und Macht baut sich aus den Gold-Symbolen auf, die wie zufällig über das ganze Werk verstreut stehen, aber durch geheime Sinn- und Motivbezüge zu einem Ganzen verbunden sind.

Dadurch gewinnt der Vorgang des Bekleidens Eugeniens erhöhte symbolische Bedeutung: er ist nicht länger nur Ausdruck und Symbol des Geschehens „erscheinen", sondern es vollzieht sich hier im Bekleiden eine intensive Begegnung Eugeniens mit der hier als blendender Glanz erscheinenden Welt, die zugleich aber Verstrickung bedeutet.

Im Sich-Schmücken und Sich-im-Spiegel-geschmückt-Sehen, in der solchermaßen vorweggenommenen Erscheinung, sind von innen kommendes, zur weltlichen Erscheinung drängendes Streben und von außen auf Eugenie zukommende, blendende Verlockung durch Glanz und Gold zum Ausgleich gelangt. Eugenie hat erreicht, was ihr vorschwebte:

> „. . . durch ausgesuchte Tracht, vollkommnen Schmuck
> Beneidenswert vor andern zu erscheinen." (V. 521 ff.)

und so erlebt sie den „bedeutendsten Moment (ihres) Lebens." (V. 525). Durch kein warnendes Wort ist ihr Triumph zu erschüttern. Nicht schärfer könnte die Hofmeisterin das Gefährliche des Schmuckes und der Gewänder aussagen, als wenn sie spricht:

> „Kreusas tödliches Gewand entfaltet,
> So scheint es mir, sich unter meiner Hand." (V. 1042 f.)

Doch sie erhält zur Antwort:

> „Du überredest die Geschmückte nicht." (V. 1079)

Mit der alles Gegebene rücksichtslos überspringenden Einbildungskraft nimmt Eugenie das, was ihr verheißen, vorweg:

> „O, daß sich dieser Saal erweiterte
> Zum Raum des Glanzes, wo der König thront!
> Daß reicher Teppich unten, oben sich
> Der goldnen Decke Wölbung breitete!
> Daß hier im Kreise vor der Majestät,
> Demütig stolz, die Großen, angelacht
> Von dieser Sonne, herrlich leuchteten,
> Ich unter diesen Ausgezeichneten
> Am schönsten Fest die Ausgezeichnete!
> O! laß mir dieser Wonne Vorgefühl,
> Wenn aller Augen mich zum Ziel erlesen!" (V. 1080 ff.)

Eugenie ist – wie sie selbst beim ersten Zusammentreffen mit dem König gesteht und wie es ihr Gedicht wiederholt – durch den Glanz „geblendet":

> „Ich sinke hin, von Majestät geblendet." (V. 950)

III

War oben das Ereignis des Stückes als „erscheinen" erkannt und dieses als
ein Weg ins Helle gedeutet, so kann – als Weg vom Dunkel ins Licht –
„erscheinen" als „geblendet-werden" erfahren werden: Erscheinend wird
Eugenie von Licht und Glanz der Welt, des Offenen, in dem sie ankommt, geblendet.

Wie vorher das verstrickende Netzsymbol eine Verschärfung des Gewebegleichnisses bedeutete, so jetzt der gefährliche Glanz eine Verstärkung
des Lichtes in der Welt.

Die unheilvolle Schnelligkeit des Zustandswechsels, den Eugenie durch-
macht: vom Verborgenen ins Helle, verstärkt diese Blendung.

Die Gefährlichkeit dieser voreiligen Enthüllung genau wie die vor-
eilige Öffnung des Schreins erhellt ein Satz aus der ‚Theatralischen Sendung': „Diese Dunkelheit und Unschuld ist wie eine Hülle, die eine
Knospe einschließt und nährt; unglücks genug, wenn wir zufrüh hinausgetrieben werden" (Bd. 6, S. 1205). Der Herzog hoffte, „erst nach und nach"
würde sich Eugenie „aus Beschränkung an die Welt gewöhnen" (V. 461).
Stattdessen fühlt Eugenie ihre Zeit gekommen:

> „Gefaltet kann die Knospe sich genügen,
> Solange sie des Winters Frost umgibt.
> Nun schwillt, vom Frühlingshauche, Lebenskraft,
> In Blüten bricht sie auf an Licht und Lüfte." (V. 1072 ff.)

So ist Eugenie „zufrüh" aus dem sie Bergenden vertrieben – oder man
kann auch sagen – herausgelockt; denn innerer Trieb und äußere Verlockung wirken zusammen: das Helle, wenngleich oder indem es blendet,
verlockt durch seinen Schein, einen Schein, dem der Mensch nur allzuleicht
erliegt.

Das Verführerische der Helle, der blendende, lockende Schein der Welt,
wie er sich in Gold, Schmuck und prachtvollen Gewändern darstellt, hat
auf Eugenie Wirkung getan, d. h. ihm antwortet in ihr eine Kraft der
Monas, erscheinen zu wollen, zu müssen.

Eugenie ist verlockt, aus dem Verborgenen herausgetrieben und will am
Treiben der Welt unbedingten Anteil nehmen:

> „Ich nehme Teil an jeder edlen Tat,
> An jeder großen Handlung ..." (V. 485),

ganz wie sie sich auf dem Rücken ihres Pferdes in die Jagd stürzte. Sie will
nicht länger im Stillen sitzen, sondern als ein bunter Faden ins Geschick
des Herzogs verschlungen sein. So deutet sie charakterischer Weise das
Netz-Symbol, Sinnbild weltlicher Gefahr.

Deutlich ist, wie die Goldsymbolik die Netzsymbolik an dieser Stelle
verwandelt hat. Der Weltaspekt, der sich durch die Gold-Bilder aufbaute,

hat sich *vor* die Netz- und Labyrinth-Symbolik gestellt und verdeckt so die Gefahr:

> „Wie soll die Tochter erst, in dein Geschick
> Verflochten, im Gewebe deines Lebens
> Als heitrer, bunter Faden künftig glänzen." (V. 482 ff.)

Die Hofmeisterin, in vergleichbarer Situation, erkennt klar die Gefährlichkeit des Glanzes:

> „Nicht wünschenswert, abscheulich naht sich mir
> Der Gott der Welt im Überfluß heran.
> Was für ein Opfer fordert er? Das Glück ..." (V. 686 ff.)

Sie bringt – wie vorher der Herzog – Eugeniens Geschick mit dem Netz-Gleichnis zum Ausdruck:

> „Zerstreue nicht durch eitlen Flitterwesens
> Neugierige Betrachtung deinen Geist! ...
> Aus stillem Kreise trittst du nun heraus
> In weite Räume, wo dich Sorgendrang,
> Vielfach geknüpfte Netze, Tod vielleicht
> Von meuchelmörderischer Hand erwartet." (V. 1118 ff.)

In diesen Versen der Hofmeisterin kehrt sie Eugeniens Verfahren um: hatte diese die gefährliche Netzstruktur der Welt durch Gold und Glanz verdeckt, so lenkt die Hofmeisterin den Blick wieder von „eitlen Flitterwesens neugieriger Betrachtung" zurück auf Eugeniens Erscheinen, das ein Erscheinen „in weite Räume" hinein ist, wo Eugenie „im Sorgendrang" und Gefahr leicht umkommen wird.

Eng sind Gold- und Netz-Symbolik hier miteinander verbunden: Sie stehen für ein und dasselbe, für die Welt, von der sie zwei verschiedene Aspekte geben, die in einer gewissen Spannung stehen, sich aber nicht widersprechen oder aufheben. Es ist dies eine beliebte Technik des alternden Goethe durch zwei sich ineinander abspiegelnde Gebilde ein drittes neues erscheinen zu lassen.[23]

Auch für Eugenie, die sich mit allen Gewändern und Bändern vorweggenommenen Glanzes geschmückt hat, reift die Erkenntnis, daß „dieses Kleid und seine Farben ... ein Sinnbild ewiger Gefahr" sind (V. 1139 ff.). Denn „was bedeutend schmückt, es ist durchaus gefährlich" (V. 1143 ff.).

Ist auf der einen Seite das, „was sie (die Goldbilder) bedeuten, das Reizende" (V. 1037), so birgt „bedeutender Schmuck" für den Geschmückten und so Herausgehobenen durchaus Gefahr. Das Reizende ist die errungene Höhe, die zugleich auch die Gefahr ist:

---

[23] vgl. dazu etwa ‚Über Wahrheit und Wahrscheinlichkeit der Kunstwerke', AGA, 13, S. 176.

„Ein Fehltritt stürzt vom Gipfel dich herab." (V. 1906)

Schmuck und Gefährdung verbinden sich hier wie im Festspiel ‚Epimenides Erwachen': Dort werden die Allegorien-Gestalten Liebe und Glaube durch den „Dämon der Unterdrückung" zuerst mit Juwelen, Ringen, Armbändern, Gürteln und Brustschmuck *geschmückt* und dann sogleich von Ketten *umstrickt und gefesselt.* Kleine Geister, Dienstboten des Dämons der Unterdrückung, „hängen Ketten an", wie die Regieanweisung sagt (Bd. 3, S. 1057). Zuletzt erscheint die Allegorie der Hoffnung mit ihren Genien, um Liebe und Glauben zu befreien. Die Regieanweisung meldet: „Sie (die Genien) nehmen die Ketten ab, *zugleich mit dem Schmuck"* (Bd. 3, S. 1062).

Goethe hat selbst in einer Selbstbesprechung diesen Zug an dieser Dichtung (‚Epimenides Erwachen') deutlich ausgesprochen: „Der Dämon der Unterdrückung liebkost die Liebe und legt ihr Armbänder an zum Andenken, dem Glauben einen köstlichen Brustschmuck. Kleine Dämonen bringen *schwere Ketten* und *hängen* sie heimlich *in das Geschmeide fest.* Die Schwestern fühlen sich gemartert, der Dämon triumphiert ... Liebe und Glaube, *gefesselt, verzweifeln,* Hoffnung tritt heran und spricht ihnen zu, die Genien eilen herbei und nehmen ihnen die Ketten ab, *zugleich* mit dem *gefährlichen Schmuck"* (Bd. 15, S. 480+481).

Bedenken wir nochmals, wie die Hofmeisterin das, was mit Glanz und Verlockung auf sie zukommt, „den Gott der Welt im Überfluß" nennt, wie eine Stelle der ‚Farbenlehre' sagt, „Gold sei so unbedingt mächtig auf der Erde, wie wir uns Gott im Weltall denken" (AGA, 16, S. 391), nehmen wir auch Eugeniens Äußerungen hinzu, daß „das, was sie bedeuten ... das Reizende" und was „bedeutend schmückt, ... durchaus gefährlich sei", so offenbart sich Gold parallel zum Netz-Symbol als ein objektiver Aspekt der Welt, als eine gefährliche und verführerisch lockende Macht.

War im vorigen Abschnitt die Weltlichkeit der Welt in ihrem Labyrinth- und Netz-Charakter offenbar geworden, war Erscheinen als ein Weg ins Verstricktwerden gedeutet, so tritt hier als weiterer Aspekt der Welt in der ‚Natürlichen Tochter' die Verlockung durch den blendenden Glanz der Welt hinzu.

IV

Das Verlangen Eugeniens nach Schmuck und glanzvoller Garderobe ist demnach mehr als „mädchenhafte Schwachheit" (V. 526), wie uns der Dichter in folgenden Versen glauben machen will:

So wünscht ein Weib noch jedem zu gefallen
Durch ausgesuchte Tracht, vollkommnen Schmuck
Beneidenswert vor andren zu erscheinen." (V. 520–22)

Hier gilt das Wort, das Goethe anläßlich des ,Wilhelm Meister' an Schiller schrieb: „Es ist keine Frage, daß die scheinbaren, von mir ausgesprochenen Resultate viel beschränkter sind als der Inhalt des Werkes." (9. Juli 1796), dies eine Art des Verfahrens, das nach Goethes eigenen Worten „aus einem gewissen realistischen Tic" hervorgeht, „durch den ich meine Existenz, meine Handlungen, meine Schriften den Menschen *aus den Augen zu rücken behaglich finde.*"

Indem das Verlangen nach Schmuck *auch* „Mädchenhafte Schwachheit" ist, wird die Aufmerksamkeit von der tieferen Bedeutungsschicht weg auf diese „natürlich-psychologische" gelenkt, so daß die Folge der Schmuck- und Goldbilder in ihrer Verknüpfung und Sinnhaltigkeit versteckt bleibt. Dieser „realistische Tic" wirkt sich im Drama noch stärker aus, d. h. verbirgt hier noch eher das unausgesprochen Gemeinte als etwa im Roman, in dem dem Leser ruhiges vorwärts- und zurückschauendes Betrachten, Verbinden und Herstellen von Bezügen möglich ist. Im Drama sind die Bilder, was ihre Bedeutung über die funktionale Stelle, an der sie stehen, hinaus angeht, – „blind", ohne dramatische und theatralische Funktion, weil ohne Platz in dem dramatischen Kausalitätskontinuum.

Ein Hofmannsthal-Wort abwandelnd, kann man sagen: Der extreme Begriff dramatischer Handlung und Kausalität reduziert nicht nur die Figuren auf Interjektionen, sondern auch die Sprache, indem er verlangt, daß sie eindimensional werde.[24] Da Goethe eine solche Eindimensionalität der Sprache meidet, kann der Eindruck entstehen, seine Stücke seien „auf epische Art verfehlt".

d) ELEMENTE-SYMBOLIK

I

Am 22. Juni 1781, lange bevor die große Revolution in Frankreich ausbrach, schrieb Goethe in einem Brief anläßlich der Erscheinung des Cagliostro an Lavater: „Glaub mir, unsere *moralische und politische Welt* ist *mit unterirdischen Gängen, Kellern und Cloaken miniret,* wie eine *große Stadt* zu seyn pflegt, an deren Zusammenhang und ihrer Bewohnenden Verhältniße wohl niemand denkt und sinnt; nur wird es dem, der davon einige Kundschaft hat, viel begreiflicher, wenn da der *Erdboden einstürzt,* dort einmal der *Rauch aus einer Schlucht* aufsteigt, und hier wunderbare Stimmen gehört werden, Glaube mir, das Unterirdische geht so natürlich zu als das Überirdische, und wer bei Tage und unter freyem Himmel nicht Geister bannt, ruft sie um Mitternacht in keinem Gewölbe."

---

[24] vgl. H. v. Hofmannsthal, ,Aufzeichnungen', S. 201.

Mehr als zwei Jahrzehnte später schreibt Goethe aus Anlaß der Lektüre von Soulavie ,Mémoires historiques et politiques du reigne des Louis XVI' an Schiller (9. 3. 1802): „Ich bin über Soulavie ,Mémoires historiques et politiques du reigne de Louis XVI' geraten, ein Werk, das einen nicht losläßt und das durch seine Vielseitigkeit einnimmt . . . Im Ganzen ist es der ungeheure Anblick von *Bächen und Strömen,* die sich, *nach Naturnotwendigkeit von vielen Höhen und aus vielen Tälern* gegeneinander *stürzen* und endlich das *Übersteigen eines großen Flusses* und eine *Überschwemmung* veranlassen, in der zugrundegeht, wer sie vorgesehen hat so gut, als der sie nicht ahndete. Man sieht in dieser *ungeheuren Empirie* nichts *als Natur* und nichts von dem was wir Philosophen so gern *Freiheit* nennen möchten.“

Auf zweifache Weise gibt der Dichter in diesen Dokumenten ein Bild der Welt, wie sie ihm in bestimmter historischer Stunde erscheint: Sie – die Welt – gleicht einem alles überschwemmenden Fluß, der mit sich alles fortreißt, oder einer unterwühlten Erde, in die Leben beständig einzubrechen droht.

Beiden Bildern ist die Naturnotwendigkeit des Geschehens und des damit verbundenen Geschicks gemeinsam. Die Kraft des Natürlichen ist so groß, daß hier nichts von dem wirksam werden kann, „was wir Philosophen so gern Freiheit nennen möchten“.[25]

Diese Bilder, in die Goethe sein Erleben ihn zunächst und aufs tiefste berührender Ereignisse faßt, kehren wieder. Es ist bekannt, wie sich auch sonst bei Goethe bildliche Vorstellungen festsetzen und als Motive des Dichtens und Denkens in mannigfaltigen Variationen und Ausformungen wiederkehren. So sagt er selbst von sich: „Mir drückten sich gewisse große Motive, Legenden, uraltgeschichtlich Überliefertes so tief in den Sinn, daß ich sie 40–50 Jahre lebendig und wirksam im Innern erhielt . . . An eben diese Betrachtung schließt sich die vieljährige Richtung meines Geistes gegen die Französische Revolution unmittelbar an“ (Bd. 8, S. 1373).

Es ist kein Zufall, daß die beiden zitierten Sätze unmittelbar aufeinander folgen: Denn die angeführten Bilder der aufgewühlten und gefährlichen Zeiten sind ebenso wie die Legenden und das uraltgeschichtlich Überlieferte zu „fixen Ideen“ des Dichters geworden, die unverlierbar sind: wiederkehrend deuten sie die Welt.

Netz- und Labyrinth-Symbole, die – wie in den vorangehenden Abschnitten gezeigt wurde – sich zu durchgehenden Bedeutungs- und Sinneinheiten verbinden und von verschiedenen Seiten die Welt deuten, werden in der ,Natürlichen Tochter' durch zwei Visionen der Weltwirklichkeit ergänzt, die in engster Beziehung zu der Welterfahrung, die in den ange-

---

[25] Vgl. dazu auch den Brief an H. H. Meyer, 15. 9. 1796, in dem es u. a. heißt: „. . . da wir auf dies alles nicht wirken können.“

führten Briefstellen vernehmbar wurde, stehen. Diese beiden Visionen des totalen Zustandes der Welt, die das Stück einrahmen, gilt es jetzt zu betrachten.

In I. 5 gibt der König, bereit Eugenie in die Welt einzuführen, ein Bild dieser Welt:

> „O, diese Zeit hat fürchterliche Zeichen:
> Das Niedre schwillt, das Hohe senkt sich nieder,
> Als könnte jeder nur am Platz des andern
> Befriedigung verworrner Wünsche finden,
> Nur dann sich glücklich fühlen, wenn nichts mehr
> Zu unterscheiden wäre, wenn wir alle,
> Von einem Strom vermischt dahingerissen,
> Im Ozean uns unbemerkt verlören.
> O, laßt uns widerstehen, laßt uns tapfer,
> Was uns und unser Volk erhalten kann,
> Mit doppelt neu vereinter Kraft erhalten!
> Laßt endlich uns den alten Zwist vergessen,
> Der Große gegen Große reizt, von innen
> Das Schiff durchbohrt, das, gegen äußre Wellen
> Geschlossen kämpfend, nur sich halten kann." (V. 361 ff.)

Dem gesellt sich noch ein weiterer Aspekt der Welt zu, der gegen Ende des Stückes vom Mönch ausgesprochen wird:

> „Im Dunklen drängt das Künftige sich heran;
> Das künftig Nächste selbst erscheine nicht
> Dem offnen Blick der Sinne, des Verstands.
> Wenn ich, beim Sonnenschein, durch diese Straßen
> Bewundernd wandle, der Gebäude Pracht,
> Die felsengleich getürmten Massen schaue,
> Der Plätze Kreis, der Kirchen edlen Bau,
> Des Hafens masterfüllten Raum betrachte:
> Das scheint mir alles für die Ewigkeit
> Gegründet und geordnet; diese Menge
> Gewerksam Tätiger, die hin und her
> In diesen Räumen wogt, auch die verspricht
> Sich, unvertilgbar, ewig herzustellen.
> Allein wenn dieses große Bild bei Nacht
> In meines Geistes Tiefen sich erneut,
> Da stürmt ein Brausen durch die düstre Luft,
> Der feste Boden wankt, die Türme schwanken,
> Gefugte Steine lösen sich herab,
> Und so zerfällt in ungeformten Schutt

Die Prachterscheinung. Wenig Lebendes
Durchklimmt, bekümmert, neuentstandne Hügel,
Und jede Trümmer deutet auf ein Grab.

Das Element zu bändigen vermag
Ein tiefgebeugt, vermindert Volk nicht mehr,
Und rastlos wiederkehrend füllt die Flut
Mit Sand und Schlamm des Hafens Becken aus."

(V. 2783–2808)

Diese beiden das Stück einrahmenden Visionen des Weltzustandes entlassen aus sich eine Kette von Motiven, die das ganze Stück durchziehen
und so neue Sinn- und Symbolzusammenhänge schaffen.

So erscheint das Bild von der Flut und vom Wasser in folgenden Versen
wieder:

> „Schnell regt sich Wog auf Woge, Sturm auf Sturm,
> Das Fahrzeug treibt an jähe Klippen hin,
> Wo selbst der Steurer nicht zu retten weiß." (V. 415 ff.)

dann wieder:

> „O, zaudre nicht, im nahen Sturmgewitter
> Das falsch gelenkte Steuer zu ergreifen." (V. 1661–2)

Schließlich gewinnt dieses Motiv szenische Gegenwart in den letzten beiden
Akten: „Platz am Hafen."

II

Durch einfache Wiederholung bildet sich noch keine Struktur. Erst einem
genaueren Betrachten der wiederkehrenden Motive offenbart sich, daß
die Zuordnung der beiden Weltvisionen, wie wir sie zu Beginn dieses
Abschnittes machten, keine willkürliche ist: in Goethes bildhaftem Vorstellen gehören sie wesensmäßig zusammen: dies zeigt schon eine Briefstelle: „Alles setzt sich in der Welt nach einem Erdbeben, Brand und Überschwemmung so geschwind als möglich in seine alte Lage" (an Schiller,
19. 10. 97).
Zu den schon bekannten Bildern vom Erdbeben und der Überschwemmung tritt als weiteres das eines Brandes hinzu, eine Erweiterunug und Zuordnung, die sich in den Versen des Herzogs wiederholt:

> „Verhaßt sei mir das Bleibende, verhaßt,
> Was mir in seiner Dauer Stolz erscheint!
> Erwünscht, was fließt und schwankt. Ihr Fluten schwillt,
> Zerreißt die Dämme, wandelt Land in See!
> Eröffne deine Schlünde, wildes Meer!

Verschlinge Schiff und Mann und Schätze. Weit
Verbreitet euch, ihr kriegerischen Reihen,
Und häuft auf blutgen Fluren Tod auf Tod.
Entzünde, Strahl des Himmels, dich im Leeren,
Und triff der kühnen Türme sichres Haupt!
Zertrümmr', entzünde sie und geißle weit
Im Stadtgedräng der Flamme Wut umher,
Daß ich, von allem Jammer rings umfangen,
Dem Schicksal mich ergebe, das mich traf." (V. 1320 ff.)

Was bedeuten „Erdbeben", „Brand" und „Überschwemmung", was „Fluten" und „Strahl des Himmels"? Worauf beruht die Zuordnung dieser Bilder?

III

Wir setzen voraus: Die Bilder finden sich zusammen, weil sie zusammengehören.

Die Notwendigkeit wie die Möglichkeit des Zusammentreffens dieser Bilder wird deutlich, wenn man bedenkt, daß es sich in jedem Falle um Erscheinungsformen des Elementaren, der Elemente handelt: Luft (Sturm) – Feuer – Wasser – Erde.

Im voranstehenden Briefzitat verwiesen die drei Schlüsselwörter Erdbeben – Brand – Überschwemmung auf Erde, Feuer und Wasser, und zwar auf ihre elementarste, d. h. vom Menschen am meisten unabhängige, ungebändigte und nicht zu bändigende Kraft. Die Erde, in die der Mensch Samen senkt, ist auch Element, aber ein ruhiges, beruhigtes, nützendes, förderliches. Das Feuer des Herdes gleichfalls und auch das Wasser ist in bestimmten Erscheinungsformen „ein freundlich Element", nämlich für den, „der damit bekannt ist und es zu behandeln weiß." – So heißt es in der in die ‚Wahlverwandtschaften' eingelegten Novelle von den ‚Wunderbaren Nachbarskindern': „Es (das Wasser) trug ihn und der geschickte Schwimmer beherrschte es" (Bd. 6, S. 535).

Es sind also die Elemente, auf die die neuentdeckte Bildstruktur hinweist.

Was sind die Elemente in Goethes Denken? – Im ‚Versuch einer Witterungslehre' ist er darauf ausführlich eingegangen: „Es ist offenbar, daß das, was wir Elemente nennen, seinen eigenen wüsten Gang zu nehmen immerhin den Trieb hat ... Die Elemente sind die Willkür selbst zu nennen" (AGA, 17, S. 642). Damit sind sie Widerpart des Menschen, weil sie allem Gesetzlichen widersprechen. Das Elementare ist gewissermaßen Natur *ohne* Gesetz, das schlechthin Monströse, Ungeheure, Verschlingende.

„Der gemeinsame Nenner dessen, was Goethe von den Elementen denkt, begründet in ihrem jeder Bildung feindlichen Charakter."[26] Den Elementen steht der Mensch gegenüber: „Insofern nun der Mensch den Besitz der Erde ergriffen hat und ihn zu erhalten verpflichtet ist, muß er sich zum Widerstand bereiten und wachsam halten. Aber einzelne Vorsichtsmaßregeln sind keineswegs so wirksam, als wenn man dem Regellosen das Gesetz entgegenzustellen vermöchte, und hier hat uns die Natur aufs herrlichste vorgearbeitet, und zwar indem sie ein gestaltetes Leben dem Gestaltlosen entgegensetzt" (AGA, 17, S. 642). Der Mensch stellt den Elementen Gestaltetes in den von ihm geschaffenen Ordnungen (des Lebens wie der Kunst oder der Wissenschaft) entgegen. Darin sieht Goethe die Stärke des Menschen, dies zu vermögen: „Was sind die elementaren Erscheinungen der Natur gegen den Menschen, der sie alle bändigen und modifizieren muß!" (M+R, 708).

Aber die Elemente haben Neigung, die errichteten Ordnungen gewaltsam zu sprengen. Daraus entsteht der ewige Kampf des Menschen mit ihnen, der Ordnung mit der chaotischen Unordnung, die es zu überwinden gilt. „Die Elemente sind als kolossale Gegener zu betrachten, mit denen wir ewig zu kämpfen haben, und sie nur durch die *höchste Kraft des Geistes*, durch *Mut und List*, im einzelnen Fall bewältigen" (AGA, 17, S. 642). Diese geistige Bewältigung kann als Religion geschehen, wie Goethe es an Hand der Religon der Parsen in den ,Noten zum Divan' beschreibt: „Ihre (der alten Parsen) Religion ist durchaus auf die Würde der sämtlichen Elemente gegründet, insofern sie das Dasein und die Macht Gottes verkündigen. Daher die heilige Scheu, das Wasser, die Luft, die Erde zu besudeln" (Bd. 2, S. 202).

Wie sehr Goethe sich um die Jahrhundertwende mit dem Elementaren und seinem Verhältnis zum Menschen beschäftigte, zeigen nicht nur seine Dichtungen und Briefe, sondern zum Beispiel auch sein künstlerisches Preisausschreiben von 1803. In den ,Annalen' zu 1803 heißt es: „Die diesjährige Aufgabe war: Das Menschengeschlecht, vom Elemente des Wassers bedrängt" (Bd. 8, S. 1087).

In den Schriften zur Kunst heißt es ausführlicher dazu: „Wir haben uns im vorhergehenden bloß deswegen umständlicher über einiges erklärt, weil wir das Menschengeschlecht, vom Elemente des Wassers bedrängt, zur Aufgabe für das laufende Jahr ausgewählt haben. Man mag sich diese Bedrängnis nun als allgemeine oder besondere Überschwemmung, als Austreten eines Berg- oder Talstromes, als Zerreißen eines Dammes oder sonst denken: jede Bearbeitung soll von uns wohl aufgenommen werden, welche die höchsten und mannigfaltigsten Motive der Tätigkeit und des Leidens in gebildetem Kunstsinne vorzulegen weiß" (AGA, 13, S. 396).

---

[26] G. Gerster, Die leidigen Dichter, Zürich 1954, S. 111.

IV

Bisher wurde Vorkommen, Gestalt, innerer Zusammenhang und Herkunft der in den beiden Visionen gebrauchten Bilder aufgewiesen. Sinnvoll wird die Betrachtung jedoch erst dann, wenn es gelingt, die Funktion, die die neue Bildstruktur innerhalb des Ganzen der Dichtung hat, aufzufinden. Wie sich die Gold-Symbolik mit dem Ereignis des „Erscheinens" verband, Netz- und Labyrinth-Symbolik mit dem Ereignis des „Verschwindens", dergestalt daß Netz- und Labyrinth-Bilder der Ausgang des Verschwindens waren, Kreis-Symbolik – wie noch zu zeigen ist – wiederum dadurch mit dem Ereignis des Stückes zusammenhängt, daß sie das „Verschwinden" auffängt, so stehen auch das Bild der Elemente im engen Bezug zum Geschehen des Stückes, und zwar in doppelter Weise:

Die eingangs zitierten Visionen von König und Mönch, lassen die erste Funktion der Elementen-Symbole unschwer erkennen: Die Zeichen der Zeit stehen auf Auflösung des Gestalteten ins Gestaltlose, Chaotische. Eugenie:

> „Diesem Reiche droht
> Ein jäher Umsturz: die zum großen Leben
> Gefugten Elemente wollen sich
> Nicht wechselseitig mehr mit Liebeskraft
> Zu stets erneuter Einigkeit umfangen.
> Sie fliehen sich; und einzeln tritt nun jedes
> Kalt in sich selbst zurück. Wo blieb des Ahnherrn
> Gewaltger *Geist*, der sie zu *einem* Zweck
> Vereinigte, die feindlich Kämpfenden,
> Der diesem großen Volk als Führer sich,
> Als König und als Vater dargestellt?
> Er ist entschwunden! Was uns übrig bleibt,
> Ist ein Gespenst, das mit vergebnem Streben
> Verlorenen Besitz zu greifen wähnt." (V. 2825 ff.)

Der Verlust des Leitenden führt zur Revolution. Das Versagen der Oberen ermöglicht das Sich-Entbinden der Elemente aus dem Zusammenhang. Es ist bezeichnend, daß Goethe in dem Versagen der Monarchie die Ursache für revolutionäre Erscheinungen sah.

> „Warum denn wie mit einem Besen
> Wird so ein König hinausgekehrt?
> Wärens Könige gewesen,
> Sie stünden alle noch unversehrt!"
> (,Zahme Xenien', IX, Bd. 1, S. 1133)

Diese allgemeine politische Anschauung Goethes gilt auch für die Verhältnisse der ‚Natürlichen Tochter', wie folgende Verse nachdrücklich sagen:

> „Denn wo er (der König) wankt, wankt das gemeine Wesen,
> Und wenn er fällt, mit ihm stürzt alles hin." (V. 389–90)

Wo das Königtum erschüttert ist, der Geist der Führung sich verloren hat, ist der Weg frei geworden ins Chaos.

> „Alles regt sich, alles wollte die Welt, die gestaltete, rückwärts
> Lösen in Chaos und Nacht sich auf . . ."
> (‚Hermann u. Dorothea', IX, V. 273–4)

Nach Goethes Denken kann allein durch „die höchste Kraft des Geistes", das Elementare bewältigt werden. (Vgl. AGA, 17, S. 642). Aber: den zurückbleibenden Menschen geht in der ‚Natürlichen Tochter' dieser Ordnung stiftende Geist ab: sie sind nicht mehr imstande, gegen die Elemente sich zur Wehr zu setzen und sie zu überwinden:

> „Das Element zu bändigen vermag
> Ein tiefgebeugt, vermindert Volk nicht mehr,
> Und rastlos wiederkehrend füllt die Flut
> Mit Sand und Schlamm des Hafens Becken aus." (V. 2805 ff.)

Die Gefährdung des „gemeinen Wesens" durch die Parteiungen ist in immer wiederkehrenden Elemente-Bildern gefaßt: Wie die Elemente in sich zurücktreten und sich vereinzeln, eben dadurch die Gefahr des Auseinanderfallens jeder Ordnung und der Auflösung ins Chaos heraufbeschwören, so gefährdet der Egoismus der politischen Parteiungen den Bestand der Gemeinschaftsordnung. Der Weltgeistliche macht dem Sekretär dieses Verhalten zum Vorwurf:

> „So untergrabt ihr Vaterland und Thron,
> Wer soll sich retten, wenn das Ganze stürzt?" (V. 1261–62)

Das untergründige Tun der Parteien wird im Bild des elementaren Wirkens von Feuer und Erdbeben gefaßt:

> „Schon lange seh ich dieses *Feuer glimmen*,
> Nun schlägt es bald in *lichte Flammen aus*." (V. 887–8)

Auch Eugenie bemerkt den „inneren Zwist unsicherer Parteien, der nur in düstern Höhlen sich geneckt".

> „Er bricht vielleicht ins Freie bald hervor!
> Und was mich erst als Furcht und Sorg umgeben,
> Entscheidet sich, indem es mich vernichtet,
> Und droht Vernichtung aller Welt umher." (V. 1935 ff.)

Immer wieder kehrt die Vorstellung des Schiffes, das nur mit geeinter Mannschaft den tobenden Wassern heil entrinnen kann, von dem sich aber keiner allein zu retten vermag, wenn das Schiff eine Beute der Elemente wird.

> „Schnell regt sie Wog auf Woge, Sturm auf Sturm,
> Das Fahrzeug treibt an jähe Klippen hin,
> Wo selbst der Steurer nicht zu retten weiß." (V. 415–6)

In solcher Situation ruft der Weltgeistliche den Herzog auf, das Übel zu wenden:

> „O! zaudre nicht, im nahen Sturmgewitter
> Das falsch gelenkte Steuer zu ergreifen." (V. 1661–2)

V

Aus den Versen 1935 ff. ging schon die Nähe der Elementebilder zum Vorgang von Eugeniens Erscheinen hervor, das sich im Verlaufe des Stückes in ein Verschwinden verkehrt. Erscheinen bedeutete den Weg in die Welt, ein Zusammentreffen mit der Welt, mit dem Elementaren und Auseinandersetzung mit diesem. Die fehlgeschlagene Auseinandersetzung bringt das Erscheinen zum Verschwinden.

Insofern bedeutet Verschwinden nichts anderes als: den Elementen anheimfallen, was sich in folgenden beiden Verspaaren besonders deutlich ausspricht:

> „Gewalt und List entreißen, führen, drängen
> Mich von des Vaters Brust ans *wilde Meer*." (V. 2429–30)

An anderer Stelle sagt der Weltgeistliche über Eugeniens Geschick:

> „O, dieses Mädchens trauriges Geschick
> *Verschwindet wie ein Bach im Ozean*." (V. 1253–4)

Die Verlegung der räumlichen Anordnung der Szene in den beiden letzten Akten vom Schloß des Herzogs oder dem Zimmer Eugeniens ans Meer ist unter dem Gesichtspunkt der Elementen-Symbolik zu betrachten: Hier wird im Meer das Element szenisch gegenwärtig: die Entwicklung des Geschehens vom aufgehenden Erscheinen zum Verschwinden wird in räumliche Bewegung umgesetzt, wie deutlich aus der Hofmeisterin Worten hervorgeht:

> „Drängt unausweichlich ein betrübt Geschäft
> Mich *aus dem Mittelpunkt des Reiches,* mich
> *Aus dem Bezirk der Hauptstadt an die Grenze*
> Des *festen Lands,* zu diesem *Hafenplatz,*
> So folgt mir streng die Sorge Schritt vor Schritt,
> Und deutet mir bedenklich in die Weite." (V. 1726–31)

Der Hafenplatz ist wesentlich als „Grenze des festen Landes", des geord-neten, gefestigten Bezirkes, in dem menschliches Leben sich vollzieht, als Übergang zum Elementaren des Wassers, zu verstehen.

Durch das Geschick Eugeniens, das sich jenseits des Meeres erfüllen soll, wird auch das Meer für die anderen Figuren – etwa für den Gerichtsrat – ins Fruchtlos-Elementare verwandelt:

> „Auf ewig hast du mir den heitern Blick
> Ins volle Meer getrübt. Wenn Phöbus nun
> Ein feuerwallend Lager sich bereitet
> Und jedes Auge von Entzücken tränt,
> Da werd ich weg mich wenden, werde dich
> Und dein Geschick beweinen. Fern am Rande
> Des nachtumgebnen Ozeans erblick ich
> Mit Not und Jammer deinen Pfad umstrickt ...
> O! die so blühend, heiter vor mir steht,
> Sie soll so früh, langsamen Tods, verschwinden!" (V. 1973 ff.)

Gerade in den beiden letzten Versen stellt sich der schon erwähnte Motiv-zusammenhang zwischen dem Elementaren und dem Verschwinden Euge-niens deutlich her.

Im Verschwinden löst sich die Gestalt ins Gestaltlose auf: in die Ele-mente, die auseinanderstreben.

Der Herzog, von dem angeblichen Tod Eugeniens unterrichtet, ver-sucht, das Auseinanderstreben der Elemente zu bannen:

> „O! Wehe! daß die Elemente nun,
> Von keinem Geist der Ordnung mehr beherrscht,
> Im leisen Kampf das Götterbild zerstören!" (V. 1533 ff.)

Auch hier ist es der fehlende Geist, der das Auseinandertreten der Ele-mente erst ermöglicht. Durch „Spezereien" will der Herzog das „unschätz-bare Bild" zusammenhalten:

> „Ja, die Atomen alle, die sich einst
> Zur köstlichen Gestalt versammelten,
> Sie sollen nicht ins Element zurück." (V. 1492–6)

Einen Umstand gilt es noch zu erwähnen: daß nämlich Eugenie vor ihrem eigentlichen Erscheinen in der Öffentlichkeit sehr wohl fähig ist, die Ele-mente zu beherrschen.

Im ersten Akt erfahren wir davon im Reflex des Gespräches König – Herzog. Als Amazonentochter stürzt sie sich mit ihrem Pferde, den Hirsch verfolgend, in den Fluß.

> „Zu *Pferde* sollte sie, im Wagen sie,
> Die Rosse bändigend, als Heldin glänzen.

Ins Wasser tauchend, schwimmend schien sie mir
Den Elementen göttlich zu gebieten.
So, hieß es, kann sie jeglicher Gefahr
Dereinst entgehn." (V. 1386 ff.)[27]

Immer wieder zeigt sich, daß es das Pferd ist, mit dem verbunden ihr – Eugenie – diese Sicherheit und Kraft, die Elemente zu bestehen, gegeben ist. Goethe rühmt einmal das „freie Dasein" des Pferdes, „welches eigentlich nur einer grenzenlosen Bewegung von hin- und herschwärmendem behaglichem Mutwillen geeignet zu sein scheint; welche Naturbestimmung denn auch der *Mensch zu nützlichen und leidenschaftlichen Zwecken gar wohl zu gebrauchen weiß*" (AGA, 17, S. 405).

Durch den Sturz aus der Höhe einmal von ihrem ihr Sicherheit verleihenden Pferd getrennt, gerät Eugenie immer mehr ins Verhängnis; sie vermag nicht länger die Elemente zu bändigen. Es gibt für sie keine Sicherheit mehr in der neuen Welt, in der zu erscheinen Eugenie „nicht entfernterweise vorbereitet" ist. Nur zu bald wird sie von den wirkenden Mächten verstrickt, von den Elementen fortgerissen.

Die beiden letzten Akte sind im Grunde nichts anderes als eine Kette von Versuchen, dem drohenden Elementaren zu entrinnen. So ist die bildhafte Formel möglich:

„*Schiffbrüchig* fass ich noch die *letzte Planke.*" (V. 2717)

Als alle Versuche fehlschlagen, Eugenie sich immer mehr isoliert, die Macht des Papiers ihr jedes Gegenüber raubt: da will sie allen Widerstand gegen die Elemente aufgeben und sich ihnen anheimgeben:

„Empfangt mich dann, ihr Wellen, faßt mich auf,
Und fest umschlingend senket mich hinab
In eures tiefen Friedens Grabesschoß!" (V. 2650–52)

VI

Von diesen beiden Hauptfunktionen der Elementen-Bilder – einmal Darstellung der Tendenz der Zeit zu Auflösung und Chaos, zum anderen Charakterisierung des Wesens von „Verschwinden" – wird noch einmal der innere Zusammenhang zwischen dem persönlichen Geschick der Hauptheldin und dem allgemeinen Weltgeschick deutlich.

„Du jammerst mich! Das Schicksal einer Welt
Verkündest du nach deinem Schmerzgefühl." (V. 1941–2)

Beides: die Tendenz der Welt ins Gestaltlose wie die Tendenz des Verschwindens ins Chaotische sind hier gefaßt. Die Elemente-Bilder *sind* das

---

[27] Vgl. dazu ,Wahlverwandtschaften', Bd. 6, S. 535.

Geschick der Welt: sie deuten das Geschehen des Stückes „erscheinen –
verschwinden" im weitesten Umfang, indem sie zeigen, daß es eine Zeit
ist, in der alles Gestalthafte Gefahr läuft, sich im Gestaltlosen zu verlieren. Goethe hat diese Tendenz als eine solche der Spät- oder Endzeit
in seinem Aufsatz ‚Geistesepochen' beschrieben: „Eigenschaften, die sich
vorher naturgemäß auseinander entwickeln, arbeiten wie streitende Elemente gegeneinander, und so ist das Tohuwabohu wieder da, aber nicht
das erste, befruchtete, gebärende, sondern ein absterbendes, in Verwesung
übergehendes, aus dem der Geist Gottes kaum selbst eine ihm würdige
Welt abermals erschaffen könnte" (Bd. 15, S. 367).

e) DIE VERBEN

I

Bei der bisherigen Analyse des Netz- und Laybrinth-Symbols hatte sich
die Interpretation vornehmlich mit substantivischen Wortformen beschäftigt. Die Bildkomplexe waren als Ganzheiten von überwiegend stati-
schem Charakter, dem dominierenden substantivischen Element entsprechend, betrachtet worden.

Diese Ganzheiten gilt es jetzt aufzulösen, damit die Bewegungsabläufe
und -richtungen, zudem die Modalität der Bewegungen näher bestimmt
werden können. Dabei wird sich der Blick auf bisher nicht oder nur un-
genügend betrachtete Wortarten (Verba, Adjektiva, Adverbia) richten
müssen, die Bewegung in die Bilder bringen und die Modalität dieser Bewegungen und Wirkungen aussagen.

Gerade diese Auflösung der Bildkomplexe wird zeigen, wieviel mehr
als „bloße" Metaphern diese wiederkehrenden Chiffren sind: Nehmen
sie doch Teil an dem beherrschenden Geschehen des Stückes, ja sind sie
doch Ausdruck desselben.

Es wird sich ferner erweisen, wie Verben, die an bestimmter Stelle im
Vers ganz bestimmte Funktion haben, *zugleich* – im Zusammenklang mit
den analysierten Bildern und gleichlautenden Verben – darüber hinaus
für das Ganze des Stückes etwas bedeuten, d. h. daß auch die Verben genau wie die zunächst an bestimmten Stellen funktional eingesetzten Metaphern über diese Stelle hinaus ins Ganze wirken und so die Dichtung an
jeder Stelle mit allen anderen eng verknüpfen. Die Verba werden symbolisch.

Was sich an dieser Stelle bietet, ist ein Blick in die Vieldimensionalität
der Sprache der Dichtung. Goethe selbst war sich dessen beim Schreiben
der ‚Natürlichen Tochter' bewußt. In den ‚Annalen' zum Jahre 1803
heißt es: „Da mir das Ganze vollkommen gegenwärtig war, so arbeitete

ich am einzelnen, wie ich ging und stand; daher denn auch die große Ausführlichkeit zu erklären ist, indem ich mich auf den jedesmaligen einzelnen Punkt konzentrierte, der unmittelbar in die Anschauung treten sollte" (Bd. 8, S. 1071).

Wir wollen diese Verhältnisse an einem Text sichtbar machen. Dabei lassen wir uns durch ein adverbiell gebrauchtes Adjektiv in die tieferen Zusammenhänge einführen.

Der Gerichtsrat schildert im IV. Akt, Szene 2, Eugenie den Ort ihrer Verbannung. Eugenie darauf:

> „Entsetzen rufst du mir hervor! Dorthin?
> Dorthin verstößt man mich! . . .
> Dorthin, wo sich in Sümpfen Schlang und Tiger
> Durch Rohr und Dorngeflechte *tückisch drängen.*" (V. 1991 ff.)

Es sind zunächst die Substantiva, die in diesen Versen die Aufmerksamkeit auf sich ziehen: das Exotische an ihnen: „Schlang" und „Tiger", ferner „Sumpf", „Rohr und Dorngeflecht". Den Substantiva gegenüber sind wir zunächst nicht geneigt, dem Verbum und dem zugehörigen Adverb intensive Bedeutung zuzugestehen. Sie stehen zu sehr im „Schatten" der Substantiva, durch die – im Zusammenhang der Dichtung – auf das durchwaltende Netz-Symbol verwiesen wird.

Hinzukommt noch, daß „sich drängen" als intransitives, reflexives Verb ohne Objekt ist, d. h. die im „sich drängen" angezeigte Bewegung ist scheinbar richtungslos und ohne bestimmtes Ziel. Durch diese schweifende Bewegung wird der Charakter der Bedeutungslosigkeit oder Geringfügigkeit des Verbums eher noch erhöht. Man könnte es sich durch das allgemeine „da sind" ersetzt denken.[28] Und doch wäre dies so ungoethisch gedacht wie nur möglich: denn Goethe wird immer das „lakonischere" Wort dem lauteren vorziehen, und so sind wir auch sicher auf dem richtigen Weg, wenn wir „sich drängen" eher als „understatement" denn als Übertreibung auffassen und bewerten. Ist doch Goethes Stil „höfliche Andeutung".[29]

Ist keine bestimmte Richtung des „sich drängen" angegeben, so doch der Modus: Durch das beigestellte, adverbiell gebrauchte Adjektiv „tükkisch" wird die Neutralität von „sich drängen" aufgehoben. Richten wir die Aufmerksamkeit von den Substantiven weg auf „sich tückisch drängen", so eröffnet sich eine neue Dimension: „Tückisch" ist eine Sache, ein Lebendiges, ein Vorgang nicht an sich, sondern nur im Bezug auf ein Subjekt. Es meint eine bestimmte Einstellung auf jemanden hin. Ohne ausdrücklich genannt zu sein, ist in den zitierten Versen ein erlebendes Sub-

---

[28] So wird einem an den Substantiven orientierten Denken der Zugang zur Satzbewegung erschwert, ja verlegt.

[29] H. v. Hofmannsthal, Aufzeichnungen, S. 62.

jekt zugegen, dem das „sich drängen" „tückisch" begegnet. Das scheinbar
richtungslose Schweifen des „sich drängen" erhält eine bestimmte Richtung auf ein Subjekt hin, das nicht als Satzsubjekt noch sonst direkt erscheint.[30] „Tückisch" mag uns weiter führen: Wie werden durch dieses Wort auf
andere Stellen verwiesen, in denen direkte substantivische Hinweise auf
das Netz-Symbol unter Umständen sogar fehlen können, in denen sich
aber gleichwohl dieselbe Bewegung vollzieht und dieselben Vorstellungen
ausgelöst werden.

So möchte die Hofmeisterin (in II, 2) Eugenie

> „Verborgne Winkel öffnen, wo die Schar
> Verschworener Verfolger *tückisch lauscht*." (V. 898 ff.)

Wieder wird durch „tückisch" das an sich neutrale Verb „lauschen" in
eine bestimmte Richtung gebogen: das Lauschen wird gefahrbringend,
heimlich-unheimlich. Wieder tritt der verborgene, indirekte Bezug auf ein
Subjekt zutage. Mit „verschworenen Verfolgern", die in „verborgnen
Winkeln" „lauschen", sind es wieder die Substantiva, die zunächst die
Vorstellung des Netz-Symbols evozieren. Aber auch diese Vorstellung er-
hält ihre volle Deutlichkeit und Schärfe erst durch die Adjektiva, bzw.
Partizipia „verborgen", „verschworen", „tückisch".

So ist ferner die Hofmeisterin „tückisch zur Begleiterin" Eugeniens bestimmt (V. 799). Die Tücke liegt einmal darin, daß die Hofmeisterin, die
wie eine Mutter Eugenie betreut und umsorgt hat,[31] solche Tat an ihrem
Zögling vollziehen soll:

> „Dich, die ich als mein selbst gebildet Werk
> Im Herzen trage, sollt' ich nun zerstören?" (V. 697–98)

Zum anderen richtet sich die Tücke gegen die Hofmeisterin selber:

> „Mich stoßt ihr mit hinab. Ich soll mit ihr,
> Mit der Verratnen die Verräterin,
> Der Toten Schicksal vor dem Tode teilen." (V. 800–802)

---

[30] Dies ist ein Vorgang, der sich in den beiden folgenden Versen wiederholt
(V. 1997–98):
> „Wo *peinlich quälend*, als belebte Wolken,
> *Um Wandrer* sich Insektenscharen *ziehen*."
Wieder erhält das Verbum durch andere Wörter – hier Partizip und Adverb –
erst den konkreten Sinn: „Peinlich quälend ... umziehen". Hier ist auch das
verborgene Subjekt im „Wandrer" sichtbar geworden, auf den sich die kreisende
Bewegung bezieht.
[31] vgl. dazu: „Sei mir gegrüßt! Du Freundin meines Herzens! An *Mutters
Statt* Geliebte, sei gegrüßt!" (V. 903–4) und: „So reichtest du ein überfließend
Maß besorgter Mutterliebe mir entgegen" (V. 2322 ff.).

„Tücke", ferner „List" und „Klugheit", untermischt mit „Gewalt", bestimmen die Art und Weise des Wirkens, das sich in der ‚Natürlichen Tochter' vollzieht.[32] Noch bevor sich die konkrete Richtung und Absicht des Tuns enthüllt hat, hat sich schon am „Wie?" sein Charakter offenbart. Er entspricht dem Weltwesen, in dem man sich ohne Falschheit und Verstellung nicht bewegen kann.

> „Auf düstern Wegen *wirkt ihr tückisch fort.*" (V. 848)

sagt die Hofmeisterin zum Sekretär. Eugenie glaubt ihre Lage zu durchschauen:

> „Des Bruders *Tücke* hat mich her gestoßen,
> Und mit verschworen hältst du mich gebannt." (V. 2339–40)

Von demselben Bruder, seinem Sohn, sagt der Herzog:

> „. . . Würd er *tückisch* nicht,
> Den schönen Schritt (daß Eugenie in die volle
> Erscheinung tritt) zu *hindern*, alles tun?" (V. 555–56)

Als Ergänzung seien noch folgende, verwandte Wörter genannt: Das „Verschmitzte" (V. 1783), das „Verstellte" (V. 2334), „Verstellung" (V. 1788): allen ist gemeinsam der Grundzug, daß etwas bewußt und mit Absicht als etwas anderes erscheint denn als es selbst.

Die Vorstellung, die uns das Wort „tückisch" vermittelte, wird in einem heute nicht mehr in diesem Sinne gebrauchten Wort verbal geformt. Es heißt einmal:

> „Der innere Zwist unsicherer Parteien,
> Der nur in düstern Höhlen *sich geneckt*,
> Er bricht vielleicht ins Freie bald hervor." (V. 1935–6)

Nach August Sauer[33] ist bei „necken" nicht an „schelmische oder scherzhafte Absicht" zu denken, wie sie im Grimmschen Wörterbuch (Bd. VII, S. 515) an zweiter Stelle aufgeführt ist, sondern an die daselbst zuerst genannte Bedeutung: „Durch mutwillige Handlungen oder Worte bös-

---

[32] Zu List und Gewalt vgl. ‚Epimenides Erwachen': Dort (Bd. 3, S. 1045 ff.) heißt es von den Dämonen der List: „Sie schlingen sich durch die Kolonne durch, welche, in ihrem raschen Schritt *gehindert*, langsamer abzieht." – Die Wirkung der List und der Klugheit spricht der Hofmann aus:

> „Und so löset still die Fugen
> An dem herrlichsten Palast,
> Und die Pfeiler, wie sie trugen,
> Stürzen durch die eigne Last.
> In das Feste sucht zu dringen
> *Ungewaltsam, ohne Stoß.*"

[33] Aug. Sauer, Die Natürliche Tochter und die Helena-Dichtung, in: ‚Funde und Forschungen', Festgabe für J. Wahle, 1921, S. 137.

williger, tückischer und schadenfroher Absicht einen beunruhigen und reizen.« Wir finden diesen Gebrauch des Wortes „necken" auch sonst wohl bei Goethe, so etwa im ‚Werther‘, wenn es heißt: „Was mich am meisten *neckt*, sind die fatalen bürgerlichen Verhältnisse." (Bd. 6, S. 198).

Eine ‚Tasso‘-Stelle ist besonders imstande, den Sinn der Stelle aus der ‚Natürlichen Tochter‘ zu erhellen. Es heißt im ‚Tasso‘:

> „Daß niemand dich im ganzen Vaterlande
> *Verfolgt* und *haßt* und *heimlich drückt* und *neckt.*" (V. 2457–58)

Hier wird durch die Konstellation, in der das Wort „necken" erscheint, „necken" in einen Zusammenhang, der auch ein Sinnzusammenhang ist, hineingestellt, der dem entspricht, was wir über das „tückisch Wirken" gesagt hatten: „Verfolgen", „hassen" und „heimlich drücken" – all dies besagt „necken" hier.[34] Der hier sichtbare Sinn von „necken" und „tükkisch" hilft uns weiter, die Eigenart des Geschehens in der ‚Natürlichen Tochter‘ auszumachen.

Der Beginn der oben zitierten Verse des Herzogs über seinen Sohn bringt eine verbale Form, die den Sinn von „tückisch" – wie er bisher erörtert wurde – voll umgreift und weiterentfaltet. Der Herzog:

> „Mein eigner wüster Sohn *umlauert* ja
> Die stillen Wege, die ich dich geführt." (V. 548–49)

„Umlauern" braucht nicht mehr durch eine adverbielle Bestimmung näher ergänzt werden. Das Verb trägt schon in sich die oben „tückisch" zugeschriebene Weise des Wirkens. Auch eingangs gebrachtes „drängen" und „lauschen" sind im Grunde jetzt inhaltlich bestimmt: sie sind „umlauern".[35]

Wichtig bei „umlauern" ist zudem die Vorsilbe „um-". In zahlreichen Verbkomposita, die noch zu besprechen sind, findet sie sich in der ‚Natürlichen Tochter‘: „umstricken", „umgeben", „umfangen" usw. und bringt diese Verben in ganz engen Bezug zum Netz-Symbol, insofern „um-" das Einschließende, Fesselnde dieser Verben verstärkt offenbart.

So ist Eugenie in „Regionen, wo sie Gefahr, Verbannung, Tod *umlauern*" (V. 1810–11). Wie viel mehr hier „umlauern" bedeutet als „heimlich beobachten", wie sehr „umlauern" den Sinn und den Charakter von

---

[34] vgl. P. Fischer: Goethe-Wortschatz, S. 454, wo die oben zitierte Stelle aus der ‚Natürlichen Tochter‘ umschrieben wird durch: „Sich beunruhigen, sich plagen".

[35] Das Etymologische Wörterbuch von Kluge schreibt in der 17. Aufl., S. 429: „luren", das mit „lur(e)" (Hinterhalt) und mit „lure" (Betrüger) spät auftretende Zeitwort verdrängt in frühnhd. Zeit älteres „lauschen" u. „laustern", weil seine Grundbedeutung „die Augen zusammenkneifen, durch halbgeschlossene Augen sehen" noch sinnkräftig ist.

(aktivem) „einkreisen" und „umstricken" hat, zeigt eine weitere, mit der eben angeführten verwandte Stelle: Eugenie:

> „Verbannung, Tod, Entwürdigung *umschließen*
> Mich fest und ängsten mich einander zu.
> Und wie ich mich von einem schaudernd wende,
> So grinst das andre mir mit Höllenblick." (V. 2662 ff.)

„Fest umschließen" und „einander zu ängstigen" stehen hier für das „umlauern" der Verse 1810–11. Wieder – wie schon in V. 1810–11 – bilden die aufgereihten Substantiva das, was einschließt. Die besondere Art der Substantiva ist zu beachten: sie bezeichnen hier kein innerweltlich antreffbares Gegenständliches, sondern gehören eigentlich – das Wort in seiner umfassenden Bedeutung gebraucht – dem Bereich des Moralischen an. Sehr bezeichnend für die Verhältnisse der ‚Natürlichen Tochter'! Das Gefährdende kommt nicht aus der Natur, sondern aus dem „Gesetz".

Diesen Sinn hat „lauern" noch an anderen Stellen der ‚Natürlichen Tochter': So heißt es: „Mißgunst lauert auf" (V. 414). – Auch hier findet sich wieder ein Substantiv aus dem von uns „moralisch" benannten Bereich.

Dem „lauern", das man geneigt ist, mit „sehen" zu verbinden, entspricht „lauschen", das mit „hören" sinngemäß zusammengeht: Beide Wörter sagen dasselbe aus – nur von einem anderen menschlichen Sinn vollzogen.

> „Geheimnisse der Großen sind belauscht." (V. 1015)

sagt die Hofmeisterin. Sie ist es auch, die Eugenie die „Winkel" nennen möchte, „wo die Schar verschworer Verfolger *tückisch lauscht*" (V. 898–99).

Gerade an dieser Stelle ließe sich das „lauschen" durch das (stärkere) „lauern" ersetzen.[36]

An wichtiger Stelle, wo die Hofmeisterin dem Gerichtsrat die Lage Eugeniens schildert, heißt es schließlich:

> „Und so *umschlang* ein *heimlich Labyrinth*
> *Verschmitzten Wirkens* doppelt ihr Geschick,
> So *schwankte List um List* im Gleichgewicht." (V. 1782–84)

In diesen Versen sind alle bisher besprochenen Vorstellungen des Netz-Symbols verdichtet: „Labyrinth", das „verschmitzte Wirken" und die „List". Ausdrücklich tritt hier zu dem Motiv des schon anklingenden

---

[36] Aug. Sauer: (in ‚Funde und Forschungen', S. 134), weist darauf hin. Desgl. P. Fischer, Goethe-Wortschatz, der unter der Sonderbedeutung „im Hintergrund lauern" die oben zitierten Verse bringt. Die tiefere Möglichkeit des Austausches von „lauschen" u. „lauern" wurde eingangs des Dialog-Kapitels unter dem Titel ‚Sehen u. Hören' gegeben.

„Tückisch" in „verschmitztes Wirken" und dem Labyrinth-Bild das Verbum „umschlingen". Darüber hinaus wird dies noch durch eine Vorstellung erweitert, die zwar in „verstellt" und „verschmitzt" mitklingt, aber doch eine größere Assoziationskraft besitzt und wegen der Häufigkeit des Vorkommens eigens behandelt zu werden verdient: das Wort „heimlich".

Zunächst soll uns aber noch der Komplex „umschlingen" beschäftigen: Außer an der vorliegenden Stelle kommt „umschlingen" in der Form „festumschlingend" noch einmal in der ‚Natürlichen Tochter' vor (V. 2651), das Simplex „schlingen" mit dem Präfix „ver-" weitere zweimal:

> „Dies Unglück, vorgesehen oder nicht,
> Hat mich und dich in gleiches Netz *verschlungen*." (V. 2388–89)

und:

> „Doch mich soll das Schiff
> In seines Kerkers Räume nicht *verschlingen*." (V. 2646–47)

Schon das Simplex „schlingen" mit dem Bezug zum Substantiv „Schlinge" und auch „Schlange" (V. 1995), evoziert und aktiviert die dem Netz-Symbol zugrundeliegende Vorstellung des Umgreifens. Durch die Vorsilben „ver-" und „um-" wird diese Aktivierung des Sinnes noch verstärkt, und gerade in der Verbindung „Ver-schlingen" bis zu einem Zustand vorangetrieben, aus dem es kein Entrinnen mehr gibt. In Verschlingen klingt jetzt entschieden das Thema des „Verschwindens" an: Die Gestalt wird „vernichtet", von den Elementen „verschlungen".

Die Doppelbedeutung von „verschlingen": einmal „verstricken", zum andern „auffressen",[37] wird hier sichtbar und deutet das Geschehen sinnvoll: Das „Verschlingen" als „verstricken" führt weiter zu dem „Verschlingen" als „aufzehren": Die Gestalt, die in die Verstrickung hineingerät, ist schließlich von den auflösenden Elementen „verschlungen".

In einer Reihe anderer Verben spiegeln sich die hier wiedergegebenen Bewegungsabläufe.

Zunächst sei aufmerksam gemacht auf zwei Verbgruppen, Verben des Verstrickens, die mit „um-" bzw. mit „ver-" zusammengesetzt sind:

1. „um-": „umrauschen" (V. 8); „umstricken" (3mal: V. 19, 1980, 2453); „umgeben" (7mal: V. 674, 822, 1057, 1938, 1979, 2127, 2169); „umschließen" (2mal: V. 1967, 2662); „umspülen" (V. 2560); „umfangen" (V. 2829); „Umziehen" (V. 1998).

2. „ver-": „verstricken" (V. 475); „verflechten" (2mal: V. 483, 1589); „verschränken" (V. 1399); „verstockt sein" (V. 1466); „verschließen" (1467).

3. Hinzutreten noch folgende Verben mit ähnlichem Sinn: „fesseln" (4mal: V. 1460, 2378, 2733, 2775); „binden" (V. 1797); „ketten" (V.

---

[37] Etymologisch sind die beiden Wörter – obwohl gleichlautend – *nicht* verwandt, vgl. dazu Kluge, Etymologisches Wörterbuch, (17. Aufl.) S. 658.

2738); „knüpfen" (2mal: V. 1124, 1544); „abschließen" (3mal: V. 2009, 2297, 1515); „einschränken" (V. 1968); „gefangen halten" (V. 2489); „einscharren" (V. 2508); „begraben" (V. 731) „begrenzen" (V. 2732); „bannen" (3mal: V. 2, 2298, 2342); „hindern" (2mal: V. 1111, 1556).

Zu diesen zahlreichen Verben, die im wesentlichen demselben Wortfeld angehören, sind noch die schon interpretierten Verben „lauschen" und „lauern" hinzuzunehmen.

All diese Verben drücken, in unterschiedlichen Graden, die Wirksamkeit und Intensität, das Wesen des Netzes aus: Der Mensch ist „umgeben", „gefangen", „verstrickt", „gebannt". Aber: diese Verben bilden nur eine erste Gruppe der zum Netz-Symbol gehörenden Verben, die hier wesentlich das Gefangensein fassen, nicht aber das zerstörerische, die Gestalt ergreifende und vernichtende Wirken des Netzes: die dazu gehörenden Verben werden eigens betrachtet.

II

Nicht immer besitzen diese Verben den Zusammenhang mit dem Netz-Symbol „an sich". Entscheidend ist vielmals die Konstellation, in der das Wort erscheint. Ein gutes Beispiel für diese Abhängigkeit von der Stellung im Satz und Vers ist das Wort „umgeben" (7 Belege).

Eindeutig zum Netz-Symbol gehört das an sich neutrale Wort im folgenden Vers:

> „... zerreißen
> Das falsche *Netz*, womit ihr sie *umgabt*." (V. 821–22)

Hier ist das Netz dasjenige, von dem „umgeben" als Funktion ausgesagt ist: Seine Eigentümlichkeit ist zu „umgeben". Ähnlich ist die folgende Stelle, in der die Elemente des umstrickenden Netzes ausgebreitet werden:

> „... Und was mich erst als Furcht und Sorg' umgeben,
> Entscheidet sich, indem es mich vernichtet." (V. 1988)

In der Welt erscheinend, ist Eugenie ein „*gefahrumgeben* Weib" (V. 2128), eine „Fremde, *Schlechtumgebne*, Mißempfohlne" (V. 2169). Von diesen Stellen her und aus der Symbolinterpretation sind auch die anscheinend anderen Verwendungen des Wortes „umgeben" in die Nähe des Netz-Symbols zu stellen.

Eugenie, indem sie sich von der Hofmeisterin schmücken läßt:

> „Das Oberkleid, das goldne, schlage drüber,
> Die Schleppe ziehe, weitverbreitet, nach!
> Auch diesem Gold ist mit Geschmack und Wahl
> Der Blumen Schmelz metallisch aufgebrämt.
> Und tret ich so nicht *schön umgeben* auf?" (V. 1053 ff.)

„Schön umgeben" steht offensichtlich für „geschmückt". Aber durch das Wissen um die Gefährlichkeit des Schmuckes müssen wir diese positive Bedeutung des Wortes schwanken sehen. Wir wissen:

> „Was bedeutend schmückt,
> Es ist durchaus gefährlich." (V. 1143–44)

Im Abschnitt über die Gold-Symbolik war der innere Zusammenhang der Gold- und Netz-Symbole deutlich geworden, der sich besonders intensiv in dem Festspiel ‚Des Epimenides Erwachen' realisierte, wo Ketten und goldener Schmuck in *einem* Vorgang gemeinsam erscheinen.

Dieses Zusammengehören der Gold- und Netz-Bilder strahlt auch auf die folgende Stelle aus und bestimmt ihren Gehalt:

> „Der nächste Winter findet
> Uns *festlich* dort *umgeben*." (V. 673–74)

Gerade daß sich „der Gott der Welt im Überfluß heran"naht, Opfer heischend, macht das „festlich umgeben" zu einem gefährlichen Aufenthalt. Die Gefährlichkeit der großen Welt wird sichtbar, in der man sich im Glanze verstricken kann, so daß man des Herzens „Winke" (V. 863) nicht länger vernehmen kann.

Bezeichnend für die Beziehung des Verbums „umgeben" zum Netz-Symbol ist auch die Tatsache, daß in den 7 Belegstellen „umgeben" sich 6mal auf Personen bezieht: sie sind die, welche (vom Netz) „umgeben" sind oder werden.

Eng mit „umgeben" verwandt, die Aktionsart aber weiter intensivierend, ist „umschließen" (2 Belege), das ganz vom Netz-Symbol her bestimmt ist.

> „Verbannung, Tod, Entwürdigung *umschließen*
> Mich fest und ängsten mich einander zu; . . ." (V. 2662–3)

Auch die Weite des Meeres, des Elementaren, hat dieses „Einschließende, Umschließende". Es bietet keine Freiheit, keinen freien Ausblick in unbegrenzte Möglichkeiten des Tuns: sondern es „schränkt ein" (V. 1968):

> „Da steh ich nun und schaue weit hinaus,
> Und *enger* scheint michs, *enger* zu *umschließen*." (V. 1966–67)

Das gleiche „Umschließen" ist dem „Tag" eigen: So ist der Herzog ganz „ins Gegenwärtige verschlossen" (V. 1466): d. h. der „Tag" hat so von ihm Besitz ergriffen, ihn so umstrickt, daß sich sein Denken nicht mehr darüber erheben kann.

Noch stärkeren inneren Bezug zum Netz weist „umstricken" auf, indem es die Intension des Netzes am gültigsten ausdrückt. Der Gerichtsrat, an die verbannte Eugenie denkend, erblickt

„Mit Not und Jammer (ihren) Pfad *umstrickt.*" (V. 1979)

Dieselbe Funktion hatte die Interpretation der ersten Szene diesem Verbum schon in den Anfangsversen zugewiesen:

> „Laß dieser Lüfte liebliches Geweb
> Uns leis umstricken . . ." (V. 18–19)

Wir dürfen hier noch „verstricken" anschließen, ein Verbum, durch das der Herzog den neuen Zustand Eugeniens ausdrückt, nachdem sie sturzartig in der Welt erschienen ist:

> „Du wirst fortan, mit mir ins *Netz verstrickt,*
> Gelähmt, verworren, dich und mich betrauern." (V. 475–6)

Zum selben Wortfeld gehören ferner „verflechten" und „fesseln".

> „Wie soll die Tochter erst, in dein
> Geschick *verflochten* . . ." (V. 483)

spricht Eugenie zum Herzog und Vater, dieser zu sich selbst:

> „Welch ein Vergnügen hatte mich *gefesselt?*" (V. 1460)

Eugenie zur Hofmeisterin:

> „Du fesselst mich, du schleppst mich . . ." (V. 2376)

Wir dürfen in diesen Belegen eine Verstärkung des Goetheschen Gewebegleichnisses sehen, dergestalt, daß das verwebte Lebendige in Bestand und Entfaltung durch die Verflechtung gefährdet ist.

Diesen Vorgang sprechen „begrenzen" (V. 2752), „binden" (V. 1797) und „gefangen halten" (V. 2489), noch entschiedener aus: Das „Gebundensein" gilt sogar von den Mächtigen dieser Welt:

> „Leider sind auch sie gebunden und gedrängt." (V. 1797)

Das Dokument, das in den beiden letzten Akten ein so verhängnisvolles Wirken entfaltet und Eugenie zum Verschwinden bringt, ist in diesem Sinne auch Ausdruck des Netzes, indem es „gefangen hält".

> „Ist dies der Talisman, mit dem du mich
> . . . Gefangen hältst . . .?" (V. 2489)

Lebendiges, derart umgeben und gehemmt, ist „eingescharrt" (V. 2508), ist in eine begrenzende Sphäre gebannt.

In „bannen" kommt das Durative, Anhaltende der Verstrickung durch das Netz zum Ausdruck. Eugenie fühlt sich durch die Tücke des Bruders „hierhergestoßen" und „gebannt" (V. 2341–42). – In Eugeniens Vorstellung ist die Ehe, die der Gerichtsrat ihr als Rettung anbietet, ein derartig begrenzender Bezirk:

„Dorthin ist sie (die Frau) gebannt, sie kann sich nicht
Aus eigner Kraft besondre Wege wählen." (V. 2297–8)

Die Entfaltung der eigenen, inneren Gestalt (eben das bedeutet „besondre
Wege wählen"), die Verwirklichung des Wesens, die folgerechte Metamor-
phose der sittlichen Gestalt glaubt Eugenie durch die Ehe gehindert.
Der eigene Bruder als der Führer der Gegenpartei hindert die Entfaltung und das Wachstum der Gestalt: er hindert tückisch „... den
schönen Schritt", den Eugenie mit Hilfe des Königs und des Herzogs zur
Entfaltung ihres Wesens im Erscheinen sich anschickt zu tun.
Das durch die vielfachen Verba Verhinderte ist Eugeniens *Glück*.
Von der Gegenpartei heißt es, daß „sie bisher mein *Glück* zu hindern
suchte" (V. 1111).
In den beiden letzten Verben wird schon mehr ausgesagt als die bloß
„einschließende" Kraft des Netzes: wir erfahren bereits die dem Netz
eigentümliche Wirkung auf die Figuren, die in der jetzt zu behandelnden
Verbgruppe thematisch werden soll.

III

Die erste Verbgruppen-Betrachtung mündete in eine Interpretation der
Stelle:

„Und so umschlang ein heimlich Labyrinth
Verschmitzten Wirkens doppelt ihr Geschick,
So schwankte List um List im Gleichgewicht ..." (V. 1782–84)

Die bisherigen Ergebnisse seien noch ergänzt durch die Betrachtung des
Wortes „heimlich".
Als verwandte Wörter finden sich in der ‚Natürlichen Tochter' noch:
„geheim", „Geheimnis", „geheimnisvoll".
So hatte es z. B. geheißen:

„*Geheimnisse* der Großen sind *belauscht.*" (V. 1015)

Wie selbstverständlich treten Geheimnis und das schon beschriebene Wort
„lauschen" zusammen auf: Doch wird gerade durch das Zusammentreffen
dieser beiden Wörter die Weltstruktur der ‚Natürlichen Tochter' erhellt:
Nur dort, wo etwas heimlich geschieht, kann etwas belauscht werden, nur
wo dauernd die Gefahr herrscht, umlauert und belauscht zu werden, zieht
sich etwas ins Heimliche, Verborgene, ins Geheimnis zurück. Eins verweist aufs andere, beides gemeinsam wieder auf einen Weltzustand, in
dem beides nicht nur möglich, sondern gefordert ist. Wir haben es mit
Figuren zu tun, die in einer sozialen Welt leben, „in der man ohne ...
Verstellung nicht umhergehen kann" (Bd. 15, S. 973).

In diesem Zusammenhang und dieser Bedeutung erscheint Eugenie zu Beginn des Stückes als ein *„geheim verwahrter* Schatz" (V. 77) von dem der Herzog nicht einmal seinem Verwandten, dem König, Mitteilung machte. Nur zögernd und umständlich eröffnet er sich zu Beginn des Stückes dem König, der ihm sagt:

> „Sprich vom Geheimnis nicht geheimnisvoll!" (V. 73)

Dem lauernden Auge entzogen, lebt Eugenie in der Stille, „von wenigen besucht und *heimlich* nur" (V. 738).

Nicht nur ihr Aufenthaltsort, ihre Existenz überhaupt, bleibt im Verborgenen und wird als ein Geheimnis vom Herzog gehütet. Die Situation der Welt, die hier unter dem Symbol des alles umstrickenden Netzes gesehen wird, ist so, daß „das Große wie das Niedre uns nötigt, geheimnisvoll zu handeln und zu wirken" (V. 82–3).

In solcher Welt wird verborgenes Wirken und Geheimhalten zum ständigen Gebot. So spricht der König zum Grafen, bevor er mit Eugenie redet:

> „Entferne jedermann! Ich will sie sprechen!" (V. 245)

Kaum sonst wird das Abtreten von Figuren derart motiviert. Hier erfolgt es aus Gründen der Geheimhaltung: die folgende Erkennungs- und Anerkennungs-Szene Eugeniens geschieht ausdrücklich geheim im kleinsten Kreise:

> „Dich, die Verwandte, hab ich anerkannt
> Und werde bald, was hier *geheim geschah*,
> Vor meines Hofes Augen wiederholen." (V. 280 ff.)

Aber für die Zwischenzeit befiehlt der König tiefstes Schweigen:

> „Doch bis dahin verlang ich von euch beiden
> *Verschwiegenheit*. Was unter uns geschehen,
> Erfahre niemand." (V. 406 ff.)

Denn: „Mißgunst lauert auf!"

Es folgt in der Rede des Königs das Bild des Elementes, das die Gefährlichkeit der Weltsituation ausdrückt, in der sich nicht einmal die leitenden Menschen behaupten können:

> „Schnell regt sie Wog auf Woge, Sturm auf Sturm,
> Das Fahrzeug treibt an jähe Klippen hin,
> Wo selbst der Steurer nicht zu retten weiß." (V. 408 ff.)

Das ausgesprochene Wort wendet sich – zu einem Naturelement geworden (vgl. M + R, X, Bd. 2, S. 656) – gegen den Urheber und bringt ihn in Gefahr. So kann nur Geheimnis die Taten verbürgen.

„Ein Vorsatz, mitgeteilt, ist nicht mehr dein,
Der Zufall spielt mit deinem *Willen schon.*" (V. 412–13)[38]

Hinter diesem Satz steht Goethes sein Leben lang geltende Meinung, daß
der Schaffende sein Schatzgräbergeheimnis zu wahren habe und nichts von
dem Geheimnis – selbst Freunden nicht – preisgeben darf, um nicht das
Gelingen zu gefährden. Gerade das Unvollendetbleiben der geplanten Trilogie der ‚Natürlichen Tochter‘ führt Goethe in den Annalen zu 1803
auf diesen Fehler zurück: „Allein ich hatte den großen, unverzeihlichen
Fehler begangen, mit dem ersten Teil hervorzutreten, eh das Ganze vollendet war ... Einen sehr tiefen Sinn hat jener Wahn, daß man, um einen
Schatz wirklich zu heben und zu ergreifen, stillschweigend verfahren
müsse, kein Wort sprechen dürfe, wie viel Schreckliches und Ergötzendes
auch von allen Seiten erscheinen möge" (Bd. 8, S. 1075).

So zieht sich auch Eugenie in die Einsamkeit zurück, um dort ihr Sonett
zu schreiben, um so sich „ins eigene Gefühl" zu finden (V. 923). Aber der
Unterschied liegt doch auf der Hand: Während der Dichter Goethe das
fertige Produkt seines Geistes in die Welt entläßt und sich davon befreit
weiß, *muß* Eugenie in ihrer Weltlage ihr Gedicht sorgsam verstecken:

„Das Geheimnis, das größte, das ich je gehegt, wohin,
Wohin verberg ichs?" (V. 986–88)

Erschiene das Gedicht wirklich in der Welt, so würde es die Urheberin
und ihre Gesinnungen verraten und deswegen vernichten.

„Selbst wer gebieten kann, muß überraschen,
Ja, mit dem besten Willen leisten wir
So wenig, weil uns *tausend Willen kreuzen.*" (V. 414 ff.)

Wieder klingt in „kreuzen" das Netz-Symbol an: das sich Überschnei-
den und Durchziehen der Fäden eines Gewebes hindert das Tun. In die
Welt hineingetreten, ist der Wille alsbald sich selbst entfremdet. „Der Zufall spielt mit deinem Willen schon" (V. 420). Der Zufall ist das Gesetz
der Welt. Indem er mit der Freiheit spielt, sie von sich abhängig macht,
verliert sich die Freiheit, und es tritt die Situation ein, die Goethe bei der
Lektüre von Soulavies Geschichtswerk hatte erkennen können und Schiller mitteilte: „Man sieht in dieser ungeheuren Empire nichts als Natur
und nichts von dem, was wir Philosophen so gern Freiheit nennen möchten" (an Schiller, 9. 3. 1802). Den bisherigen Gründen für die Geheimhaltung entsprechen die Verse des Gerichtsrates zu Eugenie:

„... Möglich scheint
Fast alles unsern Wünschen; unsrer Tat

---

[38] vgl. dazu den großen Monolog Wallensteins in Schillers ‚Wallensteins
Tod‘, I. 4.

Setzt sich, von innen wie von außen, viel,
Was sie durchaus unmöglich macht, entgegen." (V. 2073 ff.)

Aber so sehr sich König und Herzog um die Geheimhaltung ihrer Absichten bemühen:

„Geheimnisse der Großen sind belauscht." (V. 1015)

Daß der Herzog Eugeniens Existenz ängstlich verbarg, entbehrte schon des Sinnes, wie aus den Worten des Grafen hervorgeht:

„Die Lippen öffnet ihm der Fürstin Tod,
Nun zu bekennen, was für Hof und Stadt
Ein *offenbar Geheimnis* lange war.
Es ist ein eigner, grillenhafter Zug,
Daß wir durch Schweigen das Geschehene
Für uns und andre zu vernichten glauben." (V. 187 ff.)

Was der Herzog zu bewahren suchte, ist der lauernden Welt des Netzes ein „offenbar Geheimnis". Goethe braucht hier eine beliebte Formel, eine morphologische Weisheit auszudrücken. Aber man darf sich nicht täuschen lassen: Hinter dieser Formel verbirgt sich hier ein ganz anderer Sinn, denn das hier so genannte „offenbare Geheimnis" ist ein verratenes, profaniertes, eben kein Geheimnis mehr. In der Welt des Netzes gibt es ein „offenbares Geheimnis" im morphologischen Sinn nicht mehr, in dem sich das Wesen in der Gestalt offenbart, das Sichtbare wie ein Schleier das Unsichtbare nur leicht verhüllt. Hier gilt nur Flachheit und Verstellung.

Der Herzog, auf Anerkennung seiner Tochter durch den König hoffend, hat Schmuck, in Kisten geheim verwahrt, bereitstehen:

„Kleider und Juwelen stehen bereit,
Im prächtgen Kasten sämtlich eingeschlossen,
Wozu er selbst die Schlüssel wohl verwahrt
Und ein Geheimnis zu verwahren glaubt.
Wir aber wissens wohl und sind gerüstet." (V. 841 ff.)

Sind die Geheimnisse der Großen belauscht, so stellt das Treiben der Verschworenen ein neues, zu hütendes Geheimnis dar. Geheimnisvolles Handeln gebiert immer neues Geheimnis. Das Geheimnis der Verschwörer zu wahren, wird die Hofmeisterin gezwungen:

„Denkst du dich ihm (dem Plan) geheim zu widersetzen
Und wagtest du, was ich dir anvertraut,
Aus guter Absicht irgend zu verraten,
So liegt sie (Eugenie) tot in deinen Armen." (V. 880 ff.)

Geheimes Wirken steht gegen heimliches Tun. Das eine belauscht das andre und hütet sich, belauert zu werden. Mitten zwischen diese Parteien gestellt ist Eugenie, und so umstrickt sie ein „heimlich Labyrinth verschmitzten Wirkens" (V. 1782), aus dem sie sich allein nicht befreien kann. Aber auch keine der anderen Figuren darf ihr helfend beispringen: Die Hofmeisterin kann Eugenie nicht „verborgne Winkel öffnen, wo die Schar verschworener Verfolger tückisch lauscht" (V. 898–99).

So hebt das Wörtchen „heimlich", „geheim", mit seinen verwandten Wörtern das Netz-Motiv in die Sphäre der Undurchsichtigkeit und verwirrenden Bezüglichkeit, in der keine Figur sich mehr zurecht finden kann, in der aber zugleich jedes noch so vorsichtige Wirken im Augenblick profaniert und „verraten" wird, die Figur dadurch in beständige Gefahr gestellt ist.

IV

Die bisher behandelten Verba, Adjektiva und Adverbia boten dem Auge noch nicht die volle Dynamik des Geschehens, wie es sich zerstörerisch auf die Gestalten auswirkt. Sie zeigten vielmehr, daß und wie die Figuren vom Netz „umschlossen" und „umstrickt" sind.

Wir schließen jetzt eine Gruppe von Verben an, die entschieden die Bedrohung der Gestalt durch die Netzstruktur aussagen. Folgende Stelle mag den Übergang bilden und die Verschärfung der Situation kennzeichnen:

Eugenie:

> „Der innre Zwist unsicherer Parteien,
> Der nur in düstern Höhlen sich geneckt,
> Er bricht vielleicht ins Freie bald hervor.
> Und was mich erst als Furcht und Sorg' *umgeben*,
> *Entscheidet* sich, indem es mich *vernichtet*,
> Und *droht Vernichtung* aller Welt umher." (V. 1935 ff.)

Bevor die Verschärfung der Situation beschrieben wird, sei gefragt: Wie kommt die Verschärfung zustande? –

Den Anstoß dazu bildet nichts anderes als Eugeniens Erscheinen: Ihr Heraustreten aus der Verborgenheit, wie es sich vorzüglich in den beiden ersten Akten ereignet.

> „Der Herzog, stolz auf seiner Tochter Wert,
> Läßt nach und nach sie öffentlich erscheinen,
> Sie zeigt sich reitend, fahrend." (V. 740–41)

Durch diese Bewegung organischen Wachstums werden die Kräfte des Widerstandes in der Welt auf den Plan gerufen:

„Ach! leider drängt sichs mächtiger hervor.
Den jungen Fürsten zwingt man zum Entschluß." (V. 732–33)

Dem fortschreitenden Wachstum, das sich von innen her entfaltet und sich
in der Welt ausbreiten will, setzt sich steigender Widerstand der Wirklichkeit entgegen, einer Wirklichkeit, die durchaus unbarmherzig ist und
das Entfalten hindert und hemmt.

Von hier läßt sich nun das Wesen der Verschärfung der Lage ausmachen, und zwar wie immer bei Goethe: Das Wesen wird an Wirkungen
erkannt.

Genau wie sich das Erscheinende beim Erscheinen „entscheidet", d. h.
solidesziert und Gestalt annimmt, so tritt gleichzeitig das Hemmende, das
Eugenie zunächst (nur) als Furcht und Sorge umgeben hatte, aus dem Verborgenen hervor und wird zur akuten Gefahr für das erscheinende Leben:
auch es entscheidet sich, indem es Eugenie zu vernichten droht.

Allein 10-mal findet sich das Wort „drohen" oder „bedrohen", einmal in der altertümlichen Form „bedräuen" (V. 811), in der ‚Natürlichen Tochter',[39] die Wirkung der Netzstruktur der Welt, die die Figur
umgibt, zu deuten. Dabei mag man in den Verben „drohen" und „bedrohen" zunächst nichts als den Ausgangspunkt einer zunehmenden Mächtigkeit und Wirkung des Netzes auf die Figuren sehen, wie deutlich wird
aus den drei ersten Belegen, die wir hier anführen: V. 447, 668, 785.

„Lange *droht* ihr schon
Von *fern* dem Glück des liebenswürdgen Kindes." (V. 785)

Im Drohen kündigt sich ein Beängstigendes, Gefährliches, zerstörerisch
Wirkendes allererst an, tritt dann aber, als Eugenie erscheinen will, mit
aller Entschiedenheit zutage:
Diese Entschiedenheit zu offenbaren, reicht das Wort „drohen" nicht
aus. Es treten andere Verben auf, besonders Formen des Verbums „drängen", „bedrängen", von dem sich 14 Belege in der ‚Natürlichen Tochter'
finden.[40]

Dazu gesellen sich noch „hinabdrängen" (V. 1781) und die verwandten
Substantiva „Drang" (V. 2178), „Bedrängnis" (V. 1982) und „Beklem-
mung" (V. 2107).

Schließen wir noch als zu dieser Gruppe gehörig „fordern" (2mal: V.
29 u. 791) und „erdrücken" (2mal: V. 1680 u. 2616) an, so zeugt allein
schon die Häufigkeit dieser Verben für ihre Bedeutsamkeit.

Die andrängende Gewalt der netzdurchwirkten Welt wird nirgends
stärker ausgesprochen als in den Worten des Herzogs:

---

[39] „drohen": V. 447, 668, 785, 811, 868, 1599, 1680, 1940, 2176, u. 2825.
[40] „drängen": V. 31, 709, 732, 816, 837, 868, 1679, 1726, 1797, 1829, 1996,
2362, 2429, 2688.

„Nun drängt das Wirkliche mit dichten Massen
An mich heran und droht, mich zu erdrücken." (V. 1679–80)

Der Herzog, seiner Tochter beraubt, ist ganz dem Anprall der Welt ausgesetzt und ihm nicht gewachsen. Die drei wichtigsten Verben der jetzt behandelten Verbgruppe – „drohen", „drängen" und „erdrücken" – stehen hier in einem Zusammenhang, indem das schwächere jeweils auf das stärkere verweist. Das Andrängen des Wirklichen ist dergestalt heftig, daß es die Gestalt zu „erdrücken" droht. Das einfache „drohen" wie es oben besprochen wurde, das nichts als eine Gefahr bezeichnete, die sich noch nicht „entschieden" hat, hat sich über das aktivere „drängen", das unmittelbar angreift, zum „erdrücken" intensiviert, dem die Gestalt – erscheint nicht irgendwoher Rettung – erliegen muß. Auch das sich herauskristallisierende, von Eugenie zu erwartende Schicksal der Verbannung hat diese „erdrückende" Wirkung. Eugenie:

„Verbannung! Ja, des Schreckensworts Gewicht
Erdrückt mich schon mit allen seinen Lasten." (V. 2617 ff.)

Der Herzog ist von der Welt bedrängt, Eugenie ist es in einem absoluten Sinn. Aber auch die anderen Figuren sind es. Der Sekretär spricht das Allgemeine der Gefährdung aus:

„Zwei Welten sind es, meine Liebe, die,
Gewaltsam sich bekämpfend, uns *bedrängen*." (V. 709–10)

Selbst die Freiheit der Intriganten ist beschränkt, auch sie sind bedrängt:

„Ach, leider drängt sichs mächtiger hervor.
Den jungen Fürsten zwingt man zum Entschluß." (V. 732–33)

Oder: „Der Augenblick des Handelns drängt uns schon." (V. 837)

Oder: „Leider sind auch sie (die Mächte) gebunden und gedrängt."
(V. 1797)

Die Hofmeisterin, außer Eugenie sich am längsten und heftigsten gegen die andrängende Welt sich zur Wehr setzend –

„Was hilfts in mich zu stürmen? zum Verbrechen
Mich anzulocken? mich zu drängen?" (V. 816–7)

· · · · · ·

„Kein Versprechen soll,
Kein Drohn mich von der Stelle drängen." (V. 868) –

wird schließlich überwältigt: Es „drängt" sie unausweichlich ein „betrübt Geschäft … aus dem Mittelpunkt des Reiches und aus dem Bezirk der

Hauptstadt an die Grenze des festen Landes, zu diesem Hafenplatz ..."
(V. 1726 ff.).

An dieser Stelle wie auch in den Versen Eugeniens:

> „Gewalt und List entreißen, führen, drängen
> Mich von des Vaters Brust ans wilde Meer." (V. 2429–30)

wird in der durch „drängen" ausgelösten räumlichen Bewegung vom
festen Land, bzw. vom Vater weg zum Meer die Richtung aufs Verschwinden deutlich: „Drängen" bringt „erscheinen" zum „verschwinden". Das
„umschließende, umstrickende" Netz „bedrängt" die Gestalt, die „erscheinen" will, und zwingt sie zum „verschwinden". – In diesem Vorgang liegt die fortschreitende Intensivierung des Geschehens, wie es sich –
bes. in den beiden letzten Akten – gerade in den zum Netz-Symbol gehörenden Verben manifestiert.

V

Die Bedrängnis führt zur Verbannung der Gestalt.

> „Entsetzen rufst du mir hervor! Dorthin?
> Dorthin verstößt man mich?" (V. 1991–92)

Erscheinendes Leben, das in die Welt hineintritt, wird sofort zum Verschwinden gebracht: man verstößt es. Zu den schon besprochnen Verben
gesellt sich eine weitere Gruppe, die die Aktivität der Netz-Welt gegen das
in ihr erscheinende Leben deutet: die Hauptverben dieser Gruppe sind
„verstoßen" (5mal), „verbannen" (2mal).

So sagt der Weltgeistliche zum Sekretär:

> „Dies holde Kind
> Verstoßt ihr aus dem Kreise der Lebend'gen." (V. 1235–36)

Noch ist die Richtung und das Ziel des Verstoßens nicht genannt. Aber:
verstoßen „aus dem Kreise der Lebendgen". Eugenie wird gezwungen, den
menschlichen Aufenthalt aufzugeben. Eine andere Stelle sagt die *Art* des
Verstoßens aus:

> „Und mich verstößt man, *ohne Recht und Urteil.*" (V. 2632)

Die gesetzliche Willkür des Verfahrens und Wirkens des Mächtigen deutet
auf das Elementare, das wir in diesem Drama bereits als wirksam erkannt
hatten.

> „Hier ist Gewalt, entsetzliche Gewalt!" (V. 1748)

Zum letzten Mal, bei dem Versuch, in der Sprache dem ihr begegnenden
Du zu erscheinen, richtet Eugenie an den Mönch das (nun schon) „hoff-
nungslose Wort":

„Aus hohem Hause entsprossen, werd ich nun
Verstoßen, übers Meer *verbannt.*" (V. 2720–21)

Eugenie ist „gestoßen in die Weite" (V. 2779), die Verbannung soll sie
übers Meer führen: Wieder schließen sich hier zwei bereits analysierte
Symbolschichten an: „Weite" weist auf das Netz, das „Meer" auf das die
Gestalt verschlingende Element.[41]

Das Wirkliche, unbedingt Mächtige läßt keinen Widerstand aufkommen: es stößt die Figuren vor sich her. Die Hofmeisterin, anfänglich entschieden zum Widerstand und zum Einstehen für ihren Zögling Eugenie
bereit, muß ebenso nachgeben wie Eugenie selbst. Hofmeisterin:

„Ich gehorche nur
Der starken Hand, sie *stößt mich vor sich hin.*" (V. 2273 ff.)

Eugenie glaubt sich durch des Bruders Tücke „hergestoßen" (V. 2341). So
vom Mächtigen „gestoßen", wird die Hofmeisterin zum bloßen Werkzeug, ihr Handeln hört auf, ein freies, selbst bestimmtes Handeln zu sein.
Als Werkzeug hat sie Eugenie zu entführen: Der Sekretär erteilt ihr –
selbst wieder abhängig und im höheren Sinn ein Werkzeug – dazu den Befehl:

„Eugenien / sollst du entführen." (V. 792–3)

Die Hofmeisterin wiederholt diesen ihr gegebenen Auftrag vor dem
Gerichtsrat:

„Ich sollte sie dem Kreise
Der Ihrigen entführen, sie hierher,
Hinüber nach den Inseln sie geleiten." (V. 1764 ff.)

Zur Durchsetzung dieses Befehls dient das ominose Papier, von dem es
heißt:

„Ist dies der Talisman, mit dem du mich entführst?" (V. 2489)

Sich stützend auf die Macht des Talisman, ist die Hofmeisterin imstande,
Eugenie zu „fesseln" und „hin und wieder zu schleppen" (V. 2376 ff.).
Die Passivität des Erlebens kommt in Eugeniens Worten zum Ausdruck:

„Hergeschleift, ... Zerrissen, zerschmettert." (V. 1506–8)

Sie ist der Gewalt „anheimgegeben" (V. 1750+52). Die Entführung hat
dasselbe Ziel wie das Verstoßen: Es ist ein Wegführen aus dem gewohnten Lebenskreis, aber damit nicht genug: „Sie (Eugenie) muß dergestalt
auf einmal aus der *Welt* verschwinden" (V. 743–44).
Diese Tendenz zum Verschwinden wird – wie schon gesagt wurde – in

---

[41] vgl. noch: „verstoßen" (V. 2861) u. „verbannen" (V. 1764).

der räumlichen Bewegung vom festen Land, vom bergenden Haus, an das
elementare Meer sichtbar:

> „Gewalt und List entreißen, führen, drängen
> Mich von des Vaters Brust ans wilde Meer." (V. 2429 ff.)[42]

„Verstoßen" und „verbannen" sind „*hinab*stoßen". – „Mich stoßt ihr mit
hinab"! (V. 800) sagt die Hofmeisterin zum Sekretär. Damit wird die Bewegung des Verschwindens, die wir als eine Abwärtsbewegung erkannt
hatten, hier wieder aufgenommen. Die gleiche Bewegung spricht sich aus
in dem Verbum „hinabdrängen", das von der Hofmeisterin auf die Lage
Eugeniens angewendet wird:

> „Sie will der eine Teil zum *höchsten Glück*
> Berechtigt wissen, wenn der andre sie
> *Hinabzudrängen strebt.*" (V. 1779–81)

Die Bewegung zum „höchsten Glück": das wäre die aufsteigende Bewegung, die wir dem „erscheinen" zuschreiben dürfen. Die Netzstruktur
aber hemmt diese Bewegung und setzt an deren Stelle die in „hinabdrängen" sich ankündigende Abwärtsbewegung, die dem „Verschwinden"
eigentümlich ist.

VI

Die Wirkung der andringenden, vom Netz durchwalteten Welt ist, daß
die Gestalt in Gefahr gerät: sie wird bedrängt, verstoßen, schließlich –
wie sich schon im „hinabdrängen" zeigte – *gestürzt*. Von diesen Verben
gehört „stürzen" am entschiedensten zu denen, die das „Verschwinden"
der Gestalt herbeiführen.

Dafür ist schon der Sturz Eugeniens zu Beginn des Stückes ein symbolisches Zeugnis, dessen Strahlkraft durch das ganze Stück geht:

> „Und nun auf einmal, wie der jähe Sturz
> Dir vorbedeutet, bist du in den Kreis
> Der Sorgen, der Gefahr *herabgestürzt.*" (V. 465–67)

Die Bewegung abwärts, in Dunkle, wurde oben als dem Geschehen des
„Verschwindens" zugehörig erkannt. Hier offenbart sich erneut der Zusammenhang der Motive.

Eugeniens Tod wird dem Herzog so gemeldet:

---

[42] vgl. dazu die Verse der Hofmeisterin: (V. 1726 ff.)
   „Drängt unausweichlich ein betrübt Geschäft
   Mich aus dem Mittelpunkt des Reiches, mich
   Aus dem Bezirk der Hauptstadt an die Grenze
   Des festen Lands, zu diesem Hafenplatz."

„Vor wenig Stunden kam die Nachricht an.
Eugenie sei tot! Vom Pferd *gestürzt!*" (V. 1161 ff.)

Wieder ist das Verschwinden der Gestalt als ein Sturz gefaßt. Wir hatten bei der Beschreibung des Ereignisses gesehen, wie den einzelnen Stufen des Erscheinens, des Aufgehens der Gestalt, ebensolche Stufen des Verschwindens entsprechen. Die hohe Erhebung Eugeniens ist ein Grund für ihren tiefen Sturz:

„Auf ebnem Boden straucheln ist ein Scherz.
Ein Fehltritt *stürzt vom Gipfel dich herab.*" (V. 1905–6)

Dem Sturz aus der Höhe, der dem „Verschwinden" zugeordneten Bewegungsrichtung, folgt als die Vollendung des Verschwindens die Zerstörung der Gestalt durch und im Netz. Die zugehörigen Verben sprechen das Auflösen und Auseinandertreten der Elemente charakteristisch aus.

Von der vom Felsen gestürzten Gestalt Eugeniens sagt der Weltgeistliche zum Herzog:

„Laß mich verhehlen, wie sie durchs Gebüsch,
Durch Felsen hergeschleift, entstellt und blutig,
Zerrissen und zerschmettert und zerbrochen,
Unkenntlich mir im Arm zur Erde hing." (V. 1505)

Mit „Gebüsch" und „Felsen" (vgl. „Felsendickicht", V. 1165) ist die Landschaft des Netzes und des Elementaren bezeichnet. Die Reihe der Verben faßt die von uns in den letzten Abschnitten ausgebreitete Aktivität des Netzes zusammen: Zunächst wird die Gestalt „hergeschleift", zum zweiten ist sie – durch das Netz geschleift – „zerrissen und zerschmettert und zerbrochen": Die Gestalt wird von der Macht des Netzes aufgelöst, zerstört: Dreimal die Vorsilbe „zer-" betont diesen Vorgang des Auflösens in die einzelnen Elemente. Das Resultat dieses Vorgangs, den wir den Vorgang des „Verschwindens" nennen, ist, daß die Gestalt „entstellt" und „unkenntlich" geworden ist: sie hat im Netz die ihr eigentümliche Form, und Fassung verloren, ist den Elementen wieder anheimgefallen.

VII

Verschiedene Verbgruppen gaben das Wirken der Welt als einer vom Netz durchwalteten auf die Figuren wieder. Wie erfahren die Figuren selbst diese Wirkung? – Wieder gibt es verschiedene, dominierende und sich wiederholende Verben und Verbverbindungen, aus denen sich diese Wirkung bestimmen läßt.

Da ist zunächst die Gruppe „verwirren" und „irren". Der Herzog spricht zu Eugenie, die eben aus der Ohnmacht erwacht ist:

„Du wirst fortan, mit mir *ins Netz verstrickt,*
Gelähmt, verworren, dich und mich betrauren." (V. 475–76)

Das im Netz Verstrickt-Sein hat Lähmung und Verwirrung zur Folge.
Ein ähnliches „Verbknäuel" (A. Fries) lautet:

„*Betäubt, verworren, mit mir selbst entzweit*
Und mit der Welt, verehrte heilge Jungfrau,
Siehst du mich hier." (V. 2519 ff.)

Die Äbtissin ist es, an die Eugenie diese Worte richtet. Eugenie durch die
Macht des Papiers von der Hofmeisterin willenlos hin und hergerissen,
muß von sich bekennen:

„Du fesselst mich, du schleppst mich hin und wider,
Mein Geist verwirrt sich, mein *Gefühl ermattet,*
Und zu den Toten sehn ich mich hinab." (V. 2376 ff.)

Worin liegt aber das Wesen dieses „Verwirrtseins", an dem die meisten
Figuren des Stückes Anteil haben? –

Eugenie – aber auch die Hofmeisterin –, in eine solche labyrinthische
Welt hineingeboren, findet sich in ihr nicht zurecht. Die Erfahrung, sonst
leitendes Vermögen, die Welt sich zu erschließen, bringt nur das Gegenteil hervor: sie „verwirrt" (V. 2157), sie ist nicht länger des „Menschen
Meisterin" (V. 2157). Dies ist symbolisch die Situation aller Figuren: Sie
erwachen in einer Welt, in der sie sich nicht zurechtfinden können, die
ihnen von Grund auf „fremd" ist. Dies wird schon in der ersten Szene
des ersten Aktes sichtbar. Das bedeutet nicht, daß die Erfahrung allgemein der Wirklichkeit nicht gewachsen ist; aber hier in dieser bestimmten Konstellation, in der Welt des Netzes, ist sie es nicht mehr, weil in
solcher Welt der für die Erfahrung immer nötige Durchblick auf das
Wesenhafte, Bleibende, verstellt ist.

„Was ist Gesetz und Ordnung, können sie
Der Unschuld Kindertage nicht beschützen?
Wer seid denn ihr, die ihr mit leerem Stolz
Durchs Recht Gewalt zu bändgen euch berühmt?" (V. 2005)

Eugeniens Klage ist nur zu berechtigt: Die aufgewühlten Elemente zu
bändigen, ist der Mensch nicht in der Lage. Aus ihrer Ohnmacht erwachend, „blickt Eugenie starr zum Himmel, blickt verirrt umher"
(V. 216).

Nicht allein die Undurchsichtigkeit der Welt, das Verfilzte, Netzartige
und doch zugleich auch wieder unübersehbar Weite der Welt,[43] sondern

---

[43] vgl. dazu V. 1122 „... in weite Räume ..." und V. 1411 „... verloren
. . sich in die weite Welt."

auch das Verlockende, das Glänzende in ihr verwirrt: so bittet Eugenie
den König um Nachsicht:

> „... Wenn aus geheimnisvollem,
> Verborgnem Zustand ich, ans Licht auf einmal
> Hervorgerissen und *geblendet,* mich,
> Unsicher, schwankend, nicht zu fassen weiß" (V. 266)

Oder:

> „Der Freuden Übermaß *verwirrte* mich." (V. 1908)

In dem Sonett, das Eugenie aus dem Wonnegefühl über ihre bevorstehende
Erhöhung schreibt, heißt es:

> „Ich sinke hin, von Majestät *geblendet*" (V. 950)

Und nur zu berechtigt sind die warnenden Worte der Hofmeisterin zu
Eugenie:

> „Zerstreue nicht durch eitlen Flitterwesens
> Neugierige Betrachtung deinen Geist." (V. 1118–9)

In die verwirrende Fülle des Netzes und des Glanzes hineingestellt, vermag Eugenie durch noch so vieles Überdenken und Durchdringen der Situation nichts angesichts solcher Verhältnisse:

> „Was hilft mein Sinnen, ich *verwirre* mich!" (V. 2097)

Auch das Gespräch, das Miteinandersein in der Rede, sonst vorzüglich
vermögend, den Menschen in der Welt und die Welt selbst als wahr zu
erkennen und zu durchdringen: hier richtet es ebenfalls nichts aus:
Der Herzog muß es seiner Tochter gestehen:

> „Unvorbereitet red ich, übereilt
> Verwirr ich dich, anstatt dich aufzuklären." (V. 452 ff.)

„Aufklären", die polare Entsprechung zu „verwirren", bedeutet hier: die
Welt und die Bezüge Mensch – Welt erhellen, ein Licht in diese Lebens-
verhältnisse hineinbringen, nicht nur theoretisch, sondern praktisch auf die
Lebensführung bezogen.

Der Herzog „verwirrt" stattdessen Eugenie, er, der mitten im Leben
steht, redet „unvorbereitet" und „übereilt". Gerade die Sprache, die die
„künstliche Verknüpfung" der Welt bewirkt, die die Auslegung der Welt
vollzieht, erreicht hier ein Chaos. Nicht länger kann Eugenie zur Hofmeisterin sagen:

> „Diese Welt
> Hab ich aus deinem Munde." (V. 2373–74)

Der Zauber der Sprache wendet sich jetzt gegen den Menschen: „fesselt", „schleppt" ihn hin und her: eröffnet ihm nicht mehr die Welt, sondern liefert ihn der Welt aus: „Der Geist verwirrt sich" (V. 2376–77). Zugleich mit der Sicherheit der Welt der Dinge geht auch die Sicherheit der Welt der Menschen, die Sicherheit des Miteinander verloren. Die Sprache vermag nicht nur nicht in der Rede die Welt zu erschließen, sondern auch nicht mehr die echte Beziehung Ich – Du zu verwirklichen. Diese Probleme wurden bereits im Dialog-Kapitel behandelt.

Wohl kaum einmal wird der Versuch gemacht, die verwirrenden Netze zu zerreißen und so zur Klarheit über sich und die Welt zu kommen. Der Herzog, durch den Tod Eugeniens erschüttert, vom Weltgeistlichen schließlich ermutigt, versucht es:

> „Laß eines dumpfen, dunklen Traumgeflechtes
> Verworrne Todesnetze mich zerreißen." (V. 1713–14)

Die Hofmeisterin, noch in Unkenntnis über die wahre Macht der Netz-Welt, glaubt, auch Eugenie könne sich selbst aus der wachsenden Umklammerung befreien:

> „... Dieser Geist,
> Der mutvoll sie beseelt, ererbte Kraft
> Begleiten sie, wohin sie geht, zerreißen
> Das falsche Netz, womit ihr sie umgabt." (V. 819 ff.)

Aber die Antwort des Sekretärs ist überzeugend und einsichtig:

> „Gebildet ist ihr Geist, doch nicht zur Tat ...
> Des Unerfahrnen hoher, freier Mut
> Verliert sich leicht in Feigheit und Verzweiflung,
> Wenn sich die Not ihm gegenüberstellt." (V. 828 ff.)

So ist der Mensch in solcher Welt verloren. Er irrt verwirrt in ihr umher, ohne sich und sein Verhältnis zur Welt zu finden und zu erkennen.

> „Seis wie es will: ich bin verloren! bin
> Aus allem Vorteil dieser Welt gestoßen!" (V. 2503–4)

So in der Welt nicht mehr zuhause, will Eugenie sie verlassen. Sie wendet sich in ein Kloster. Aber das Dokument in der Hand der Hofmeisterin verhindert diesen Ausweg. Da will sie sich den Elementen anheimgeben, sich in die Wellen versinken lassen.

> „Empfangt mich dann, ihr Wellen, faßt mich auf,
> Und festumschlingend senket mich hinab
> In eures tiefen Friedens Grabesschoß." (V. 2651 ff.)

Auch der Herzog sucht nach dem Tode der Tochter, die für ihn der Bezugspunkt alles Denkens und Tuns war, nach deren Verschwinden ihm

die Welt auseinanderbricht und nur „öd und leer" als eine Wüste zurück-
bleibt (V. 1276), dieser Welt zu entkommen:

> „Was hab ich in der Welt zu suchen, wenn
> Ich sie nicht wiederfinde, die allein
> Ein Gegenstand für meine Blicke war?" (V. 1603 ff.)
> . . . .
> Hinaus, hinaus! Von dieser Welt hinweg!
> . . . .
> Ins Kloster führe mich und laß mich dort,
> Im allgemeinen Schweigen, stumm, gebeugt,
> Ein müdes Leben in die Grube senken." (V. 1681)

Die dargebotenen Verhältnisse werfen ein Licht auf die Eingangsverse des
Stückes zurück:

> „Das flüchtge Ziel, das Hunde, Roß und Mann
> Auf seine Fährte bannend, nach sich reißt,
> Der edle Hirsch, hat über Berg und Tal
> Soweit uns irrgeführt, daß ich mich selbst,
> Obgleich so landeskundig, hier nicht finde.
> Wo sind wir, Oheim? . . ." (V. 1 ff.)

Schon in der Ausgangssituation des Stückes haben sich die Figuren verirrt:
sie sind in ihrer Welt nicht mehr zuhause.

Eine weitere Gruppe von Verben beschreibt denselben Vorgang. Es ist
wichtig, die Fülle der Verben und Wirkungen hier nachzuzeichnen, weil sie
– sowohl was die Häufigkeit ihres Vorkommens als auch was die Viel-
schichtigkeit ihrer Anwendung betrifft – von hoher Bedeutung sind. Denn
in ihnen – den Verben vorzüglich als den Vermittlern der Beziehungen
zwischen Subjekt und Objekt, Ich und Welt – und ihrer Verwendung
offenbart sich das Neue, Verfremdete, Gefährliche des beschriebenen Weltzustandes, in dem sich die Figuren bewegen müssen, am ehesten. „Die
Verba sind – nach Novalis – „die eigentlichen Wortkräfte."[44] So wie
Eugenie vom Mönch erfährt, daß sie in einer Zeit lebt, in der der feste
Boden wankt, die Türme schwanken (vgl. V. 2799), so schwankt Eugenie
selbst, einmal in diese Welt hineingerissen.

> „. . . wenn aus geheimnisvollem,
> Verborgnem Zustand ich, ans Licht auf einmal
> Hervorgerissen und geblendet, mich,
> Unsicher, schwankend, nicht zu fassen weiß." (V. 266 ff.)

---

44 Novalis, Werke (ed. Wasmuth), Fragmente Bd. 1, S. 121, Fragmentnum-
mer 389.

„Unsicher sein" und „schwanken" weisen auf das gestörte Verhältnis von
Ich und Welt hin. Das geforderte Gleichgewicht,[45] um das sich Goethe
immer bekümmerte, das zu erreichen – nach einer Äußerung in ‚Dichtung
und Wahrheit' (Bd. 8, S. 336) – Lebensfunktion auch des Dichtens für ihn
war, ist hier nicht mehr gegeben, auch nicht mehr zu erlangen. Die Welt
selbst ist in einen schwankenden Zustand geraten, wodurch der Mensch
die Orientierung in ihr verloren hat, d. h. auch sich selbst, seinen Platz,
an dem er steht.

> „Das flüchtge Ziel . . . hat über Berg und Tal
> Soweit uns irrgeführt, daß ich mich selbst,
> Obgleich so landeskundig, hier nicht finde.
> Wo wir sind?" (V. 1 ff.)

Die aus der Situation gezogene Folgerung „. . . daß ich mich selbst . . .
hier nicht finde" verweist auf das obige, verwandte „. . . ich mich nicht
zu fassen weiß" Eugeniens. Das „daß ich mich . . . hier nicht finde" erreicht
durch das „hier" scheinbare Bindung an den konkreten Ort der ersten
Szene („Dichter Wald"); aber als „Bedeutung", als Symbol meint das
„hier" den ganzen Raum, der sich vom ersten Wort bis zum letzten der
Dichtung ‚Die Natürliche Tochter' spannt.

Das gleiche gilt für die angeschlossene direkte Frage: „Wo sind wir?" –
Auch hier ist Orientierung im bestimmten und im symbolischen Raum gemeint.

Das „daß ich mich nicht zu fassen weiß" zeigt die andere Seite dieses
Verhältnisses: Nicht nur der Ort geht verloren, das Ich selbst verliert die
Fassung.

Daß es sich im Grunde und wirklich um zwei Ansichten eines bleiben-
den Verhältnisses handelt, von dem schon zu Beginn dieses Teiles der
Arbeit gesprochen wurde, erkennt man eindeutig aus den folgenden Versen:
Eugenie:

> „Betäubt, verworren, mit mir selbst entzweit
> Und mit der Welt, . . . siehst du mich hier." (V. 2520)

Das „und" zu Beginn des Verses 2520 ist wichtig: an ihm offenbart sich,
daß der Mensch, der nur sich selbst kennt, „insofern er die Welt kennt,
die er nur in sich und sich nur in ihr gewahr wird" (AGA, 16, S. 880),
sich zugleich mit der Welt verliert. Geht ihm die Orientierung in der Welt
verloren, so verliert er seine Fassung, sich selbst:
„Schwanken" bringt so den gestörten Zustand von Welt und Ich zum

---

[45] Vgl. dazu: „Es ist ein angenehmes Geschäft, die Natur zugleich und sich
selbst zu erforschen, weder ihr noch seinem Geiste Gewalt anzutun, sondern
beide durch *gelinden Wechseleinfluß* miteinander ins *Gleichgewicht* zu setzen"
(AGA, 17, S. 723).

Ausdruck. Als Weltzustand ist es Ausdruck der sich voneinander lösenden Elemente, die nun in sich selbst zurücktreten, des Gärenden, des Vulkanischen:

> „Wie heftig *wilde Gärung unten kocht,*
> Wie Schwäche kaum sich *oben schwankend* hält." (V. 1657 ff.)

Die Unsicherheit und der Selbstverlust des Menschen erweist sich als Resultat der allgemeinen Weltunsicherheit. Ähnlich wie in der ‚Natürlichen Tochter' verlieren die Figuren in der Rahmenerzählung der ‚Unterhaltungen deutscher Ausgewanderten' ihre (gesellschaftliche) Fassung durch die tumultuarischen Kriegszustände, und die Baronesse kann nur fragen: „Überhaupt weiß ich nicht, . . . wie wir geworden sind, wohin auf einmal jede gesellige Bildung verschwunden ist" (Bd. 6, S. 612). Wo die Figur, das Ich, heillos ins Schwanken geraten ist und – wie der Herzog durch den Verlust seiner Tochter – letzten Halt verloren hat, löst sich auch das Feste der Welt in ein Schwankendes auf:

> „Verhaßt sei mir das Bleibende, verhaßt,
> Was mir in seiner Dauer Stolz erscheint,
> Erwünscht, was fließt und schwankt." (V. 1320)

Das Verwirrende und Chaotische gewinnen, herbeigerufen, Herrschaft über die Ordnungen: So auch bei Eugenie:

> „Hinweg die Dauer, wenn der Glanz verlosch!" (V. 2253)

Es kommt eine Art Wahnsinn über die Figuren, denen – wie dem Herzog – das Bleibende in der Welt nicht mehr anschaubar ist. „Wer das Gesetz verkennt, verzweifelt an der Erfahrung", heißt es bezeichnenderweise in den Naturwissenschaftlichen Schriften (AGA, 17, S. 645).

Dabei ist noch auf Folgendes aufmerksam zu machen: „Schwanken", das gerade noch durch den Gleichklang und parallelen Gebrauch mit „wanken" – „der feste Boden *wankt*, die Türme *schwanken*" (V. 2799)[46] – in den betrachteten Zusammenhängen eine durchaus negative Bedeutung hat, indem es den durch die Netzstruktur hervorgerufenen Zustand allgemeiner und persönlicher Unsicherheit und Gefährdetheit bezeichnet, meint im Sprachschatze Goethes sonst etwas Neutrales: so etwa in dem Aufsatz „Bildung und Umbildung organischer Naturen" (AGA, 17, S. 14), wo es heißt: „. . . daß nirgends ein Bestehendes, nirgends ein Ruhendes, ein Abgeschlossenes vorkommt, sondern daß vielmehr alles in einer *steten* Bewegung *schwanke.*" „Schwanken" ist hier Ausdruck für das pulsierende Leben zwischen Systole und Diastole, Expansion und Kontraktion des Werdens. „Sie wissen – sagt Goethe zu Kanzler v. Müller –, daß ich ein fortwährend Werdendes statuiere" (6. 6. 1824). „Schwanken" als Synonym

---

[46] vgl.: „Denn wo er *wankt, wankt* das gemeine Wesen" (V. 387).

für „Werden" ist der Inbegriff des Lebens: insofern es ein abgeschlossenes, nicht mehr werdendes Leben nicht gibt: „Das abgeschlossene Leben ist keine Leben mehr, es ist Tod" (Goethe zu v. Müller, 19. 4. 1819). – Die Eigenart dieses (positiven) Begriffs von „Schwanken" ersieht man aus dem beigefügten „in einer *steten* Bewegung".

Das „Schwanken", wie es sich in der ‚Natürlichen Tochter' ereignet, vollzieht sich nicht in einer steten Bewegung. Wieder – wie schon so oft im Laufe dieser Interpretation – erweist sich, wie das Motiv, das Bild, die Metapher oder auch die Bedeutung eines einzelnen Wortes nichts „an sich ist", sondern von der konkreten Stelle des Wortes je und je abhängt, d. h. mit einem Wort W. Emrichs: „Die Bilder sind *Funktionen,* nicht (feste) Inhalte."

VIII

Letzter und tiefster Ausdruck dieser Welt- und Selbstverlorenheit sind die immer wiederkehrenden, suchenden Fragen, von denen die erste gleich in den Eingangsversen des Stückes erscheint:

„Wo sind wir, Oheim?" (V. 6)

Geht diese Frage noch auf den Raum, auf räumliche Orientierung im „dichten Wald" der ersten Szene, so macht sich zugleich auch die innere Unsicherheit des Fragenden offenbar, der sich, „obgleich so landeskundig, hier nicht findet".

Die zweite dieser Fragen spricht Eugenie. Es sind ihre ersten Worte, die sie im Drama spricht, und deshalb von besonderer Bedeutung, so wie es symptomatisch für den Zustand der Figuren in diesem Stück ist, daß zwei der Hauptfiguren mit einer solchen Frage auftreten.

Eugenie, „die indessen nach und nach zu sich gekommen ist und sich aufrichtet" (Regieanweisung):

„Was ist aus uns geworden?" (V. 226)

Man erwartet viel eher ein „was ist aus *mir* geworden?" – Aber alle diese Fragen haben diesen Plural, die Sätze gelten so für die Gesamtheit der Figuren.

Von Eugenie ist die Frage vom Raum weg auf das Subjekt, das sich im Raum befindet, sich aber nicht orientieren kann, d. h. sich nicht wirklich in ihm findet, und auf sein Erscheinen gerichtet. Aber auch hieraus – wie aus folgendem, ebenfalls von Eugenie gesprochenem Verse:

„Wer bracht uns unter diese Bäume?" – (231) –

geht hervor, daß das Ich etwas mit sich geschehen weiß, das zu lenken und zu kontrollieren es außerstande ist. Das wird am deutlichsten in der Frage des Herzogs an Eugenie

„Wo sind wir hingeraten?" (V. 449)

Bezeichnend für die Verlorenheit der Figuren ist, daß – außer auf die
erste Frage – auf keine dieser Fragen eine Antwort gegeben wird: sie
bleiben wie unaufgelöste Dissonanzen im Raume stehen.

Eine echte Entsprechung, weil aus der gleichen Situation erwachsend,
findet sich in den ‚Unterhaltungen . . .‘, in denen die Baronesse sagt:
„Überhaupt weiß ich nicht, *wie wir geworden sind*, wohin auf einmal jede
gesellige Bildung verschwunden ist" (Bd. 6, S. 612).

Analog zu dem „Sich-nicht-finden-können" in der Welt erscheint die
Welt als die „fremde". Eugenie, ihr Schicksal bedenkend, wenn einmal
der Vater ihr entrissen sein wird:

> „. . . Ich, die Ärmste, stünde *ganz allein*
> Auf dieser *weiten, fremden, wilden Welt.*" (V. 639–40)

Die drei aufgereihten Adjektiva vereinen in sich noch einmal den ganzen
Inbegriff der Netz-Welt: ihre Unübersehbarkeit als Ausdehnung, ihre Un-
heimlichkeit und ihren Labyrinthcharakter. Eugenie, entführt und verbannt, sagt dem Gerichtsrat:

> „*Fremd* und *schattengleich* erscheint
> Mir die Umgebung, mir der Menschen Wandeln,
> Und deine Milde selbst ein Traumgebild." (V. 1886 ff.)

Auch für die Hofmeisterin ist ihr Geliebter, der Sekretär, der sich ihr als
Intrigant eröffnet, in einer ihr „fremden" Welt verhaftet, die sie nicht
versteht, durch die sie aber auch den Geliebten nicht mehr versteht:

> „In völlig fremder Welt, für mein Gefühl,
> Scheinst du zu wandeln . . ." (V. 711–12)

Das Fremde ist zugleich das unübersehbar Weite, fremd weil labyrinthhaft
verworren. In diese Weite hinein soll Eugenie treten.

> „Aus stillem Kreise trittst du nun heraus
> In weite Räume . . ." (V. 1122–23)

Letzte Steigerung der Fremdheit geschieht durch die wachsende und
schließlich totale Isolierung Eugeniens. Jede Möglichkeit dialogischen Lebens in der Sprache ist ihr genommen:

> „So ist mir denn das schönste Königreich,
> Der Hafenplatz, von Tausenden belebt,
> Zur Wüste worden, und ich bin allein." (V. 2605 ff.)

Mag es noch so äußerliche Bedeutung haben: die versuchte Erfassung der
Verben und ihre Zusammenfassung in verschiedene Gruppen hatte ihren
Sinn, den wir nochmals in ein zahlenmäßiges Resultat fassen wollen:

Rund 160 Verbformen – verschiedener oder wiederkehrender Verben – gehören zum Netzsymbol. In ihnen spricht sich die Aktivität der netz-durchwirkten Welt aus, die sich gegen die Figuren richtet.

Der Blick auf die Aktionsart und -richtung der Verben lehrte: Sie alle formulieren ein Wirken von außen auf die Figuren.

Rechnet man auf die ‚Natürliche Tochter‘ rund 3000 Verse, so ergibt sich ein durchschnittliches Auftreten der Netz-Verben: 1mal in 18 Versen.

Dem stehen im ganzen Stücke etwa 6 (!) Verben gegenüber, die eine Aktivität des Subjekts ausdrücken, sich aus dem Netz zu befreien: Die absoluten Zahlen und die Proportion 160 : 6 sprechen für sich.

Es seien hier noch die Verben der Befreiung aufgeführt: Die Hofmeisterin, von dem Sekretär über den Anschlag gegen Eugenie unterrichtet, glaubt, dies könne sich durch die Frische ihrer Kraft befreien:

> „... Sie,
> Das hohe Kind, wird euren Plan vereiteln.
> ... Dieser Geist,
> Der mutvoll sie beseelt, ererbte Kraft
> Begleiten sie, wohin sie geht, *zerreißen*
> Das falsche Netz, womit ihr sie umgabt.“ (V. 816 ff.)

Aber die folgenden Verse des Sekretärs stellen diese Worte der Hofmeisterin als ein irriges Meinen hin. Der Gang des späteren Geschehens bestätigt den Sekretär:

> „Gebildet ist ihr Geist, doch nicht zur Tat.“ (V. 828)

So wie hier die Aussage der Hofmeisterin gleich durch die Worte des Sekretärs ins Irreale aufgehoben werden, so sind auch die anderen Befreiung vom Netz versprechenden Verben entweder fragend oder verneinend gebraucht.
Gerichtsrat:

> „Den Zauberbann, wer wagts, ihn *aufzulösen?*“ (V. 2066)

Oder:

> „Das Element zu *bändigen* vermag
> Ein tiefgebeugt, vermindert Volk *nicht mehr.*“ (V. 2805–06)

Aus dem Munde des Gouverneurs vernehmen wir nochmals die Frage:

> „Wie soll ich nun
> Des wunderbaren Knotens Rätselschlinge,
> Die euch umstrickt, zu *lösen* übernehmen?“ (V. 2451–53)

Seine Worte drücken Ratlosigkeit und Hilflosigkeit aus.

Oder – wenn das Wort, das aus dem Netz befreien könnte – in be-

jahender Form erscheint, so ist der Anteil der Resignation, der mitklingt, unüberhörbar:
Gerichtsrat:

„Der obern Macht ist *schwer zu widerstehen.*" (V. 2068)

So wird gerade durch die Erscheinungsform dieser befreienden und abwehrenden Verben der Charakter des Netz-Symbols eher noch verstärkt: die finiten Verbformen zeigen, daß die Befreiung nur als irriges Meinen, als negierte Möglichkeit oder als Frage, auf die es keine bejahende Antwort geben kann, erscheint, d. h. aber: es gibt diese Befreiung unter den Bedingungen der gegebenen Weltsituationen nicht.

f) KREIS-SYMBOLIK

I

Mit innerer Notwendigkeit tritt im Verlaufe des Stückes in den beiden letzen Akten ein neuer Aspekt der Welt hervor, den wir mit dem am häufigsten zu seiner Bezeichnung verwendeten Wort „Kreis" benennen wollen. Auch „Haus" und das „Häusliche", der „Port" sind adäquate Bezeichnungen dafür.

Bei näherer Betrachtung findet sich das Kreismotiv – in gleicher Bedeutung, aber mit anderer Funktion – bereits in den ersten Akten.

Zwar ist der Sinn von Kreis nicht völlig eindeutig, dergestalt daß „Kreis" immer den gleichen Weltaspekt meint,[46a] doch findet sich in den meisten Belegen ein einheitlicher Sinn, der jetzt an einzelnen Stellen verdeutlicht werden soll.

II

„Aus stillem Kreise tritts du nun heraus
In weite Räume, wo dich Sorgendrang,
Vielfach geknüpfte Netze, Tod vielleicht
Von meuchelmörderischer Hand erwartet." (V. 1122 ff.)

Diese Stelle war uns Ausgangspunkt für die Erörterung der Netz-Symbolik. Wir verfolgten oben den Weg Eugeniens „aus stillem Kreis" in

---

[46a] Die andere Bedeutung von Kreis erscheint etwa in den Versen 465–66:
„... Und nun auf einmal, wie der jähe Sturz
dir vorbedeutet, bist du in den *Kreis*
Der Sorgen, der Gefahr herabgestürzt."
Dies Bild wird durch die folgenden Verse:
„Du wirst fortan mit mir ins *Netz verstrickt* ..."
in das bekannte Netz-Gleichnis aufgehoben und empfängt ganz von daher Sinn und Deutung.
vgl. dazu noch die Verse: 334–5, 1960 ff., 2297.

„weite Räume". Die Stelle offenbart: Der Kreis ist der Ausgangspunkt von Eugeniens Lebensbewegung, die im Drama sichtbar wird: Erscheinend verläßt Eugenie den Kreis, der „still" genannt wird.

Dies ist die erste Funktion des Kreis-Motivs in der ‚Natürlichen Tochter': es bezeichnet den umhüteten Raum kindlichen Aufenthalts Eugeniens, den der Herzog behütet:

> „... Manches hat Natur
> Für sie getan, das ich entzückt betrachte,
> Und alles, was in meinem Kreise webt,
> Hab ich um ihre Kindheit hergelagert." (V. 110 ff.)

So ist der Kreis die Sphäre der anfänglichen Bildung. Ihm entspricht die erste Stufe menschlicher Entwicklung, „die Epoche der ersten Bildung" (Bd. 8, S. 1357). Hier ist Eugenie „sich stufenweis entwickelnd" (V. 122). Hier soll sie sich aus „reicher Fülle rein entwickeln" (V. 694). Zum Gerichtsrat spricht Eugenie – in einem Rückblick auf ihr Leben:

> „Wer hat es reizender als ich gesehn,
> Der Erde Glück mit allen seinen Blüten!
> Ach alles um mich her, es war so reich,
> So voll und rein, und was der Mensch bedarf,
> Es schien zur Lust, zum Überfluß gegeben.
> Und wem verdankt ich solch ein *Paradies*?
> Der Vaterliebe..." (V. 1945 ff.)[47]

„In ... alten Sälen auferzogen, von wenigen besucht und heimlich nur" (V. 737 ff.), ist Eugenie „durch diese Mauern von der Welt geschieden" (V. 756), entsteht sie in einer umhegten Zone, die durch den Frieden charakterisiert ist, lebt sie in einem „Paradies" (V. 471), in das der Herzog sich immer wieder aus der verwirrenden Welt zurückzieht.

Kontrapunktisch zu diesen erscheinenden Kreis-Motiven stehen bereits in den ersten Akten „Weite" der Welt und die labyrinthische Struktur derselben:

> „... Labyrinth der hastgen Jagd ...
> ... ferne Gegend ..." ((V. 141–2)

Zugleich wird das Streben des Lebendigen sichtbar: in diese Weiten hin zu erscheinen. So sagt Eugenie:

> „Oft *sehnt* ich mich in *ferne Weiten* hin,
> Nach *fremder* Lande *seltsam neuen Kreisen*." (1960–1)

---

[47] Vgl. dazu die Verse der Hofmeisterin:
„Und hast du nicht in diesen Mauern selbst
der Jugend ungetrübte Zeit verlebt? ..." (V. 1068 ff.)

Eugenie verläßt den „stillen Kreis". Die Plötzlichkeit dieses Geschehens und die verschiedenen Stufen desselben haben wir oben beschrieben. Verlockung durch die Welt, inneres Streben zu erscheinen, gebotene Gelegenheit dazu, wirken zusammen.

> „... wenn aus geheimnisvollem,
> Verborgnem Zustand ich, ans Licht auf einmal
> Hervorgerissen und geblendet, mich,
> Unsicher, schwankend, nicht zu fassen weiß." (V. 266 ff.)

Zugleich mit dem Erscheinen in der Welt des Netzes tritt die Sorge auf. Der Herzog, das Erscheinen seiner Tochter befördernd, ist bestürzt über die Plötzlichkeit des Geschehens:

> „Erst *nach und nach*, so hofft ich, würdest du
> Dich aus Beschränkung an die Welt gewöhnen." (V. 461 ff.)

Für Eugenie allein ist der Wechsel ihres Zustandes bejahenswert. In einem Gleichnis deutet sie ihr schicksalhaftes Streben als den natürlichen Vorgang des Wachstums, dem kein Einhalt zu gebieten ist:

> „Gefaltet kann die Knospe sich genügen,
> Solange sie des Winters Frost umgibt!
> Nun schwillt, vom Frühlingshauche, Lebenskraft,
> In Blüten bricht sie auf an Licht und Lüfte." (V. 1072 ff.)

Den „stillen Kreis" verlassend, tritt sie in die „große Welt, in das, was der König den „*offenen Kreis*" nennt (V. 334). Was in den weiten Räumen dem erscheinenden Leben geschieht, hatte die Beschreibung sowohl des Geschehens des Stückes als auch die Erörterung der Weltstruktur (Netz-, Gold-, Elemente-Symbolik) geoffenbart: das erscheinende Leben ist in seiner Entfaltung gehindert, ja nicht nur das: es wird vielmehr durch die Struktur der Welt zum „verschwinden" gezwungen.

III

Eugeniens Geschick wird gespiegelt in dem des Weltgeistlichen. Auch für den Weltgeistlichen ist der bezirkte Raum des Beginns, in dem sich Leben formiert, gegeben:

> „... Als ich noch
> Im Paradies beschränkter Freuden weilte,
> Als, von des Gartens engem Hag umschlossen,
> Ich selbstgesäte Bäume selber pfropfte,
> Aus wenig Beeten meinen Tisch versorgte,
> Als noch Zufriedenheit im kleinen Hause
> Gefühl des Reichtums über alles goß ..." (V. 1201 ff.)

Da lebte der Weltgeistliche sein eigentlich „freies" Leben. Es umgab ihn „reingenoßner Friede" (V. 1217).

Vom Sekretär und den weltlichen Angeboten verlockt, scheinbar aus der Enge seines bisherigen Zustandes befreit, den Verlockungen der Welt bald erlegen, hat der Weltgeistliche dieses Paradies aufgegeben und wie Eugenie den Schritt in die große Welt getan, um dort bald jenen Frieden zu verlieren, zugleich damit seine Freiheit:

> „Zum Sklaven ... dingtet ihr
> Den sonst so freien, jetzt bedrängten Mann." (V. 1226–7)

Der Schritt in die „weiten Räume" bedeutet für den Weltgeistlichen völlige Verstrickung in der Netzstruktur der Welt. Er erliegt diesen Mächten. So tritt er als Werkzeug und Funktionär der höheren weltlichen Macht auf. Was sich in ihm vollzogen hat, spricht der Sekretär exemplarisch für die meisten Figuren der ‚Natürlichen Tochter' aus: Er hat dem „Mächtigen, das uns regiert" den „geheimen Tempel" des inneren Wesens aufgeopfert (V. 705–6). Damit verliert der Weltgeistliche – wie der Sekretär – seine volle Gestalthaftigkeit. Denn: Ist die „entschiedene Gestalt ... gleichsam der innere Kern, welcher durch die Determination des äußeren Elementes sich verschieden bildet" (AGA, 17, S. 229), so hat der Weltgeistliche diesen inneren Kern aufgegeben, seine innere dynamische Energie nicht gegen die Determination von außen durchgesetzt, hat er keinen Charakter.

Der Kreis als natürlicher Ausgangspunkt der Lebensbewegung erscheint in den ersten drei Akten. Darin liegt die Funktion des Kreis-Motivs zu Beginn des Stückes. In der Spiegelung dieses Vorgangs im Leben des Weltgeistlichen, in einer Spiegelung unter ähnlichen, doch nicht denselben Bedingungen und auch mit anderen Resultaten, erscheint die Gesetzmäßigkeit des Geschehens und seine Symbolik.

IV

In den beiden letzten Akten, in denen die Netz-Struktur der Welt, in die das erscheinende Leben sich tödlich verstrickt, sich ausbreitet, wächst dem Kreis-Motiv eine neue Funktion zu.

Diese wird zunächst sichtbar in dem Dialog Hofmeisterin – Gerichtsrat: Der Gerichtsrat, durch das Dokument von allem Schrecklichen und Gewaltmäßigen unterrichtet, das sich hier als Schicksal für Eugenie ereignet, spricht zur Hofmeisterin:

> „Vollbringe, was du mußt! Entferne dich
> Aus meiner Enge reingezognem Kreis!" (V. 1801–2)[48]

---

[48] vgl. dazu die Verse des Gerichtsrates zu Eugenie:
„Unselge! die mir aus deinen Höhen,

Die Antwort der Hofmeisterin:

> „Den eben such ich auf! Da dring ich hin!
> Dort hoff ich Heil!..." (V. 1803–4)

Der „reingezogne Kreis" mit seiner „Enge" soll in der verwirrenden Welt für das erscheinende Leben zum Heil werden.

> „Den werten Zögling wünsch ich lange schon
> Vom Glück zu überzeugen, das im *Kreise*
> Des Bürgerstandes, hold genugsam, weilt.
> Entsagte sie der nicht gegönnten Höhe,
> Ergäbe sich des biedern Gatten Schutz
> Und wendete von jenen Regionen,
> Wo sie Gefahr, Verbannung, Tod umlauern,
> Ins Häusliche den liebevollen Blick:
> *Gelöst wär alles ...*" (V. 1805 ff.)

Die ursprüngliche Richtung des „Erscheinens" „aus stillem Kreise ... heraus ... in weite Räume" – das ist das Bedeutsame dieser Stelle – scheint sich umzukehren: aus den „Regionen, wo sie Gefahr, Verbannung, Tod umlauern", soll Eugenie den „Blick ins Häusliche" wenden: in einen neuen „stillen Kreis".

Aber: Die Richtung des „Erscheinens" wird nicht einfach umgekehrt; eine solche Umkehr gibt es für einen „geistigen Organismus" nicht.[49] Der Gerichtsrat sagt in diesem Sinne zu Eugenie:

> „Was du warst, ist hin." (V. 2053)

Vielmehr findet eine *produktive Verwandlung* statt, wie sie eigentlich allein dem Menschen möglich ist, der auch seine Organe wieder belehren kann.[50] Eine neue Möglichkeit zu sein wird hier gefunden. Als Rettungsweg bietet der Gerichtsrat Eugenien die Ehe an. Das Flehen der Hofmeisterin löst den Entschluß des Gerichtsrats aus, Eugeniens Bitten artikulieren ihn:

> ein Meteor, verderblich niederstreifst
> und meiner Bahn Gesetz berührend störst!" (V. 1970 ff.)

Mit dem gleichen Bild hatte Schiller in einem Brief an Goethe die Funktion der italienischen Figuren in den ‚Lehrjahren' (Mignon und Harfner) umschrieben: Die anderen Figuren stehen da „wie ein Planetensystem, alles gehört zusammen, und nur die italienischen Figuren knüpfen, wie *Kometengestalten*, und auch so schauerlich wie diese, das System an ein entfernteres und größres an." (2. 7. 96). Der Gerichtsrat fürchtet den Einbruch des Elementaren und Ungesetzlich-Willkürlichen in seinen geregelten Kreis. Der Gerichtsrat ist einer, „der in abgeschlossnen Kreisen ... gesetzlich streng das in der Mittelhöhe des Lebens wiederkehrend Schwebende" lenkt (V. 2009 ff.).

[49] zu v. Müller, 8. 6. 1821.
[50] an W. v. Humboldt, 17. 3. 1832.

„... Dem Ungestüm
Des rohen Drangs der Menge zu entgehn,
Hat uns ein Gott den *schönsten Port* bezeichnet." (V. 2176)

Der „Ehstand" (V. 2101) ist jener Port, der vor dem Willkürlich-Elementaren schützen soll.

Im Hause, wo der Gatte sicher waltet,
Da wohnt allein der *Friede,* den vergebens
Im weiten du *da draußen* suchen magst.
Unruhge Mißgunst, grimmige Verleumdung,
Verhallendes, parteiisches Bestreben, nicht
Wirken sie auf diesen *heilgen Kreis.*" (V. 2180 f.)

Der Friede, der im Hause wohnt, vermag den Menschen „mit sich selbst und mit der Welt ins Gleiche zu setzen"[51] und damit jenes Gleichgewicht herzustellen, das für das Gedeihen organischer Wesen notwendig ist, sollen sie „komplett" sein.

Dieser Friede kann nicht in der Weite der Welt gefunden werden. „Denn wer wird wohl den Forderungen einer durchaus gesteigerten Gegenwart und zwar in schnellster Bewegung genugtun können?" (M+R, 474).

Dagegen kann der geringste Mensch „komplett sein, wenn er sich innerhalb der Grenzen seiner Fähigkeiten und Fertigkeiten bewegt" (M+R, 474).

Zu diesem Frieden bietet der Gerichtsrat Eugenien den „Sicherstand" (V. 2205), durch den sie „versorgt" und „beschützt" (V. 2206) ist, der aber für eine Eugenie, die noch den Verlust, den sie erleidet, in Sinn und Vorstellung trägt und noch nicht die Notwendigkeit bloßer Rettung erfahren hat –
Gerichtsrat:

„... Zu retten bist du,
Nicht herzustellen! Was du warst, ist hin,
Und was du sein kannst, magst dus übernehmen?" (V. 2053 ff.)

einem Gefängnis gleicht:

„Der Gatte zieht sein Weib unwiderstehlich
In seines *Kreises abgeschlossne Bahn* ..." (V. 2295 ff.)

Das Wort „abgeschlossen", oben schon vom Gerichtsrat (V. 2009) verwendet, wird hier von Eugenie umgewertet: was oben als „Abschluß", schützende Hülle, der kein Lebendiges entraten kann, gemeint war: hier ist es, in Eugeniens Augen, nichts als Begrenzung, Schranke, die Leben einkerkert und damit in den Bereich des Netz-Symbols gehört.

---

[51] an N. v. Esenbeck, 22. 8. 1823.

Es ist bezeichnend für Eugeniens Geistesart, für ihre „zentrifugale Empfindungsart", daß sie das Netz-Symbol zunächst ins Positive umdeutet (vgl. V. 477 ff.), jetzt das Kreis-Symbol in das gefährliche Netz-Gleichnis. Das Fehlen eines Ausgleichs zwischen Innen und Außen macht sich bemerkbar. Noch ist ihre Vorstellungsart nicht „rein".

Noch hat Eugenie den positiven Sinn der Schranke und Entsagung und zugleich die Unmöglichkeit, in solcher vom Netz durchwirkten Welt zu erscheinen, nicht erfahren.

Die Korrektur der Lebensbewegung, die Umkehrung der falschen Tendenzen, vollzieht sich nicht spontan, sondern erst durch gewaltsame, wiederholte Enttäuschung der Heldin: Durch Volksmenge, Gouverneur und Äbtissin gelangt Eugenie zur Einsicht in die Wahrheit der Wirklichkeit und zur Bejahung der Entsagung. Wie sich beides zugleich vollzieht, gilt es jetzt zu betrachten.

Entsagung bleibt als einziger Weg der Erhaltung des Wesens.

> „... Zu retten bist du,
> Nicht herzustellen. Was du warst, ist hin." (V. 2053 ff.)

Entsagung offenbart sich als ein „organischer" Begriff, der von der Natur des Lebens her gedacht ist. Man kann ihn auch einen „moralischen" Begriff nennen, in dem oben erörterten Sinn: als zu den „mores" des Menschen gehörig. Er ist ganz in dem Sinne des Mottos zum III. Teil von ,Dichtung und Wahrheit' zu verstehen: „Es ist dafür gesorgt, daß die Bäume nicht in den Himmel wachsen" (Bd. 8, S. 325).

Bevor Eugenie zur Erkenntnis und Anerkenntnis des rechten Weges kommt, schwankt sie im Irrtum hin und her.

Auf ihrem Streben ins Weite beharrend und zugleich die Unmöglichkeit der Erfüllung desselben einzusehen gezwungen: wird sie zur Verzweiflung am Leben getrieben. Da ihr in der Welt keine Rettung winkt, will sie den Tod als Befreiung wählen. Von einem Extrem schwankt sie zum anderen:

> „Das letzte Brett, das mich hinüberführt,
> Soll meiner Freiheit erste Stufe werden." (V. 2648–9)

Auch der Tod als Befreiung – erweist sich als ein Irrweg. Diese Art der Befreiung aus scheinbar ausweisloser Situation, diese Werther-Lösung, bleibt Eugenien versagt: sie kann nicht! – Hier war für das Drama die Möglichkeit eines Schiller-Schlusses gegeben: Das Individuum geht unter, indem es der Idee treu bleibt, welche überlebt.

Eugenie lebt weiter. Es ist kein sittliches Nicht-Können, also kein Nicht-*Dürfen*; sondern nichts als „unselige Liebe zum unwürdigen Leben", die sie „zum harten Kampf zurückführt" (V. 2660–61). Drei Weisen der Zu-

16 Stammen

kunft umstehen Eugenie. Aber keine dieser Weisen verheißt ihr ein freies
zukünftiges Leben:

> „Verbannung, Tod, Entwürdigung umschließen
> Mich fest und ängsten mich einander zu." (V. 2663 ff.)

Sie drängen zur Wahl:

> „Und nennst du Wahl, wenn *Unvermeidliches*
> *Unmöglichem* sich gegenüberstellt?" (V. 2276–77)

Die zwei Gefahren sind innerlich verschiedner Art: „Unvermeidliches" und
„Unmögliches". Das „Unvermeidliche" ist das von außen schicksalhaft auf
Eugenie Zukommende, vor dem es kein Entrinnen gibt: Verbannung oder
Tod.

Dem steht entgegen das „Unmögliche". Was ist das Unmögliche?

> „Unmöglich ist, was Edle nicht vermögen." (V. 2279)

Eugenie selbst gibt diese Definition, sie meint damit die ihr bevorstehende
„Entwürdigung" durch die unstandesmäßige Ehe. Das Unmögliche ist ein
Inneres: Und so zeigt sich, wie hier „das Eigentümliche unsres Ichs, die
prätendierte Freiheit unsres Wollens mit dem notwendigen Gang des Ganzen zusammenstößt" (Bd. 15, S. 31).

Wenn auch die innere Leidenschaft groß ist, so zerbricht sie doch schließlich an der Härte des „Unvermeidlichen". Dies ist die Antinomie, in der
sich Eugenie im letzten Akt befindet.

> „Zu zwei verhaßten Zielen liegen mir
> Zwei Wege vor den Füßen, einer dorthin,
> Hierhin der andre; welchen soll ich wählen?" (V. 2694–6)

Hier hat Eugenie dem Mönch gegenüber, der sie „bestimmen soll" (V.
2677), den Gegensatz rein formal präsentiert, gleich darauf bestimmt sie
ihn inhaltlich:

> „Aus hohem Haus entsprossen, werd ich nun
> *Verstoßen,* übers Meer *verbannt,* und könnte
> Mich durch ein *Ehebündnis retten,* das
> Zu niedren Sphären mich herunterzieht." (V. 2719–22)

Auch die Antwort des Mönches auf diese Frage Eugeniens ist morphologisch zu verstehen:

> „Bist du zur Wahl genötigt unter zwei
> Verhaßten Übeln, fasse sie ins Auge
> Und wähle, was dir noch den meisten Raum
> Zu heilgem Tun und Wirken übrig läßt,
> Was deinen Geist am wenigsten begrenzt,
> Am wenigsten die frommen Taten fesselt." (V. 2728 ff.)

Der Gesichtspunkt des Schätzens ist die Entfaltung des Lebens, also das Leben selbst. Der weiteste, verbleibende Lebensraum sei zu wählen. Da auf den beiden Wegen, die Eugenie noch gehen kann, für sie bei gleichgerichtetem Streben der erwünschte Zustand – die vollen Entfaltung in der großen Welt – nicht zu erreichen ist – „Was du warst, ist hin!" –, so ist die Akzeption dessen, was den weitesten Entfaltungsraum übrig läßt, gefordert: eine Metamorphose der moralischen Gestalt ist von außen erzwungen und zwar vom Leben selbst. Goethe hat diesen Prozeß der Entsagung in den ‚Unterhaltungen deutscher Ausgewanderten' so gefaßt: „Wenn wir uns selbst fragen und andere beobachten, so finden wir, daß wir selten durch uns selbst bewogen werden, diesem oder jenem Wunsche zu entsagen; meist sind es die *äußeren Umstände*, die uns dazu nötigen" (Bd. 6, S. 689).

Verwandlung der Gestalt und Anerkenntnis dieser Wandlung als einer notwendigen ist beim Menschen als einem selbstbewußten und sich selbst herstellenden Wesen erforderlich. Gerade darin offenbart sich nach Goethe der Charakter des Menschen, er „äußert sich in der Fähigkeit zu wirken und gegenzuwirken, und was mehr ist: sich zu beschränken, zu dulden, zu ertragen" (Bd. 15, S. 351).

Die Akzeption des neuen Zustandes des Ichs ist nur möglich als Folge und auf Grund der allgemeinen Welterkenntnis. Denn „der Mensch kennt nur sich selbst, insofern er die Welt kennt, die er nur in sich und sich nur in ihr gewahr wird" (AGA, 16, S. 880). Diese Welterkenntnis zu vermitteln, darin besteht die dramatische Funktion der Weltvision des Mönches, in der die Tag- und Nachtseite der Welt, ihr Netz- und Labyrinthcharakter, ihr elementares Wesen erscheinen. Der Mönch tritt für ein relativ freies Leben ein, nur wenig begrenzt und gefesselt von den Umständen, und weist daher Eugenie auf den Weg zu den Inseln. Die Ehe lehnt er ab:

Eugenie:

    „Die Ehe, merk ich, rätst du mir nicht an."

Mönch:

    „Nicht eine solche, wie sie dich bedroht." (V. 2734 ff.)

In der Begegnung Eugenie–Mönch wird die schließliche wesenhafte Erkenntnis der Wirklichkeit der Welt als einer von Netz und Labyrinth durchwirkten durch Eugenie erreicht:[52]

---

[52] Es ist interessant, die beiden Reaktionen Eugeniens auf die Weltvisionen des Königs (V. 363 ff.) und des Mönches (V. 2783 ff.) zu vergleichen: Auf die Vision des Königs hin ist Eugenie geblendet vom Drang nach Taten, ohne die wahre Wirklichkeit zu erkennen. Erst durch die Weltvision des Mönches erfährt sie die Netzstruktur der Welt als eine objektive.

„Diesem Reiche droht ein jäher Umsturz . . ." (V. 2825 ff.)

Diese Erkenntnis der Welt als Netz ist wiederum die Voraussetzung für die Anerkenntnis des Aspektes „Kreis" in seiner hier erörterten zweiten Funktion durch Eugenie. Dabei geht es nicht um intellektuelle Erkenntnis des Kreises als eines möglichen Lebensraums, sondern um die existentielle Bejahung desselben, daß der „Kreis" als Lebensraum in dieser Zeit und in dieser Welt notwendig ist.

Es ergibt sich folgende logische Konsequenz: daß, damit die volle Anerkennung des Kreises möglich wird, einmal das „Unvermeidliche" als unvermeidlich, d. h. als es selbst, erkannt, zum anderen das innerlich „Unmögliche" dagegen in ein inneres Mögliches verwandelt werden muß. Auf diese Weise vollzieht sich die „moralische" Metamorphose, d. h. Eugeniens Entsagung, die zugleich die Übernahme des Kreises als der ihr gemäßen Welt bedeutet.

Goethe schreibt einmal an Zelter: „Die größte Kunst im Lehr- und Weltleben besteht darin, *das Problem in ein Postulat zu verwandeln,* damit kommt man durch" (9. 8. 1828). Diese Kunst übt Eugenie im letzten Akt: Als sie alle Wege in die Weite versucht hat und als sie sehen mußte, daß sich keiner mehr für sie öffnete, daß sie im Gegenteil auf allen diesen Wegen verloren ginge, wendet sie sich in die Enge des Kreises. Sie erkennt die Netzstruktur der Welt als ein Postulat an, dem sie sich zu beugen hat, und sucht sich den begrenzten privaten Raum begrenzten Wirkens.

Dieses sich Hineingeben in die Enge des Kreises hat paradoxerweise eine Erweiterung der Welt und eine Befreiung des Ichs zur Welt als Folge – im genauen Gegensatz dazu, daß die scheinbare Befreiung aus der Enge des Kreises als des Ausgangspunktes der Lebensbewegung (hier als erste Funktion des Kreis-Motivs behandelt) in die Weite der Welt Verlust der Freiheit und Verstrickung in die Netzstruktur der Welt meinte.

Goethe hat dieses Paradox in einer Maxime so formuliert: „Es darf sich einer nur frei erklären, so fühlt er sich den Augenblick als bedingt, wagt er es, sich für bedingt zu erklären, so fühlt er sich frei" (M+R, 44). Das gleiche Problem sagt – wohl entschiedener vom organischen Lebensvollzug her gedacht – eine Goethesche Gesprächsäußerung zu von Pückler: „Nicht *von außen,* durch Regierungsform käme das Heil, sondern von *innen heraus* durch weise Beschränkung und bescheidne Tätigkeit eines jeden in seinem Kreise" (1826). Diese paradoxe Welterweiterung und Befreiung des Ichs zur Welt offenbart sich zunächst in der Erweiterung des Ichs zum Wir im letzten Monolog Eugeniens (V. 2815 ff.): die als persönlich erfahrene Not wird zur „gemeinsamen Gefahr" (V. 2840), der der einzelne sich nicht entziehen darf.

Es handelt sich dabei – genau besehen – um eine Erweiterung des Ichs zum Wir in einem doppelten Sinn: Um eine simultane und um eine sukzessive, wobei sich die simultane Erweiterung auf die Gegenwart und die in ihr Lebenden erstreckt, die sukzessive sich der fortschreitenden Kette der Lebendigen und des Lebens vergewissert, indem sie die Ahnen denkend einschließt. Beides gehört zusammen, und es kann so die Totalität der Zeit erscheinen als Einheit von Gegenwart, Zukunft und Vergangenheit. Eugenie steht – wie Lothario in den ‚Lehrjahren‘ – hier unvermittelt „in der sonderbarsten Gegenwart, zwischen der Vergangenheit und Zukunft, wie in einem Orangenwalde, wo in einem kleinen Bezirk Blüten und Früchte stufenweise nebeneinander leben" (Bd. 7, S. 546). An sich erfährt Eugenie, daß der Geist der Ahnen, dem sie fragend nachdenkt und der entschwunden ist, nur da ist, insofern die Lebenden seiner eingedenk sind, sich im Andenken auf ihn beziehen und sich tätig auf die Gegenwart und Zukunft richten.

Aus dieser Erfahrung erwächst Eugenien der Mut zum Festhalten am Boden des Vaterlandes: am Hier und Jetzt. Zugleich wird auf Grund dieser Erfahrung des doppelten Miteinanderseins der Menschen ihr Bund mit dem Gerichtsrat, d. h. die volle Akzeption des „Kreises" als notwendigen Lebensraumes erst möglich:

„Von dir allein gekannt, muß ich fortan,
Die Welt vermeidend, im Verborgnen leben." (V. 2899 ff.)

„In Hoffnung einer künftigen Auferstehung" (V. 2913), will sie sich dort „begraben" lassen.

So umfängt Eugenie am Ende die Stille, gegen die sie sich zuerst verzweifelt wehrte. Das „Unmögliche", das, „was Edle nicht vermögen" (V. 2279), vermögen Entsagende.

Das „Verschwinden" verliert hier seinen absoluten, zerstörenden Sinn: Dem Erscheinen bleibt ein, wenn auch begrenzter und umzirkter Raum. Verschwinden ist zu einer bestimmten Form des Erscheinens geworden, indem es im Kreise aufgefangen wird. Die neue Form des Erscheinens ist ein gesichertes, beschütztes: ein Erscheinen in der Stille, in der das Wachstum weiterschreiten kann.

Goethe weiß von sich selbst in diesen Jahren zu sagen, „daß wir und unsresgleichen bloß im stillen gedeihen" (an Voigt, 27. 2. 1816).

Schon vorher, auf der zweiten Italienischen Reise, die ihn nach Venedig führte, schreibt Goethe nach Weimar: „Sehnlichst verlange ich nach Hause. Ich bin ganz aus dem Kreise des italienischen Lebens gerückt" (an Herders, 28. 5. 1790). Und die Schlußverse der ‚Kampagne in Frankreich‘ melden:

„Wir wenden uns, wie auch die Welt entzücke,
Der Enge zu, die uns allein beglücke." (Bd. 10, S. 468)

Die Stille, der Kreis, die Enge, das Haus: sie sind der Ort, der solchem entsagendem Erscheinen gemäß ist. „Es ist ganz einerlei, in welchem Kreise wir unsre Kultur beginnen, es ist ganz gleichgültig, von wo aus wir unsre Bildung ins fernere Leben richten, wenn es nur ein Kreis, wenn es nur ein Wo ist" (AGA, 21, S. 293).

Dem unbedingten Drang zu unbedingtem Erscheinen muß Eugenie entsagen. Unbedingtes und absolutes Verschwinden weist sie schließlich als Tod und Verbannung von ihrem Weg, um in der von Netz und Labyrinth gefährlich durchwirkten Welt im Verein mit dem Gerichtsrat einen Kreis zu begründen, in dem ihr bedingtes Erscheinen möglich ist.

FÜNFTER TEIL

DAS MÄCHTIGE

I

Die beiden voranstehenden Teile der Arbeit boten unter zwei verschiedenen formalen Gesichtspunkten („Figur" und „Raum") Betrachtungen
zum dramatischen Stil der ‚Natürlichen Tochter', die das Ziel hatten,
Goethes Bewertung der Französischen Revolution aus der Struktur der
Dichtung heraus verständlich zu machen. Es ist nicht unwichtig darauf
abzuheben, daß es sich um zwei *formale* Gesichtspunkte handelte; formal
sind sie deshalb, weil sie sich auf jedes Stück anwenden lassen und nicht
eigentlich aus dem Stück zuerst gewonnen werden müssen. Sie sind vielmehr allgemeine Kategorien, Anschauungsformen, und als solche überall
anwendbar, wenn sie sich auch je und je verschieden verwirklichen werden, wenn sie auch je und je Unterschiedliches sichtbar werden lassen.
    Ein erster Gesichtspunkt war mit „Figur" gegeben. Die Betrachtungen
kamen auf Erscheinungen, die insofern merk- und fragwürdig waren, als
sie sich nicht nur nicht mit den klassischen Kategorien der Dramentheorie
– wie gegeben in dem kurzen Aufsatz ‚Über epische und dramatische Dichtung' (Bd. 15, S. 114 ff.) und im Briefwechsel Schiller-Goethe – verstehen
ließen, sondern sogar diesen stracks widersprachen.[1] Die Figur hatte die
von der Theorie geforderte Gestalthaftigkeit weitgehend verloren. Die
innere Konsequenz der Charaktere schien aufgehoben. Der Begriff „Handlung" war nicht länger sinnvoll für die Bezeichnung der Art des Geschehens. – Es wurde versucht, diese Erscheinungen unter einem morphologischen Gesichtspunkt zu betrachten und von dorther zu verstehen.
    Diesem Phänomen entsprach eine gesteigerte Bedeutung des Raumes.
Die Regieanweisungen, soweit sie sich auf den Raum bezogen, waren symptomatisch dafür: Der Raum ist nicht länger bloßer Spielraum, Staffage,
Kulisse, sondern gewinnt erregendes Leben. Welche differenzierte Bedeutung ihm in den verschiedenen Konkretisierungen zukam, wurde durch die
Analyse der Weltsymbole besonders deutlich: schichtweise bauten sich diese

---

[1] Damit erledigt sich Gundolfs (abfällige) Bemerkung zum dramatischen Stil
der ‚Natürlichen Totcher': „Die ‚Natürliche Tochter' ist sein (Goethes) theoretisches Drama wie die Achilleis sein theoretisches Epos ist ... der paradigmati-
schen Freunde am Kunstdrama dankt es seine Ausführung." (Gundolf, Goethe,
S. 473) – Gerade das Gegenteil offenbart sich immer wieder: daß die Theorie
immer wieder durchbrochen wird.

auf und überlagerten sich wechselseitig. Die Betrachtung der relativ stati-
schen Symbolgruppen wurde noch ergänzt durch die spezielle Betrachtung
der Verben, die dem Geschehen seine eigentümliche Dynamik verleihen.

Das bleibende Verhältnis von Welt und Ich, dieser sich dauernd als
tätiges Leben vollziehende Austausch der beiden Pole, dieses „pulsierende
Wechselverhältnis zwischen Disposition und Determination" (Goethe an
Reinhard, 24. 12. 1819), war Voraussetzung für die bisherige Behandlung
des Stückes.

„Raum" und „Figur" waren somit nur verschiedene Zugänge zur Erhellung dieses bleibenden Ur-Verhältnisses, das gerade dem Morphologen
Goethe unabdingbar war.

Aber – so gilt es jetzt weiter zu fragen –: Ist mit der Postulierung dieser
Ur-Einheit auch schon gleich die spezielle Ausformung dieses Verhältnisses als eines konkreten, wie es die ‚Natürliche Tochter' bietet, gegeben und
verständlich gemacht? – Oder bleibt es nicht lediglich Bedingung der
Möglichkeit und damit bloße Voraussetzung für eine Deutung dieses konkreten Verhältnisses?

Ich und Welt als ein Verhältnis sind ein Gleichgewicht, das zwar stets labil
ist, das sich aber immer und je wieder neu herzustellen hat und das nie an
einen endlichen Ruhepunkt kommt, weil ein solcher das Ende, den Tod
bedeutete.

Die konkrete, an die Ausformung dieses Verhältnisses in der ‚Natürlichen Tochter' zu stellende Frage ist: Wieso kann der Raum als Welt derartig dominierend (morphologisch gesprochen: deformierend) wirken? Was
steht dahinter?

Es kommt darauf an, einen dritten, neuen Gesichtspunkt zu finden,
der nicht formal und allgemeingültig ist wie „Figur" und „Raum", sondern inhaltlich genau bestimmt und aus der Mitte des zur Interpretation
stehenden Stückes gewonnen ist. Wir glauben, einen solchen Gesichtspunkt
gefunden zu haben, und zwar aus der spezifischen Struktur des Stückes,
und nennen ihn:

„das Mächtige".

Dies ist eine Bezeichnung, unter der dieses Phänomen im Stück wiederholt vorkommt, etwa als:

„Das Mächtige, das uns regiert . . ." (V. 706)

Diesen neuen Gesichtspunkt gilt es mit den beiden früheren zu verbinden
mit dem Ziel, aus der Kombination das Verständnis der Eigenart des
dramatischen Stils in diesem Stück auf einen hinreichenden Grund zu
führen.

Dies kann auf zwei Weisen geschehen: Einmal, indem wir das Wesen
der im Drama gegebnen Welt nochmals betrachten, zum anderen, indem

wir die Figuren und ihr Miteinander unter dem neuen Gesichtspunkt nochmals bedenken. Das bedeutet nichts anderes, als daß wir die bereits gewonnenen Einsichten nochmals filtrieren.

Erscheinen in der Welt ist Thema des Stückes. Was ist aber das für eine Welt, in die hinein Erscheinen sich hier vollzieht? Es ist leicht einzusehen, daß es keine Welt als Natur, als Landschaft ist. Vielmehr hat die einleitende Interpretation erwiesen, wie auch die Landschaft symptomatische Veränderungen zeigte, die auf ein Höheres deuteten, das wir in der Analyse der Weltstruktur auseinanderfalteten. Bisher war vorwiegend das „Wie?" der Wirkung der Welt auf die Figuren Gegenstand der Betrachtung, jetzt soll uns das „Was?" beschäftigen.

Die Frage lautet: Was macht aus der Welt eine Netz-Struktur, in die Leben sich verfängt und zugrundegeht, in der die Gestalt nicht aufgehen, nicht „erscheinen" kann, sondern zum „Verschwinden" gebracht wird? –

Damit sind wir schon beim zweiten: Wir werden nochmals den Dialog betrachten und nachforschen, wodurch er in den verschiedenen Versuchen der Akte IV. und V. zerstört wurde, wodurch die Figuren daran gehindert wurden, in der Sprache – sprechend wie hörend – zu erscheinen.

II

Das Dialog-Kapitel hatte gezeigt, wie in den beiden letzten Akten Eugenie eine Reihe Versuche unternimmt, mit ihrem Gegenüber in ein Gespräch zu kommen, um so erscheinen und sich retten zu können, und wie diese Versuche notwendig scheitern. Vergegenwärtigen wir uns nochmals ihre Begegnung mit Gouverneur und Äbtissin.

Woran war das Einverständnis gescheitert? – Das Moment läßt sich genau bestimmen. Es war nicht Willkür oder Selbsttätigkeit der Figuren, durch die der Dialog zerstört wurde, vielmehr geschah es durch das wiederholte Vorzeigen des Dokumentes, das die Hofmeisterin mit sich führt. Sprache in bestimmter, verfestigter Form (als Dokument) tötet lebendiges Miteinandersprechen. Liegt dies im Wesen der Sprache begründet oder steht ein Höheres, Wirkendes dahinter? Dies zu erhellen, bedarf es einer Untersuchung des Motivs „Papier" und seiner Funktion.

Die Gouverneur-Episode schloß mit den Versen, vom Gouverneur *nach* Einsicht in das Papier gesprochen:

> „So kann ich freilich nur beglückte Fahrt,
> Ergebung ins Geschick und Hoffnung wünschen." (V. 2486–87)

Der Redende und vorher Angeredete zieht sich mit diesen Worten zurück. Es schiebt sich etwas zwischen ihn und seinen Partner, das diese Partnerschaft aufhebt.

Die Äbtissin schließt ähnlich:

„Ich beuge vor der höhern Hand mich tief,
Die hier zu walten scheint." (V. 2565–66)

Noch deutlicher ist in dem „Ich beuge ..." die Unterwerfung unter ein
fremdes Etwas ausgedrückt. Man verstummt. Alle vorher gewechselten
Worte, flehentliche wie tröstende, werden im Nu zu einem „vergeblichen
Wort" (V. 2564).

Fragend reflektiert Eugenie über das ominose Papier:

„Ist dies der *Talisman*, mit dem du mich
Entführst, gefangen hältst, der alle Guten,
Die sich zu Hilfe mir bewegen, *lähmt?*
Laß mich es ansehn, dieses *Todesblatt!*" (V. 2488–91)

Nach Eugeniens Worten ist das Blatt ein „Talisman", aber von besonderer
Art. An noch einer anderen Stelle kommt das Wort „Talisman" in Verbindung mit dem Papier vor: Der Gerichtsrat spricht zu Eugenie:

„Ein *mächtig ungeheurer Talisman*
Liegt in den Händen deiner Führerin." (V. 2003–4)

Der „Talisman"[2] ist hier „mächtig ungeheuer". Wir verstehen hier „mächtig" ebenso als Adjektiv wie „ungeheuer" und nicht etwa als Adverb in
der Bedeutung von „sehr". Diese beiden Adjektiva drücken das Wesen
des Talismans aus. Auswirkung und Bestätigung des Wesens liegt darin,
daß es „lähmt" wie es entführt und gefangen hält. Der Vorgang der
Lähmung wurde oben im Dialog-Kapitel bereits beschrieben: Indem es die
Sprache der Wesen offenbarende Worte von Mensch zu Mensch gesprochen
zu einem „vergeblichen Wort" werden läßt.

Insofern der Talisman „lähmt", den lebensnotwendigen Dialog zerstört,
„erscheinen" verhindert, „verschwinden" beschleunigt herbeiführt, ist
er ein „Todesblatt", ein Blatt, das Tod bringt. Was er enthält, ist ein
„Todeswort" (V. 2387) oder ein „Todesurteil" (V. 2579).

Das geschriebene Wort ist tot, es wirkt zwar noch, auf es aber kann
nicht mehr gewirkt werden; ausgesprochen tritt es unter die wirkenden
Naturkräfte und wirkt wie diese: elementar und willkürlich, baut auf
oder zerstört.[3]

Hier zerstört es. Der Talisman übt einen verhängnisvollen „Zauber"
(V. 2375) aus; und es zeigt sich schon hier, wie sehr er im Zentrum der
Bezüge des Stückes steht:

[2] *Talisman:* – zu griech. ‚telos' (Ziel, Ende) gehört ‚telein' (beenden, *weihen*),
dazu mittelgriech. ‚telesma' (geweihter Gegenstand), das arabisch ‚tilasm' (Zau-
berbild) ergibt. Dessen Plural ‚tilisman' gelangt über spanisch ‚Talisman' in die
romanischen Sprachen. Bei uns erscheint ‚Talisman' seit Harsdörffer 1646. (Nach
Kluge, Etymolog. Wörterbuch (17. Aufl.), S. 768).
[3] Vgl. M+R X (Bd. 2, S. 656): „ein ausgesprochnes Wort tritt in den Kreis
der übrigen, notwendig wirkenden Naturkräfte mit ein ..."

Offensichtlich hat er mit „erscheinen" und „verschwinden" zu tun, das erste verhindernd wie das zweite befördernd. Desgleichen mit dem Dialog, seinem Gelingen oder Mißlingen. Woher hat dieser Zauber aber seine Macht, was ist das für eine „höhere Hand, ... die hier zu walten scheint" (V. 2565 ff.)? – Zweifelsohne ist nicht dasselbe gemeint, wie in einem Gespräch mit Eckermann, wo es heißt: „daß der Mensch trotz aller Dummheiten und Verwirrungen von einer *höheren Hand geleitet* doch zum glücklichen Ziele gelangt" (18. 1. 1815).

Wir wollen das Motiv näher verfolgen: Erst im IV. Akt erscheint es, nicht zufällig dort, wo das Thema „verschwinden" dominierend wird. Die Hofmeisterin weist es gleich zu Beginn der ersten Szene dem Gerichtsrat vor:

> „Verzeih daher, wenn ich mit diesem *Blatt,*
> Das mich zu solcher schweren Tat *berechtigt,*
> Zu dir mich wendend komme..." (V. 1735 ff.)

Vorher ist von dem Blatt nicht die Rede. Das Blatt *drängt* die Hofmeisterin zu einem „betrübten Geschäft (V. 1726), denn es ist „mächtig ungeheuer". „Mächtig" ist als Bezeichnung neutral, wird aber durch das zweite Adjektiv „ungeheuer" in die Sphäre des Negativen, Gefährlichen, Bedrohlichen, Gewaltigen und Gewalttätigen gerückt. Zudem ist das „Ungeheure" das „Unvermeidliche" (V. 1245): d. h. dem Wirken und Hindern des einzelnen Menschen entzogen. Damit steht es in der Nähe des willkürlich waltenden Elementaren, von dem Goethe sagt: „Es ist offenbar, daß das was wir Elemente nennen, seinen *eigenen wüsten Gang* zu nehmen immerhin den Trieb hat" (AGA, 17, S. 642). Über das bedrohliche Wesen des Blattes werden wir von seinem ersten Auftauchen an keinen Moment im Unklaren gelassen.

Der Gerichtsrat erfährt an sich zuerst das Gefährliche:

> „Sonderbar jedoch
> Will es mich dünken, daß du eben diesen,
> Den du gerecht und edel nennen willst,
> In solcher Sache fragen, ihm getrost
> Solch ein Papier vors Auge bringen magst,
> Worauf er *nur mit Schauder* blicken kann.
> Nicht ist von Recht, noch von Gericht die Rede.
> Hier ist *Gewalt! Entsetzliche Gewalt!*" (V. 1741 ff.)

Zunächst wiedergegeben ist die Wirkung des Papiers auf den Leser: es ist „schauder"-erregend. Erst auf diese individuelle Brechung folgt die inhaltliche Bestimmung des Papiers: es enthält Gewalt, kein Recht.

Auch das Recht übt Macht aus: es fordert, bestimmt zu handeln, es richtet, hält Gericht, das aber gerecht ist.

Von alldem ist hier nicht die Rede. Die Macht des Papiers ist „schauder"-erregend, weil in ihm „entsetzliche Gewalt", die willkürlich, vielleicht klug, unter Umständen sogar „weise" (V. 1749) handelt.[4]
Welche Art von Klugheit hier gemeint ist, geht aus den Worten des
Sekretärs im II. Akt hervor:

> „*Verstand* empfingen wir, uns mündig selbst
> Im irdschen Element zurechtzufinden;
> Und was *uns nützt*, ist unser *höchstes Recht*." (V. 859–61)

Die Hofmeisterin, sich der Macht unterwerfend, wird „klug" genannt.
Diese Art der Macht zeichnet den Talisman aus: Er ist Ausdruck einer
willkürlich verfügenden Gewalt. Der tiefere Zusammenhang der Formel
„mächtig ungeheuer" wird jetzt deutlich. Nicht ist der Talisman „mächtig", weil er ein Talisman ist, sondern er ist Talisman als Ausdruck und
Symbol dieses Mächtigen, wie schon aus den Worten der Äbtissin zu vernehmen ist: sie sieht in dem Papier das Walten einer „höheren Macht",
im Papier also Symbol eines Mächtigen.

Der Adjektiv-(„Eigenschaftwort-")Gebrauch ist hier besonders und bedeutend: „mächtig" ist nicht eigentlich eine *Eigenschaft des Talisman*, sondern sein *Wesen*, seine *Substanz*. Der unheilvolle Zauber beruht allein
auf der Macht, die der Talisman verkörpert. Die Wortformel „mächtig
ungeheurer Talisman" ist somit Symbol im prägnanten Sinn seiner Goetheschen Bestimmung: „Es ist die Sache, ohne die Sache zu sein, und doch
die Sache; ein im geistigen Spiegel zusammengezogenes Bild, und doch mit
dem Gegenstand identisch" (AGA, 13, S. 868).

Wichtig ist hier der *veränderte* Wortsinn von Talisman gegenüber dem
sonstigen Gebrauch bei Goethe. Den beiden zitierten Stellen, die beide
„Talisman" in Verbindung mit dem Papier nennen, steht zweimal eine
andre in der ,Natürlichen Tochter' entgegen: Eugenie spricht von sich im
Hinblick auf den Gerichtsrat:

> „... im Verborgnen
> Verwahr er mich als *reinen Talisman*." (V. 2852–53)

Hier ist der Bezug zum Schatz- und Gold-Motiv wiederhergestellt. An
einer weiteren Stelle erscheint der Talisman als ein guter Zauber, den die
Hofmeisterin sucht:

---

[4] vgl. dazu V. 1798–1800:
> „Sorge, Furcht / vor größerm Übel nötiget Regenten / die *nützlich
> ungerechten Taten* ab."
Der Gebrauch des Wortes „weise" in diesem Zusammenhang ist rätselhaft und
fremd. Er entspricht nicht dem normalen Wortgebrauch Goethes. Vgl. dazu z. B.
M+R, 78: „Die Weisheit ist nur in der Wahrheit". – Vgl. auch das Tagebuch
vom 13. 1. 1779: „... Weisheit, ... diese haben die Götter den Menschen versagt. Klugheit teilen sie aus, ... sie haben alle Geschöpfe bewaffnet" (Bd. 11,
S. 100).

„O! fände sich ein *kräftger Talisman,*
Des trüben Bruders Neigung zu gewinnen." (V. 1105–06)

Hier – an den beiden interpretierten Stellen aus der ‚Natürlichen Tochter'
– meint „Talisman" nicht „Segenspfand", wie im Divangedicht ‚Segens-
pfänder':

> „Talisman in Carneol
> Gläubgen bringt er Glück und Wohl
> . . . . . .
> Alles Übel treibt er fort,
> Schützet dich und schützt den Ort." (Bd. 2, S. 12)

Hier – in der ‚Natürlichen Tochter' – ist er „Todesblatt", „Todeswort",
„Todesurteil". Entschiedener und radikaler kann die Verwandlung eines
Motivs nicht sein. Es zeigt sich – wie noch beim Hafen- und Jagd-Motiv –,
daß das Motiv an sich nichts bedeutet, daß es auf die Konstellation ankommt, in der sich dieses Motiv findet.

III

Das volle Wesen eines Dinges bestimmt sich aus seinen *Wirkungen,* wie der
Charakter eines Menschen aus seiner Geschichte. So ist das Wesen des
Papiers erst an den Wirkungen erfahrbar, die es ausübt: Diese Wirkungen
sind ja nach der Figur, auf welche sie gehen, verschieden, weshalb es sich
empfiehlt, die Macht des Mächtigen in den individuellen Brechungen
aufzuweisen.

Am unmittelbarsten wirkt das Papier auf Eugenie. Gegen sie ist es ge-
zielt. Auf die anderen Figuren wirkt es nur, insofern sie mit Eugenie in
Beziehung treten.

Die Wirkung auf Eugenie ist auch am umfassendsten: Ist doch ihre
Existenz besonders in den beiden letzten Akten an dieses Blatt gebunden.

Fragen wir nun nach der Art und Weise dieser Verbindung von indi-
viduellem Geschick Eugeniens und Papier: Durch das Blatt wurde Eugenie
„auf Leben oder Tod . . . anheimgegeben der Willkür" der Hofmeisterin,
d. h. aber, da diese nur „Werkzeug" ist, der herrschenden Macht.

> „. . . Jeder,
> Sei er Beamter, Kriegsmann, Bürger, alle
> Sind angewiesen, dich (Hofmeisterin) zu schützen, sie
> Nach deines Worts Gesetzen zu behandeln." (V. 1752 ff.)

Dadurch, daß auf diese Weise jeder mögliche Begegnende Eugenien
nicht frei begegnen darf, ist sie durch die Macht des Blattes in „Ketten"
(V. 2365) gelegt.

Eugenie spricht so zur Hofmeisterin:

„Du fesselst mich, du schleppst mich hin und wider." (V. 2376)

Im Dialog-Kapitel wurde gezeigt, wie hier die Sprache in bestimmter Erscheinungsform nicht mehr welteröffnend ist, sondern im Gegenteil: von der Welt abriegelt. So ist das Blatt der Talisman, der ungeheure Zauber, „mit dem du mich entführst, gefangen hältst, der alle Guten, die sich zur Hilfe mir bewegen, lähmt" (V. 2487 ff.). Es ist ein „Todesblatt" (V. 2491), ein „Todeswort" (V. 2387), ein „Todesurteil" (V. 2579). Wenn Eugenie zum Gerichtsrat sagt:

„Zum zweiten Mal, von einem jähern Sturz,
Erwach ich! Fremd und schattengleich erscheint
Mir die Umgebung, mir der Menschen Wandeln,
Und deine Milde selbst ein Traumgebild" (V. 1885 ff.),

so steht Eugenie hier unter der Gewalt des im Papier konkretisierten Mächtigen. Das Mächtige ist es, das ihr die Welt fremd werden läßt, das Mächtige ist es auch wiederum, durch das die Leben erweiternde, Welt eröffnende Funktion der Sprache in ihr Gegenteil verkehrt wird.

Mensch und Umwelt werden so zu einem befremdlichen Schatten, von dem man sich geängstigt fühlt.

„Ans Meer versprach er (Herzog) mich zu führen, hoffte,
Sich meines ersten Blickes ins Unbegrenzte
Mit liebevollem Anteil zu erfreuen. –
Da steh ich nun und schaue weit hinaus,
Und enger scheint mich's, enger zu umschließen.
O, Gott! Wie schränkt sich Welt und Himmel ein,
Wenn unser Herz in seinen Schranken banget!" (V. 1963 ff.)

Welt und Menschen sind derart entfremdet, daß ihr „das schönste Königreich, der Hafenplatz, von Tausenden belebt, zur Wüste" geworden ist: Eugenie ist allein (vgl. V. 2606 ff.).

Die auf sie einwirkende Macht droht sie zu erdrücken: die unterbundeeigene Leben und Tun, Bewußtsein und Handeln zu einem fremden, nen Kontakte mit dem Leben und den Lebendigen lassen Eugenie das traumhaften werden.

„Schon fühl ich mich ein abgestorbnes Glied;
Der Körper, der gesunde, stößt mich los.
Dem selbstbewußten Toten gleich ich, der,
Ein Zeuge seiner eigenen Bestattung,
Gelähmt, in halbem Traume, grausend liegt!
Entsetzliche Notwendigkeit!" ... (V. 2617 ff.)

Durch die waltende Macht des Mächtigen wird das Wort Eugeniens, kaum daß sie es ausgesprochen, bereits entwertet. Ihr eigenes Sprechen ist – wie das der anderen Figuren – paralysiert. Wenn sie zum Mönch sagt:

> „Dich halt ich fest und *sage wider Willen*
> Zum letzten Mal das *hoffungslose Wort*." (V. 2717–18),

so gibt sie im Kampf gegen das Mächtige auf: Das Wort, das sie an ihr Gegenüber richtet, ist ohne Hoffnung gesprochen: sie – Eugenie – glaubt nicht mehr daran, durch das Wort in der Welt erscheinen zu können.

> „Gewalt und List entreißen, führen, drängen
> Mich von des Vaters Brust ans wilde Meer." (V. 2429–30)

und:

> „Aus hohem Haus entsprossen, werd ich nun
> Verstoßen, übers Meer verbannt." (V. 2719–20)

offenbaren am ehesten in der Aktionsart der Verba die Art des Geschehens: Eugenie ist ganz der Macht anheimgegeben, von der sie entrissen, verstoßen, verdrängt und verbannt wird von dem und aus dem, was ihr lieb war und in dem sie eigentlich den Raum des Erscheinens erhalten sollte.

Die Beziehung zwischen dem Mächtigen, wie es sich im Papier konkretisiert, und der Elemente-Symbolik, die in den Hinweisen auf das Meer erscheint, ist deutlich.

Die Richtung des Geschehens ist immer die nämliche: Vom Lande zum Meer, vom Festen zum Elementaren. Am Hafenplatz ist die „Grenze des festen Landes" (V. 1728) erreicht: die Bewegung vom Erscheinen zum Verschwinden, wie sie das Geschehen des Stückes ausmacht, wird hier zur räumlichen, Bewegung: Die Gestalt wird zum Gestaltlosen, Elementaren gedrängt.

Das Blatt konkretisiert die Eugenie bedrängende Gewalt der Welt. So kann sie sagen:

> „Des Lebens Glück entriß mir dieses Blatt
> Und läßt mich größern Jammer noch befürchten." (V. 2590–91)

Von der Macht gestoßen und getrieben, vermag Eugenie zunächst nicht – nachdem sie es hat aufgeben müssen, für solches Geschehen eine persönliche Schuld zu finden – das Blatt anzusehen und den Aussteller zu erkennen.

> „Unbekannt
> Sind ihr die Mächte, die mein Elend schufen." (V. 1895–6)

Dieselbe Kraft des Papiers, die auf Äbtissin und Gouverneur lähmend wirkte, paralysiert auch Eugenie:

> „Der Mut verläßt mich! nein, ich wag es nicht!
> Seis, wie es will, ich bin verloren, bin
> Aus allem Vorteil dieser Welt gestoßen.
> Entsag ich denn auf ewig dieser Welt!" (V. 2502–5)

Die Macht, die sich im Papier konkretisiert, bannt sie in die Netz-Struktur der Welt und gibt dieser die absolute Undurchsichtigkeit und Gewalt.

> „Verbannung, Tod, Entwürdigung umschließen
> Mich fest und ängsten mich einander zu;
> Und wie ich mich von einem schaudernd wende,
> So grinst das andre mir mit Höllenblick." (V. 2662 ff.)

In der großen Welt, in der zu erscheinen Eugeniens Streben gilt, herrscht das Mächtige unbedingt: ist die daraus erwachsende Bedrohung Eugeniens absolut.

Erst im wiedergewonnenen stillen Kreis, durch die Ehe mit dem Gerichtsrat, ist sie geborgen und vor dem Mächtigen geschützt.

IV

Vergleichbar starke Wirkung geht von dem Mächtigen auf die mit Eugenie eng verbundene Hofmeisterin aus.

Es „*drängt*" die Hofmeisterin ein „betrübt Geschäft . . . aus dem Mittelpunkt des Reiches . . . aus dem Bezirk der Hauptstadt an die Grenze des festen Landes, zu diesem Hafenplatz" (V. 1726 ff.). Die Hofmeisterin „*sollte* sie (Eugenie) dem Kreise der Ihrigen entführen, sie hierher, hinüber nach den Inseln sie geleiten – gewissem Tod entgegen" (V. 1764 ff.).

Es „*trifft* ein hoher Götterspruch des Kampfes unschuldgen Anlaß – Eugenie – . . . und reißt verbannend die Hofmeisterin mit Eugenie dahin" (V. 1791 ff.).

Es „drängt" die Hofmeisterin, sie „sollte", es „trifft sie" . . .: Die Verba sind aufschlußreich, indem sie offenbaren, daß die Hofmeisterin – wie Eugenie – ein Opfer, noch dazu ein Werkzeug des Mächtigen ist. Der Aufruhr der Elemente hat auch sie erreicht und reißt sie mit: gleichgültig ob sie von dem drohenden Unheil weiß oder nicht, ob sie sich ihm entgegenstellen will oder seinen Weg mitbereitet.

> „Dies Unglück, vorgesehen oder nicht,
> Hat mich und dich in gleiches Netz verschlungen." (V. 2388–89)

und:

> „Wenn nicht ein grausam Schicksal widerstünde!
> Betrachte dieses Blatt, *uns* zu beklagen." (V. 2561–62)

Im „uns" schließt sie sich – die augenscheinlich mithandelt – als Leidende ein, als Zeichen dafür, daß sie, zum Handeln gezwungen, gegen ihr inneres Gesetz handelt. Ihr ist die Freiheit des Handelns genommen. Sie ist zum Werkzeug des Mächtigen geworden. Der Gerichtsrat weiß dies:

> „Ich schelte nicht das Werkzeug . . ." (V. 1794)

Von Eugenie erbittet sich die Hofmeisterin Bedauern:

> „Bedaure mich, indem du dich bejammerst.
> Ich übernahm das traurige Geschäft;
> Der Allgewalt Befehl vollzieh ich nur,
> Um dir in deinem Elend beizustehn." (V. 2593 ff.)

Auf welche Weise die Hofmeisterin zum Werkzeug des Mächtigen wurde, lehrt der II. Akt, Szene 1–2. Zunächst bedeuten der Hofmeisterin „des Herzens Winke" noch viel. Sie entspricht noch dem inneren Gesetze ihres Wesens, das sie konstituiert.

> „Nicht wünschenswert, abscheulich naht sich mir
> Der Gott der Welt im Überfluß heran.
> Was für ein Opfer fordert er? Das Glück
> Des holden Zöglings müßt ich morden helfen." (V. 686 ff.)

Sie weist das Ansinnen des Sekretärs von sich.

Indem der Sekretär und seine Partei das Glück Eugeniens zerstören wollen, verleugnen sie das „Göttliche" in sich.

Die Hofmeisterin:

> „Mich ruft es[5] auf, die schreckliche Gefahr
> Vom holden Zögling kräftig abzuwenden,
> Mich gegen dich und gegen Macht und List
> Beherzt zu waffnen. Kein Versprechen soll,
> Kein Drohn mich von der Stelle drängen. Hier,
> Zu ihrem Heil gewidmet, steh ich fest!" (V. 864 ff.)

Aber es zeigt sich sogleich in der Antwort des Sekretärs, daß das selbsttätige, sich allein an sittlichen Normen orientierende Handeln in der gegebenen geschichtlichen Weltkonstellation nicht mehr zum Zuge kommen kann.

Das „Fest steh ich" der Hofmeisterin läßt sich angesichts der Machtverhältnisse nicht durchhalten. Ihr inneres Gesetz unterliegt dem äußeren, durch das es entschieden modifiziert wird.

Der Sekretär antwortet:

> „O, meine Gute! dies ihr Heil vermagst
> Du ganz allein zu schaffen, die Gefahr
> Von ihr zu wenden magst du ganz allein,

---

[5] mit „es" ist das „Göttliche" gemeint.

> Und zwar, *indem du uns gehorchst!* ...
> Willst du zu diesem Plan nicht tätig wirken,
> Denkst du dich ihm geheim zu widersetzen,
> Und wagtest du, was ich dir anvertraut,
> Aus guter Absicht irgend zu verraten:
> So liegt sie tot in deinen Armen! Was
> Ich selbst beweinen werde, muß geschehn." (V. 870 ff.)

Welche Verkehrung des Wortes „Heil" vollzieht sich in diesen Versen! Das auf das Leben Eugeniens abgestimmte Tun der Hofmeisterin wird Eugenie den sichren Tod bringen. Und zwar nicht dadurch, daß ihr Handeln unter Umständen – wie jedes menschliche Handeln – dem Scheitern ausgesetzt ist, sondern es ist prinzipiell verfehlt und im Keime unmöglich geworden: Die Wahl ist nur noch eine scheinbare.

Der Begriff der „Selbsttätigkeit", dem Goethe so hohe Bedeutung beimaß, ist vom Wesen her aufgehoben und durch ein „mechanisches", reaktives Handeln ersetzt.[6]

Für die, Hofmeisterin setzt schon mit der 1. und 2. Szene des II. Aktes das ein, was für Gouverneur und Äbtissin durch den Anblick des Papiers ausgelöst wird: sie wird gelähmt und paralysiert. Das von ihr geforderte „tätige Wirken" (V. 879) ist *kein* „selbsttätiges" Handeln mehr, es ist erzwungen, unfrei und in seiner Richtung von vornherein festgelegt. Der Handelnde wird zum bloßen Werkzeug in den Händen einer höheren Macht.

Erste Manifestation der Herrschaft des Mächtigen über die Hofmeisterin ist der erzwungene Monolog: In ihrer reinen Tätigkeit gehemmt, ist ihr auch dialogisches Leben verboten. So kann sich in der 3. Szene des II. Aktes auch nur noch ein *Schein*dialog zwischen ihr und Eugenie entwickeln. Denn „der Despotismus fördert keine Wechselreden" (Bd. 2, S. 258).

Unter der Despotie des waltenden Mächtigen wird der Hofmeisterins Neigung zum Dialog zerstört:

> „O! dürft ich dich erleuchten! dürft ich dir
> Verborgne Winkel öffnen ..." (V. 897)

Zweimal steht dieser irreale Potentialis: die Hofmeisterin darf nicht Eugenie warnen. Ihrem Wunsche entgegen steht der Befehl.

> „Ach! Schweigen soll ich!" (V. 900)

Es ist eine besondere Art des Schweigens, ein Verstummen. Der Hofmeisterin bleibt nichts als die fragliche Möglichkeit leisen Warnens:

---

[6] Vgl. dazu „Über epische und dramatische Dichtung", Bd. 15, S. 115 ff.

„Leise kann ich nur
Dich ahnungsvoll ermahnen; wirst du wohl
Im Taumel deiner Freude mich verstehen?" (V. 900 ff.)

So gelähmt, gezwungen, determiniert, ist die Hofmeisterin mehr als einmal in der Gefahr, unter der Gewalt des sie formenden Mächtigen die Einheit ihres Wesens zu verlieren. Die Rätselhaftigkeit und die Widersprüchlichkeit ihrer Erscheinung, besonders in den beiden letzten Akten, beruht darauf, daß sie zu einem Werkzeug des Mächtigen geworden ist, dies nicht sein will und darf und doch sein muß.

<h1 style="text-align:center">V</h1>

Will der Gerichtsrat die Hofmeisterin als ein „Werkzeug" nicht schelten, so mag er auch nicht rechten „mit jenen Mächten, die sich solche Handlung erlauben können".

„Leider sind auch sie
Gebunden und *gedrängt* ... Sorge, Furcht
Vor größerm Übel *nötiget* Regenten
Die *nützlich-ungerechten* Taten ab." (V. 1794 ff.)

Dem aus der Distanz der bürgerlichen Welt betrachtenden Gerichtsrat erscheinen alle Figuren der „großen Welt" von diesem Mächtigen beherrscht, so daß sie alle – in unterschiedlichen Graden – „Werkzeuge" dieses Mächtigen sind.

Eindeutig untersteht der Sekretär diesem mächtigen Gebote. Er hat dem Mächtigen, „das uns regiert" (V. 706), den „geheimen Tempel" (V. 705) seines Wesens geopfert.

Beim Weltgeistlichen erfahren wir – im Lebensrückblick – seine Unterwerfung unter das Mächtige als eine symbolische räumliche Bewegung vom engen Kreis ins Weite der großen Welt: Er läßt – den Verlockungen des Sekretärs erliegend – das „Paradies beschränkter Freuden", die „Zufriedenheit im kleinen Hause", die „Gefühl des Reichtums über alles gießt" (V. 1200 ff.), hinter sich und wird zum „Genossen", zum „Gesellen" und schließlich zum „Sklaven" (V. 1220 ff.) des Mächtigen. Als ein „gefühllos Werkzeug" (V. 1234) läßt er sich von diesem Mächtigen gebrauchen.

So ist es eigentlich und immer das waltende Mächtige, das die Gestalten an dem erstrebten Erscheinen verhindert, sie – wo es möglich ist – „retardiert", einen „morbosen Zustand" hervorbringt und „durch eine um-„gekehrte Reihe von Metamorphosen" das Wesen schließlich „umbringt" (Bd. 11, S. 951).

VI

Die Eingangsszene der ‚Natürlichen Tochter‘ bietet – wie die Regieanweisung und die ersten Verse anzeigen – die Situation einer Jagd. Schauplatz ist entsprechend „dichter Wald“.

Man erinnert sich, daß Goethe sich 1797 – noch während der Arbeit an
‚Hermann und Dorothea‘ – mit dem Gedanken trug, ein zweites Epos zu
schreiben, dessen Gegenstand eine Jagd sein sollte.

Goethe hat diesen Plan – besonders in kunsttheoretischer Hinsicht –
mit Schiller diskutiert, dann jedoch bald von diesem Vorhaben abgelassen:
weil die Freunde ihm „abrieten“, wie die Annalen sagen.[7]

Grund für das Fallenlassen dieses Planes mag vor allem die theoretische
Unsicherheit darüber gewesen sein, ob sich das Sujet überhaupt für die
Gattung „Epos“ „qualifiziere“.[8]

Ein Lebensalter später – 1826 – ersteht der Plan unter gänzlich veränderten Bedingungen neu: Die ‚Novelle‘ wird geschrieben.

Offensichtlich besteht ein äußerlicher Bezug des Epos-Entwurfes zur
Eingangsszene der ‚Natürlichen Tochter‘. Das Motiv jedenfalls ist das
gleiche. Daß es sich aber nicht nur um eine oberflächliche, gleichgültige und
nichtssagende Entsprechung handelt, kann man am ehesten aus einem
Brief Wilhelm von Humboldts, dem gegenüber Goethe vom Plan des
Epos ausführlich gesprochen haben muß, an seine Frau ersehen. Es heißt
in diesem Brief: „Dieser Stoff ist *aus höheren Ständen* genommen, und
damit er (Goethe) doch alles Förmliche los wird und eine reine und volle
Natur bekommt, hat er eine Jagdpartie gewählt. Nur bei der Jagd, meint
er, zeige sich noch etwas dem Heldenalter gleichsam Ähnliches, weil doch
da jeder *selbst tätig* sein, selbst Hand anlegen muß.[9]

Eine epische Kunst, die in ihrer Würde und Ernsthaftigkeit dem Vorbild Homers nachstrebt,[10] mußte dem hohen Stil, der hier vorherrschen
mußte, entsprechend Menschen „höheren Standes“ wählen.

Schon in dem Aufsatz ‚Über epische und dramatische Dichtung‘ (1797)
hatte es geheißen: „Die Personen stehen am besten auf einem gewissen
Grade der Kultur . . .“ (Bd. 15, S. 115). Es war schon oben gezeigt wor-

---

[7] „. . . ein neues episch-romantisches Gedicht wurde . . . entworfen. Der Plan
war in allen Teilen durchgedacht, den ich unglücklicherweise meinen Freunden
nicht verhehlte. Sie rieten mir ab . . .“ (Bd. 8, S. 1016).

[8] Vgl. Goethes Brief an Schiller (27. 6. 97): „Da ich durch meinen Faust bei
dem Reimwesen gehalten werde, so werd ich gewiß auch einiges liefern. Es
scheint mir jetzt auch ausgemacht, daß meine Tiger und Löwen in diese Form
gehören, ich fürchte fast, daß das eigentliche Interessante des Sujets sich zuletzt
gar in eine Ballade auflösen möchte . . .“

[9] Zitiert nach AGA, Bd. 22 (Gespräche I.), S. 252.

[10] Vgl. dazu etwa die Elegie ‚Hermann und Dorothea‘: „Doch Homeride zu
sein, auch nur als der letzte, ist schön“ (Bd. 1, S. 209–210).

den, wie sich in dieser Stelle stilistische und morphologische Argumentation überlagern und sich wechselseitig unterstützen.

Das Briefzitat offenbart besonders eindeutig, daß das Jagdmotiv aus stilistischen wie morphologischen Gesichtspunkten gewählt wurde, „... damit er alles Förmliche los wird und eine *reine und volle Natur* bekommt" (ebenda).

Die der Moderne anhaftende Feinheit und Förmlichkeit wird durch das Jagdmotiv vermieden. Die Förmlichkeit der Konventionen hätte selbst den Mann hohen Standes in seiner Beweglichkeit zu sehr eingeengt. Müßte er sich doch dann in einer sozialen Welt aufhalten, „in der man ohne Verstellung und Flachheit nicht umhergehen kann" (Bd. 15, S. 973).

Auf der Jagd hingegen bleibt er weitgehend seiner „Selbsttätigkeit" überlassen.

Schon in dem Aufsatz ‚Über epische und dramatische Dichtung‘ tritt der Begriff der „Selbsttätigkeit" an zentraler Stelle auf. Es heißt dort, die Personen in Epos und Drama sollten auf einem „gewissen Grade der Kultur stehen", „wo die *Selbsttätigkeit* noch auf sich allein angewiesen ist, wo man nicht moralisch, politisch, mechanisch, sondern *persönlich* wirkt" (Bd. 15, S. 115).

Dem „persönlich" entspricht die „reine und volle Natur", von der Humboldt in seinem Briefe spricht. Beides weist hin auf die voll entfaltete Erscheinung, in der sich das Wesen rein anzuzeigen vermag.

In den ‚Lehrjahren‘ wird die Fähigkeit und die Möglichkeit zu dieser „vollen und reinen Natur", zu diesem „persönlichen" Leben zu gelangen, allein dem Adel, also Menschen auf einem „gewissen Grade der Kultur", zuerkannt. „In Deutschland ist nur dem Edelmann eine gewisse allgemeine, wenn ich sagen darf personelle Ausbildung möglich ... Er ist eine *öffentliche Person* ..." (Bd. 7, S. 336).

In dem zitierten Brief Humboldts heißt es nun, die Jagd sei der einzige Ort in der modernen Welt, wo heldisches Leben im Sinne der Antike, d. h. Leben als „persönliches", als „Selbsttätigkeit", noch möglich sei.

Der morphologische Gesichtspunkt ist offenkundig: Die Jagd wird als die bestmögliche Situation vom Dichter gewählt, um den Figuren die bestmöglichen Bedingungen ihres Erscheinens zu bieten.

Der Epos-Entwurf zeigt also, wie bei der Wahl der Figuren (Adel) und bei der Wahl der Situation (Jagd) morphologische Gesichtspunkte leitend waren und der Dichter den Gestalten so Ort und Gelegenheit gibt, wo sie „in aller Freiheit, nach den eigenen Bedingungen erscheinen können" (vgl. M+R, 1346).

Von diesem stilistisch-morphologischen Gesichtspunkt aus kann man am ehesten die Bedeutung und die Funktion des Jagd-Motivs erkennen.

Ohnehin ist die Bedeutung der Motive für Goethe kaum zu überschätzen. Zu Eckermann sagt er einmal: „Sie sehen daraus die große Wichtig-

keit der Motive, die niemand begreifen will … Daß … aber die wahre
Kraft und Wirkung eines Gedichtes in der Situation, in den Motiven besteht, daran denkt niemand" (18. 1. 1825).

Für Goethe bedeuten die Motive nichts anderes als die Bedingungen
der Möglichkeit, daß die poetischen Wesenheiten rein und voll zur Erscheinung kommen können.

Die geplante Durchführung des Epos-Entwurfes – so wie sie im Brief
Humboldts auf uns gekommen ist – verrät eine weitere Entsprechung zur
Eingangsszene der ‚Natürlichen Tochter'. Humboldt schreibt an seine
Frau: „Der erste Gesang fängt mit dem Frühstück an, das nach einer ge-
endigten Jagd genommen wird. In den Gesprächen, die bei dieser Gelegenheit entstehen, findet er (Goethe) Veranlassung, über Krieg, über das
Schicksal der Staaten und so weiter zu reden und so das Interesse auf einen
weiten Schauplatz hinauszuspielen. – Plötzlich kommt die Nachricht, daß
in einem benachbarten kleinen Städtchen beim Jahrmarkt Feuer aus-
gekommen sei und bei der Verwirrung, die dadurch entsteht, wilde Tiere
losgekommen wären …" (AGA, 22, S. 252).

Auch im Drama finden wir eingangs den König und den Herzog sich
von der Jagd ausruhend. Aber sogleich sticht schon der Unterschied dieser
beiden Szenen in die Augen: König und Herzog haben keine Jagd zuende-
geführt, sondern sich verirrt. Zugleich mit dem Dramenbeginn ist das
Netz-Motiv da. Die Interpretation der ersten Szene hat gezeigt, wie
wenig König und Herzog zu „Selbsttätigkeit" und „persönlichem" Handeln fähig sind.

Das Motiv der Jagd – an beiden Stellen in Form und Aufbau sich glei-
chend – ist doch nicht dasselbe: die Funktion des Motivs vor allem hat sich
verändert.

Adel und Jagd waren als Motive für den Epos-Entwurf gewählt, um
den geeignetsten Gestalten bestmögliche Bedingungen des Erscheinens und
Möglichkeit allseitiger Entfaltung zu bieten.

Sprechen wir „Adel" und „Jagd" als Motiven noch die potentielle gleiche Funktion in der Eingangsszene der ‚Natürlichen Tochter' wie im Epos-
Entwurf zu, so wird offensichtlich die im Epos beabsichtigte Wirkung in
der ‚Natürlichen Tochter' nicht mehr erreicht. Die Gestalten gewinnen hier
keineswegs jene „reine" und „volle Natur", sie sind nicht „wahr und
seiend" (Bd. 9, S. 288), nicht „abgemessen zu ihrem Zustande".

Gegenteiliges wird vielmehr offenbar: Nicht Selbsttätigkeit, sondern
Selbstempfindung bis zur Krankhaftigkeit, keine Aktivität, sondern passive Hingabe an den erreichten, umstrickenden Zustand.

Die Jagd ist nicht länger der Ort freiheitlicher Entfaltung edlen Men-
schen- und Heldentums im Sinne der antiken Sagen, sondern ein „Labyrinth", in dem sich Leben verstrickt. Äußerlich und im Aufbau ist das
Motiv zwar das nämliche im Epos wie im Drama. Aber die Konstellation,

in der es erscheint und auf die es besonders ankommt, das „Klima", hat sich grundlegend gewandelt. „Die Wirkung des Äußeren" (Bd. 11, S. 951) hat hier auch eine Verwandlung des Motivs vollzogen.

In dem Entwurf zu einer Vorrede zum III. Teil von ‚Dichtung und Wahrheit' heißt es: „Freilich ist es Gartenfreunden wohlbekannt, daß eine Pflanze *nicht in jedem Boden*, ja *in demselben Boden nicht jeden Sommer gleich gedeiht*" (Bd. 8, S. 951). Wir haben diesen morphologischen Satz beim Erscheinen der Gestalten unter verschiedenen Bedingungen bestätigt gesehen: Hier verwandelt ein dichterisches Motiv unter veränderten „klimatischen" Bedingungen seine Wirkung: Es vermag nicht länger das herbeizuführen, wozu es eigentlich – im Entwurf zum Jagdepos – ausersehen war.

Das Mächtige hat auch hier bei diesem Motiv eine „rückschreitende Metamorphose" bewirkt und das Motiv verwandelt.

VII

„Platz am Hafen" heißt die für die beiden letzten Akte geltende Ortsangabe. Die Akte, die auch eine innere, geschehnismäßige Einheit bilden, finden darin den ihnen gemäßen einheitlichen Schauplatz.

Allgemein ist der Hafen der Ort der Ankunft wie der Abfahrt. Mannigfaltige Hoffnungen, Erwartungen, Ahndungen und Erinnerungen knüpfen sich an ihn.

In der ‚Natürlichen Tochter' markiert der „Platz am Hafen" allein den Ort der Abfahrt. Das Hafenmotiv ist einseitig auf Abfahrt ausgerichtet, auf eine Abfahrt, der keine Hoffnung auf Rückkehr, auf Zukunft, gegeben ist. Das Fehlen auch des letzten Hoffnungsschimmers legt sich wie ein Schatten auf die beiden Akte. R. A. Schroeder hat diese unheilvolle Atmosphäre einmal so beschrieben: „Wir finden uns im IV. Akt ... wieder unter freiem Himmel, in der Nähe des Meeres, freilich nur, um zu gewahren, daß auch die Freiheit des offenen Landes und der See in das eherne Gewölb eines Gefängnisses verwandelt werden kann durch einen Spruch der gleichen Erdenallmacht,[11] um deren zweideutiges Götzenbild das Treiben der ersten drei Aufzüge sich bewegt hat."[12] Die Verwandlung des welteröffnenden, ins Weite und Freie weisenden Hafenmotivs erleben wir auf mehrfache charakteristische Weise:

Zunächst erleben wir die Verkehrung der Erfahrung des Meeres bei Eugenie. Der Vater hat sie, die zur Erscheinung in der Welt drängt, diese Welt und auch die Weite des Meeres sehen lassen wollen:

---

[11] „In einem berühmten Stück Moliéres tritt diese Erdenallmacht als segensreiches Prinzip hervor, indem sie den Schuldigen trifft, die Unschuld befreit. Hier, dem Vorwurf und dem geschichtlich veränderten Gesamtbild gemäß, weist sie sich als Verderbnis aus" (R. A. Schroeder, a. a. O., S. 481).

[12] R. A. Schroeder, Gesam. Werke, Bd. II, S. 481.

> „Dorthin versprach der edle Vater mich,
> Ans Meer versprach er mich zu führen, hoffte
> Sich meines ersten *Blicks ins Unbegrenzte*
> Mit liebevollem Anteil zu erfreun.“

Jetzt wird ihr, der inzwischen Verbannten und Verstoßnen, deren Erscheinen das Mächtige auf jeden Fall zu verhindern sucht, der Anblick des Meeres zuteil:

> „Da steh ich nun und schaue weit hinaus,
> Und enger scheint michs, enger zu umschließen.
> O, Gott! wie schränkt sich Welt und Himmel ein,
> Wenn unser Herz in seinen Schranken banget!“
>
> (V. 1962 ff.)

Der Anblick des Meeres bringt ihr keine Erweiterung ihrer Existenz mehr, im Gegenteil: Ihr Herz bangt, weil das Mächtige ihr Erscheinen verhindert und sie an den Rand des Landes, ans Meer treibt. Die „schönen Bilder“ des „alten Glücks“ hat das „hohe Meer“ „hinweggeschreckt“ (V. 1840–41).

Ähnlich hat auch das Mächtige dem Gerichtsrat durch das Geschick Eugeniens „auf ewig . . . den heitren Blick ins volle Meer getrübt.“

> „Wenn Phöbus nun
> Ein feuerwallend Lager sich bereitet
> Und jedes Auge von Entzücken tränt,
> Da werd ich weg mich wenden, werde dich
> Und dein Geschick beweinen. Fern am Rande
> Des nachtumgebnen Ozeans erblick ich
> Mit Not und Jammer deinen Pfad umstrickt.“ (V. 1973 ff.)

Der Gerichtsrat, dem Eugenie „zum Geschick“ wird, erfährt die Welt durch ihre Augen neu: so hat sich auch die Erfahrung des Meeres für ihn verwandelt. Auch für ihn hat sich durch die Gewalt des Mächtigen das verlockende, heitre, weite Meer in ein Trostloses, Feindliches, Schreckliches verkehrt, das in Dunkel gehüllt erscheint.

Aber damit ist die verwandelte Bedeutung und Funktion des Hafenmotivs nicht ausgeschöpft: Das volle Gewicht dieses Motiv wird erst im Dialog Hofmeisterin – Gerichtsrat zu Beginn des IV. Aktes offenbar: Die Hofmeisterin „drängt ein betrübt Geschäft . . . aus dem Mittelpunkt des Reiches, . . . aus dem Bezirk der Hauptstadt an die Grenze des festen Landes, zu diesem Hafenplatz“ (V. 1726 ff.).

„Grenze des festen Landes“: das ist der Hafen. Es wurde schon oben beschrieben, wie sich hier in der räumlichen Bewegung von der Hauptstadt hinweg und hinaus an den Rand des Festlandes, an den Hafenplatz, die

geschichts-morphologische Bewegung des Geschehens vom Erscheinen zum
Verschwinden, von der Gestalt zum Gestaltlosen symbolisch wiederholt.

Der Hafenplatz markiert die Stelle, wo das Gestaltete und das Chaotische einander berühren, wo sich gestalthaftes Leben in dieses Chaotische
verliert.

Das Meer ist das Elementare schlechthin, „das ... seinen eigenen wilden
Gang zu nehmen immerhin den Trieb hat" (AGA, 17, S. 642).

Die Situation der Abfahrt und des Abschiedes ohne Hoffnung auf
Wiederkehr erfährt dadurch eine entschiedne Verschärfung, insofern sie
ein Abscheiden und Verschwinden der Gestalt ins Gestaltlose, ins Chaos
bedeutet.

Goethe hat den Abschied *die* tragische Situation überhaupt genannt:
„Das Grundmotiv ... aller tragischen Situationen ist das Abscheiden",
(AGA, 13, S. 898) heißt es in der Beschreibung von Tischbeins Idyllen.
„Das Scheiden aus einem gewohnten, geliebten, rechtlichen Zustand, veranlaßt durch mehr oder mindern Notzwang, durch mehr oder weniger
verhaßte Gewalt" (ebenda), ist in der Situation des IV. und V. Aktes bis
zum äußersten Extrem gesteigert: Scheiden bedeutet hier: absolutes Verschwinden, Auflösen ins Chaos. Die Gestalt „verschwindet ins Nichts der
Asche" (V. 1184–5), oder:

> „O, dieses Mädchens trauriges Geschick
> *Verschwindet wie ein Bach im Ozean.*" (V. 1253–54)

Wieder bestätigt sich – wie schon beim Jagd-Motiv –, daß das Motiv an
sich noch nichts bedeutet, daß es je und je nach der Konstellation einen
anderen Sinn erhält und ausspricht.

Das Hafen-Motiv ist in seiner speziellen Ausformung, wie sie die ‚Natürliche Tochter' bietet, von dem Ganzen der hier in Erscheinung treten-
den Weltstruktur geformt, vor allem von der Elemente-Symbolik, die
ihrerseits wieder Ausdruck des gewaltigen Mächtigen ist, das hier herrscht.

Klar erweist sich die Geschichtlichkeit eines jeden dieser Motive: Die
Zeit als Geschichte umgreift den Raum, der sich im Hafen-Motiv in besonderer Formung gibt, und bestimmt ihn je und je anders.

NACHWORT

I

Eine Reihe stilistischer Merkwürdigkeiten[1] hatte den Ausgangspunkt dieser Untersuchung der ‚Natürlichen Tochter‘ gebildet. Es stellte sich heraus, daß Begriffe wie „Charakter" oder „Handlung", sonst zur Erhellung dramatischer Vorgänge und Verhältnisse vorzüglich geeignet, als leitende Gesichtspunkte für die Interpretation dieses Stückes unbrauchbar waren; konsequente Motivation und dramatische Kausalität fehlten.

Aufs Ganze gesehen bedeutete dies: die „poetische Naturform" des Dramas hatte in der ‚Natürlichen Tochter‘ – im Vergleich zur ‚Ephigenie‘ und zum ‚Tasso‘ – eine bedeutsame Metamorphose durchgemacht, eine Metamorphose, die nicht in einer autonomen Weiterentwicklung ästhetischer Gesetze ihren Grund hatte, sondern durch „Wirkung des Äußeren" (Bd. 11, S. 951) bedingt war. Die Untersuchung zielte zunächst darauf ab, diese Metamorphose des dramatischen Stils von den beiden Gesichtspunkten „Figur" und „Welt" her durch Textinterpretationen darzustellen und von den zugrundeliegenden Anschauungsformen her verständlich zu machen. Die Frage nach dem Grunde dieser Stileigentümlichkeiten führte schließlich zu einem dritten Gesichtspunkt, der – aus der Dichtung selber gewonnen – „das Mächtige" benannt wurde. In diesem Mächtigen war das Motiv gefunden, von dem her sich die Besonderheiten in der Darstellung sowohl der Figuren als auch der Welt mit ihren verschiedenen aufeinanderverweisenden Symbolschichten erfassen und sinnvoll verstehen ließen.

II

Die Interpretation des „Ereignisses" des Stückes („erscheinen" und „verschwinden") machte auf Prinzipien und Kategorien aufmerksam, die Goethe seit der Italienischen Reise vor allem auf naturwissenschaftlichem Gebiete ausgebildet hatte. Spätestens seit der Arbeit an ‚Wilhelm Meisters Lehrjahren‘ (2. Fassung) diente diese „morphologische Methode", wie Goethe sie nannte, der die besondere Beachtung der Gesetze der Metamorphose der Gestalten zugrundelag, auch als *Darstellungs*methode für die Dichtung.

---

[1] Merkwürdigkeiten, weil aus der klassischen Theorie des Dramas, wie sie Goethe und Schiller in ihrem Briefwechsel und in der zusammenfassenden Abhandlung ‚Über epische und dramatische Dichtung‘ begründet hatten, nicht ohne weiteres herleitbar.

Der Begriff des Stils bei Goethe erfuhr unter der Vorherrschaft der morphologischen Methode eine folgenreihe Umformung dergestalt, daß er, von allen subjektiven Trübungen der Manier befreit, nun allein „auf den tiefsten Grundfesten der Erkenntnis (ruhte), auf dem Wesen der Dinge, insofern es uns erlaubt ist, es in sichtbaren und greiflichen Gestalten zu erkennen" (Bd. 16, S. 297). Stil ist nach diesem Verständnis dann jenseits aller Willkür „das Resultat einer *echten Methode*" (AGA, 13, S. 245). Die Methode ist „echt", weil wahr und weil auf Wesenserkenntnis beruhend. Später hat Goethe entsprechend dieser Theorie zu Eckermann gesagt: „Nichts ist schön, was nicht naturgesetzlich wahr motiviert wäre" (zu Eckermann, 5. 9. 1826).

Der so durch die morphologische Methode fundierte Begriff des Stils bedeutet – und davon gibt die ‚Natürliche Tochter' genaue Kenntnis – zugleich auch eine Neubegründung dichterischer Sprache. Goethes Sprache hat durch die naturwissenschaftlichen Schriften eine „Palingenesie" erfahren.[2] Es handelt sich jetzt um eine Sprache, die die Wahrheit (= Schönheit) der Natur wie der Geschichte in gleicher Weise „bloßlegt".[3] Das „bloßgelegte" Wahre und Schöne ist zugleich ein *symbolisches* Schönes und Wahres, insofern jede dichterische Erkenntnis nach Goethe eine symbolische Erkenntnis ist; das Symbol ist „die Sache, ohne die Sache zu sein, und doch die Sache; *ein im geistigen Spiegel zusammengezogenes Bild,* und doch mit dem Gegenstand identisch" (Bd. 16, S. 531).

Goethe hat für diese seine wissenschaftliche wie dichterische Methode den Ausdruck „gegenständlich" zur Kennzeichnung gebraucht. Als der Anthropologe Heinroth schrieb, daß Goethes „Denkvermögen *gegenständlich* tätig sei", akzeptierte er – Goethe – diese Bemerkung und bezog sie gerne „ebenmäßig auf eine *gegenständliche Dichtung*" (AGA, 16, S. 8179–80).

III

Diese morphologische Methode und der in ihr gründende gegenständliche dichterische Stil dienten Goethe dann zum Instrument, um die Französische Revolution als das „schrecklichste aller Ereignisse in seinen Ursachen und Folgen dichterisch zu gewältigen" (AGA, 16, S. 881). In der ‚Natürlichen Tochter' verband er alles, was er in vielen Jahren über dieses Ereignis geschrieben und gedacht hatte,[4] zu einer „Kette von lauter Motiven"[5] und bewährte sich durch dieses Verfahren „als der, der er inzwischen geworden war: der Naturforscher des Geistigen, des geschichtlichen Werdens und Vergehens", als der „politische Morphologe".[6]

---

[2] H. v. Hofmannsthal, Aufzeichnungen, S. 192.
[3] Goethe zu Odyniec, 29. 8. 1829.
[4] Vgl. Bd. 8, S. 1025.
[5] Goethe zu Eckermann, 18. 1. 1825.
[6] R. A. Schroeder, Gesam. Werke, Bd. II, S. 492.

Bereits 1823 hatte Graf Reinhard im Zusammenhang mit der ‚Natürlichen Tochter‘ auf die „scharfsinnigen Parallelismen von Erscheinungen auf dem politischen und auf dem naturhistorischen Gebiet"[7] hingewiesen. Hier – in der ‚Natürlichen Tochter‘ – wird von Goethe im Unterschied zu seinen geschichtsphilosophisch orientierten Zeitgenossen mittels morphologischer Kategorien die politische und soziale Problematik und die Krise der Zeit, die die Französische Revolution ausgelöst hatte, in der Gestalt erledigt und dichterisch bewältigt: als „*ein* Gedanke in mehreren Figuren verkörpert".[8]

---

[7] Reinhard an Goethe, 30. 10. 1823.
[8] Goethe an Heinrich Meyer, 27. 2. 1789.

LITERATURVERZEICHNIS

I. Primärliteratur:

Werkausgaben:

1. GOETHE, JOHANN WOLFGANG: Gesamtausgabe der Werke und Schriften. 22 Bände, Cotta, Stuttgart 1950 ff. I. Abteilung (Bde. 1–10): Poetische Werke. II. Abteilung (Bde. 11–22): Schriften (Zitiert: Bd. . . ., S. . . .).
2. GOETHE, JOHANN WOLFGANG: Artemis-Gedenk-Ausgabe der Werke, Briefe und Gespräche. 24 Bände (Hrsg. von Ernst Beutler). Artemis, Zürich, 1949 ff. (Zitiert: AGA, . . ., S. . . .).
3. GOETHE, JOHANN WOLFGANG: Werke, hrsg. im Auftrage der Großherzogin Sophie von Sachsen (=Weimarer Ausgabe). Böhlau, Weimar 1888 ff. (Zitiert: WA. . . .).
   Zitiert wird gewöhnlich nach der zuerst genannten neuen Gesamtausgabe der Werke Goethes aus dem Cotta-Verlag. (M+R = Maximen+Reflexionen)

Einzelausgaben der „Natürlichen Tochter":

1. GOETHE: ‚Die Natürliche Tochter‘, Trauerspiel. Berlin 1804 (ohne Verlagsangabe).
2. GOETHE: ‚Die Natürliche Tochter‘, ein Trauerspiel. Herder, Freiburg-Brsg. 1947 – ‚Abendländische Bücherei‘, Hrsg. und eingeleitet von Reinhold Schneider.
3. GOETHE: ‚Die Natürliche Tochter‘, Trauerspiel in fünf Aufzügen. Reclam, Stuttgart 1963. Mit einem Nachwort von Theo Stammen.

Briefwechsel und Gespräche:

1. Der Briefwechsel zwischen Schiller und Goethe. 3 Bde. Hrsg. von H. G. Gräf und A. Leitzmann, Insel-Verlag, Leipzig, 1955.
2. GOETHE und REINHARD, Briefwechsel in den Jahren 1807–1832. Insel-Verlag, Wiesbaden 1957.
3. ECKERMANN, Gespräche mit Goethe. Hrsg. von H. H. Houben. Brockhaus, Wiesbaden 1959 (25. Auflage).
4. KANZLER VON MÜLLER: Unterhaltungen mit Goethe. Hrsg. von E. Grumach. Böhlau, Weimar 1959 (kleine Ausgabe).

II. Sekundärliteratur:

A. Allgemeine Goethe-Literatur:

1. FRIEDRICH GUNDOLF: Goethe. Bondi, Berlin 1925 (12. Auflage).
2. GEORG SIMMEL: Goethe. Klinkhart u. Biermann, Leipzig 1913.

3. Emil Staiger: Goethe, 3 Bde. Atlantis, Zürich-Freiburg, 1952 – 1956 – 1959.
4. Wilhelm Emrich: Die Symbolik von Faust II. Athenäum, Bonn, 1957 (2. durchgesehene Auflage).

B. Spezialliteratur zur „Natürlichen Tochter"

1. Joh. Fr. Ferd. Delbrück: Die Natürliche Tochter. Rezension in der Jenaer Allg. Lit. Zeitung, Nr. 235–238, 1.–4. Okt. 1804. Abgedruckt in: O. Fambach: Goethe und seine Kritiker, Düsseldorf 1957, S. 72 ff.
2. G. Kettner: Goethes Drama „Die Natürliche Tochter". Berlin 1912.
3. A. Sauer: „Die Natürliche Tochter" und die „Helena"-Dichtung. In: „Funde und Forschungen", Festgabe für J. Wahle. 1921.
4. Melitta Gerhard: Goethes Erleben der französischen Revolution im Spiegel der „Natürlichen Tochter". In: Deutsche Vierteljahresschrift für Literatur- und Geistesgeschichte, 1923.
5. R. A. Schroeder: Goethes „Natürliche Tochter" (zuerst 1939). Gesam. Werke, Bd. II, S. 472 ff., Berlin 1952.
6. E. Staiger: Die Zeit als Einbildungskraft des Dichters. Zürich. 1953, bes. S. 109 ff.
7. K. May: Goethes „Natürliche Tochter". In: Form und Bedeutung. Stuttgart 1957, S. 89 ff.
8. B. von Wiese: Die deutsche Tragödie von Lessing bis Hebbel. Hamburg, 1958, S. 110 ff.
9. H. M. Wolff: Goethe in der Periode der Wahlverwandtschaften. Bern 1952.
10. Verena Bänninger: Goethes „Natürliche Tochter". Bühnenstil und Gehalt. Zürich 1957 = Zürcher Beiträge zur deutschen Literatur- und Geistesgeschichte. Nr. 12.
11. H. E. Hass: „Die Natürliche Tochter". In: Das deutsche Drama, Hrsg. von B. von Wiese. Bd. I, S. 215 ff. Düsseldorf 1958.
12. E. Staiger: Goethe. Bd. II, S. 366 ff. Zürich 1956.
13. B. Cakmur: Goethes Gedanken über Lebensordnung in seinem Trauerspiel „Die Natürliche Tochter". Ankara 1958.

C. Spezialliteratur zu Goethes Verhältnis zur Geschichte:

1. A. Bergstraesser: Goethe, the Image of Man and Society. Chicago 1949.
2. E. Cassirer: Goethe und die geschichtliche Welt. Berlin 1932.
3. Fr. Meinecke: Goethe und die Geschichte. In: Die Entstehung des Historismus. München 1946, S. 469.
4. W. Mommsen: Die politischen Anschauungen Goethes. Stuttgart 1948.
5. K. Ziegeler: Zu Goethes Deutung der Geschichte. In DVJS f. Lit. u. Geistesgeschichte, Bd. 30, 1956, S. 232 ff.

D. Spezialliteratur zu Goethes naturwissenschaftlichem Denken:

1. E. Buchwald: Naturschau mit Goethe. Stuttgart 1960.
2. K. Hildebrandt: Goethes Naturerkenntnis. Hamburg 1947.

E. Sonstige verwendete Goethe-Literatur:

1. ERICH AUERBACH: Mimesis. Darin: „Musikus Miller", S. 382 ff. Bern 1946.
2. ERNST BEUTLER: Essays um Goethe. Bremen 1957.
3. ERNST ROBERT CURTIUS: Kritische Essays zur europäischen Literatur. Darin: Goethe – Grundzüge seiner Welt, S. 70 ff, Bern 1954 (2. Auflage).
4. WILHELM EMRICH: Das Problem der Symbolinterpretation im Hinblick auf Goethes „Wanderjahre". Jetzt in: Protest und Verheißung, S. 48 ff. Frankfurt, 1963 (2. Auflage).
5. FRANZ GÖTTING: Chronik zu Goethes Leben. Wiesbaden 1957.
6. PAUL HANKAMER: Spiel der Mächte. Tübingen 1948.
7. ARTHUR HENKEL: Entsagung. Tübingen 1964 (2. Auflage).
8. WALTHER KILLY: Wandlungen des lyrischen Bildes. Göttingen 1956.
9. MAX KOMMERELL: Gedanken über Gedichte. Frankfurt 1956.
10. HERMANN SCHMITZ: Goethes Altersdenken im problemgeschichtlichen Zusammenhang. Bonn 1959.
11. HANS JOACHIM SCHRIMPF: Das Weltbild des späten Goethe. Stuttgart 1956.
12. PAUL STÖCKLEIN: Wege zum späten Goethe. Hamburg 1960 (2. Auflage).
13. KARL TOGGENBURGER: Die Werkstatt der deutschen Klassik. Schillers und Goethes Diskussion des künstlerischen Schaffens. Zürich 1948. Zürcher Beiträge zur deutschen Literatur- und Geistesgeschichte, Nr. 1.
14. KARL VIETOR: Goethes Anschauung vom Menschen. Bern 1960.

F. Allgemeine Literatur:

1. KARL LÖWITH: Von Hegel zu Nietzsche, Stuttgart 1964 (5. Aufl.).
2. HERBERT MARCUSE: Vernunft und Revolution, Neuwied 1962.
3. HEINRICH POPITZ: Der entfremdete Mensch, Basel 1953.
4. KURT VON RAUMER: Deutschland um 1800, in: Handbuch der deutschen Geschichte, Konstanz o. J., Bd. III. Abschnitt 1.
5. JOACHIM RITTER: Hegel und die französische Revolution. Frankfurt 1965 (2. Aufl.).
6. FRITZ VALJAVEC: Die Entstehung der politischen Strömungen in Deutschland 1770–1815. München 1951.

Der Verfasser ist Herrn Professor Dr. Arnold Bergstraesser für viele Anregungen und fortwährende Unterstützung dankbar; Professor Bergstraesser hat über diese Arbeit, als sie 1961 als Dissertation vorlag, der philosophischen Fakultät der Albert-Ludwig-Universität in Freiburg/Breisgau referiert. Für die Aufnahme in die Reihe der ‚Münchener Studien zur Politik‘ sei den beiden Herausgebern, Herrn Professor Dr. Eric Voegelin und besonders Herrn Professor Dr. Hans Maier, herzlich gedankt.

MÜNCHENER STUDIEN ZUR POLITIK

Herausgegeben vom Institut für Politische Wissenschaft
der Universität München durch
Eric Voegelin und *Hans Maier*

Bisher sind erschienen:

HEFT 1

JÜRGEN GEBHARDT: *Politik und Eschatologie.* Studien zur Geschichte der
Hegelschen Schule in den Jahren 1830–1840. 1963. X, 183 Seiten.
Kart. DM 19,50

HEFT 2

FRANZ MARTIN SCHMÖLZ: *Zerstörung und Rekonstruktion der politischen
Ethik.* 1963. VIII, 152 Seiten. Kart. DM 20,–

HEFT 3

PETER WEBER-SCHÄFER: *Der Edle und der Weise.* Oikumenische und
imperiale Repräsentation der Menschheit im Chung-yung, einer didak-
tischen Schrift des Frühkonfuzianismus. 1963. XI, 67 Seiten.
Kart. DM 10,–

HEFT 4

JOACHIM H. IWAN: *Die Abrüstung.* Die Bemühungen um Friedenssiche-
rung durch Rüstungsbeschränkung und -kontrolle 1965. VIII, 270 Seiten.
Kart. DM 34,–

HEFT 5

PETER ZÜRN: *Die republikanische Monarchie.* Zur Struktur der Verfassung
der V. Republik in Frankreich. 1965. XX, 347 Seiten. Kart. DM 38,–.

BAND 6

ULRICH MATZ: *Rechtsgefühl und objektive Werte.* Ein Beitrag zur Kritik
des wertethischen Naturrechts. 1966. XII, 148 Seiten. Leinen DM 20,–